DIAMANTS

Sophie GALLOIS

DIAMANTS

roman

Prologue

Ciel d'Afrique

Zaïre, 1969

La piste n'est qu'un champ de terre battue, à l'orée de la jungle.

Patrick tente de déglutir, pour calmer son malaise. Mais l'angoisse semble s'être coagulée au fond de sa gorge, une boule oppressante qui ralentit ses mouvements, ses pensées.

Il joue avec la fermeture de son K-Way, cherche en vain une cigarette au fond de ses poches. Ses stocks sont épuisés depuis trois jours.

Autour du Cessna Air King, le pilote et Carlos s'engueulent avec vigueur.

– Lève les yeux de ta canette de bière ! Le ciel est noir, mon vieux. Noir comme le cul de l'Afrique.

– Le jour n'est pas levé.

– Pas levé ? Il est bientôt sept heures. C'est simplement l'orage du siècle qui se prépare là-haut.

– Bon. Si tu as la frousse, on décollera sans toi.

Une bourrasque fait tournoyer la poussière et malmène une touffe de frangipaniers : brusque mouvement d'humeur d'une météo incertaine. Les hommes s'interrompent, scrutent le plafond bas des nuages.

Le pilote décapsule une bouteille de bière et gratte une cloque de rouille sur le flanc de l'appareil.

– Alors ? On y va ?

– Seulement si tu y mets le prix.

– Rapace!

– Je n'ai qu'une vie, figure-toi. Je veux bien la risquer, mais pas à moins de mille zaïres.

– Mille zaïres pour affronter une averse? Pauvre type.

Un échange de regards méprisants vient conclure l'accord. Les deux hommes finissent de charger les bagages.

Lorsque Patrick a hérité d'une parcelle de forêt équatoriale, il a cru que sa vie allait changer. On n'est jamais à l'abri de ce genre d'utopie. Même lorsqu'on approche la quarantaine.

Il avait besoin d'espace. Pour mieux respirer, pour se reprendre en main.

Cerné par les colonnes de chiffres d'une comptabilité fragile, assoupi par le train-train d'un mariage sans passion, Patrick Desprelles a mis les voiles. Mais sa vie est restée à Bordeaux. Il n'a trouvé ici qu'une immense déception.

L'Afrique lui est trop étrangère. Voyageur solitaire, sans but, il ne laisse aucune trace sur ce monde hermétique. Il a parfois l'impression d'observer son périple en spectateur, comme séparé de la réalité par un voile. « Chère famille... Le Congo est différent de ce que j'avais imaginé. Le ciel est vide, désespérément vide. Les paysages sont immenses, monotones, silencieux. »

Toutes ces lettres qu'il aurait pu écrire.

Tous ces appels qu'il a mille fois rédigés en pensée. Et impitoyablement censurés.

Car, pour au moins une personne, Patrick Desprelles est un héros. Sa fille, Paula, sept ans. Et Paula ne peut être déçue. Elle ne saura jamais la solitude de son père, qui traque un rêve fumeux dans la boue africaine.

Le tonnerre roule, comme un raz de marée, du bout de l'horizon.

– Patrick! Tu montes ou tu prends racine?

Sept heures cinq. Les bruits du village s'intensifient : rythme des pilons, motocyclettes crachotantes, cris d'enfants. L'air est épicé par des effluves de bois brûlé. Un camion matinal traverse la piste de l'aérodrome et disparaît dans une nappe de brume.

Carlos déplie les trois marches qui permettent d'accéder à la cabine du Cessna, et se hisse à bord. Patrick secoue ses épaules ankylosées par l'attente, puis grimpe à son tour. La cabine est minuscule. Les sièges grincent affreusement sous le poids des passagers.

– *All Correct?* Les estomacs sont bien accrochés?

Prosper lance le moteur. L'hélice tousse, hésite, puis se met à tourner sous les accélérations insistantes du pilote. Le Cessna cahote jusqu'au bout de la piste, se tourne. Immobile, il fait face à la jungle, grondant de toutes ses tôles.

Prosper rigole en poussant les gaz.

– C'est parti. Dans une minute, j'envoie les hôtesses et le Duty Free.

Une rafale de vent cabre l'appareil.

– Notre passager est bien silencieux... Un rien de trouille, peut-être?

– Pas du tout! ment Patrick avec vigueur.

Il essuie le hublot ruisselant de condensation, aperçoit une paroi sombre, touffue, qui retient des écharpes de vapeur. L'avion s'élève le long d'une montagne, perdu dans un univers gris.

Trou d'air. Le Français sent son estomac lui monter aux lèvres. Carlos laisse échapper un juron, tente de freiner du pied les bagages qui dévalent l'allée en cascade.

L'appareil retrouve l'équilibre, mais les trois hommes gardent un silence tendu.

Partout, du gris et du vert. Patrick a la nausée. Le front contre le hublot, il aperçoit soudain un magma noir secoué d'éclairs. Un nuage infernal. Vertigineux comme une falaise.

– Tu as vu?

– Quoi?

– Droit devant.

Carlos, livide, hurle en direction du pilote. Ses mots sont perdus dans le fracas de l'orage.

Cramponné aux commandes, Prosper ne voit plus rien. Des trombes d'eau frappent l'appareil comme la peau d'un tambour. Dans la cabine, l'atmosphère est devenue oppressante. Les hommes respirent avec peine, la peau luisante, les vêtements tachés par la transpiration.

Soudain, un étrange silence.

Pendant quelques instants, ils ne comprennent pas.

Puis leur vertige explose en cris.

Le moteur vient de s'arrêter.

Lentement, l'avion bascule vers la forêt, puis chute.

Une boule de feu explose au-dessus des arbres. La déflagration roule sous les nuages, puis disparaît, absorbée par l'orage d'Afrique.

A des milliers de kilomètres du Zaïre, l'enfant s'est dressée, les yeux écarquillés. Et se met à hurler. Une femme se précipite, trébuche le long d'un couloir.

– Paula, ma chérie, ne crie pas. Réveille-toi, je t'en prie...

Dans la pénombre de la chambre d'enfant, la petite fille ne l'entend pas. Terrifiée par sa vision.

– Tu as fait un cauchemar. Ce n'était qu'un rêve.

Mais Paula suffoque, bouche ouverte.

A l'est du Zaïre, la tempête fait rage.

PREMIÈRE PARTIE

La roue de fortune

1

Paris, 1990

Paula est la première de la journée à passer le seuil de la maison Moras. Autant pour profiter du calme qui règne encore dans les bureaux, que pour saisir le lever du jour sur la capitale. Elle ouvre les portes-fenêtres. Perspective éblouissante : une brume mauve recouvre encore la Concorde. Les rayons de soleil jouent sur la Seine et réchauffent la façade du Palais-Bourbon.

Elle s'étire, ôte ses escarpins – les pieds nus sur le tapis, ça stimule la concentration – et évalue du regard la pile de dossiers qui l'attend.

A vingt-huit ans, elle est directrice générale d'une prestigieuse société. La signature « Moras » griffe depuis plus d'un siècle les parfums des grands de ce monde, et s'exporte aujourd'hui sur les cinq continents. Lorsque Paula a pris le pouvoir dans cette vieille maison, beaucoup se sont étonnés de son âge. Puis ils ont rencontré son regard...

Le soleil pénètre à flots dans la pièce. Elle a choisi pour son bureau un mobilier sobre, moderne, qui met en valeur les proportions de ce salon du XVIIIe siècle. Seul élément de décoration : une sculpture de bronze signée Flanagan, un lièvre-Nijinski surpris en plein bond. Elle a eu un coup de foudre immédiat pour la liberté, l'audace de cette œuvre, aperçue chez Sotheby's.

L'heure du premier rendez-vous approche. Paula récupère discrètement ses escarpins, tandis qu'on frappe à la porte. Un homme, une femme pénètrent en coup de vent dans le bureau, posent sur la table un pot de café et des dossiers volumineux.

– On a un truc génial à te présenter!

– Des relations publiques d'enfer. Du jamais vu!

Comme d'habitude, la petite blonde et son partenaire – Louis, un Corse survolté – parlent à tour de rôle, avec force mouvements de mains.

– Pour ton nouveau parfum, Bulle, nous avons prévu un lancement grandiose : deux cent cinquante journalistes, stars du show-biz et de la mode.

– Une grande soirée dans un château du XVIIIe siècle, qui sera chauffé pour le même prix.

– Dîner fin, bal, et envol de montgolfières sur le coup de minuit.

– Bulle, ballon, et donc montgolfière... Tu vois?

– Je vois.

Le ton de Paula est si froid que les deux attachés de presse se taisent immédiatement. Louis observe le visage qui lui fait face, masque autoritaire qu'il ne sait pas déchiffrer.

Malgré la douceur de la chevelure châtain clair, malgré l'élégance de danseuse, cette femme ne charme pas : elle fait frémir.

Elle reprend d'une voix plus conciliante :

– Vous n'avez pas compris la personnalité de Bulle : ce n'est pas un parfum ordinaire. Les femmes ne le mettront pas pour s'orner, mais pour se purifier. Pour se « laver » de l'âge et des soucis. Bulle, c'est l'odeur d'une peau nue, jeune. Une essence transparente, cristalline, un rien magique...

Elle s'interrompt pour boire une gorgée de café.

– Cette soirée de lancement devra être associée à la neige, à la rosée, aux larmes d'un nouveau-né... Quelque chose de pur, de propre.

Ils ne réagissent pas. Elle les réveille avec un sourire :

– C'est un défi original. Non?

– Je ne sais pas...

– Mais si. Je suis sûre que vos imaginations bourdonnent déjà d'idées nouvelles. J'ai toute confiance en votre créativité.

Le téléphone vient les interrompre. Paula décroche, agacée. Son visage s'illumine immédiatement.

– Luc! C'est toi? Tu es rentré?

– A l'instant. Je suis à Roissy.

– Je n'ai aucune nouvelle de toi depuis des siècles! Quand se voit-on?

– Dès que tu voudras, petite sœur...

– Maintenant?

– Pourquoi pas? Mais je suis d'une propreté douteuse : mon hôtel à Kinshasa n'était pas exactement un quatre étoiles.

– Quelques cafards congolais mettront de l'animation dans ces bureaux. Viens tout de suite...

Dans le couloir, Louis commente avec un sourire ironique :

– Le Sphinx se dévoile. Un instant, j'ai vu une émotion sur le vénéré visage de ma directrice.

– Le coup de téléphone? C'était son frère, Luc. Je l'ai aperçu une ou deux fois. Mignon.

– Ah tiens? J'avais cru...

– Quoi?

– J'ai imaginé une ébauche de vie privée. Un battement de cœur plus rapide, un frisson amoureux.

– Cesse de jouer les machos, tu es ridicule. Je suis sûre que Paula a un amant terriblement romantique. Mais elle le cache, pour éviter que tu crèves de jalousie.

Paula dévale l'escalier qui descend jusqu'au hall d'entrée et, dès les dernières marches, repère la silhouette adossée contre une colonne de marbre. Luc est bronzé, vêtu d'un pull noir et d'un jean. Son sourire est immense. Elle éclate d'un rire joyeux lorsqu'il la prend dans ses bras.

– Tu veux déjeuner?

– Un sandwich seulement.

– Homme étrange qui n'aime pas les restaurants... Soit, j'abandonne l'idée de te gaver de vitamines. Tu as encore maigri, on dirait.

Cinq mois qu'ils ne se sont vus. Ils échangent des questions sans prendre le temps de répondre, s'examinent du coin de l'œil. Paula dissimule son émotion. « Voilà le seul homme dont je suis proche. Pourquoi ne sont-ils pas tous aussi simples, étonnants ? Je ne rencontre que des coqs prétentieux. »

Il se dégage de Luc une impression étrange : son visage mobile est souvent au bord de la grimace. Mais le profil est noble, et le regard d'un noir intense. Il a de grandes mains, des mains d'artiste, faites pour toucher le monde. Luc est un peu fou. Il possède ce genre de personnalité insaisissable, qui fascine et attire.

Dans la brasserie la plus proche, ils choisissent vers une table calme, dans l'arrière-salle.

Luc glisse son sac sous la banquette, jette à sa sœur un regard malicieux.

– Tu vois, je suis revenu, dit-il.

Elle ne répond pas. Baisse la tête, soudain boudeuse.

– Tu es encore fâchée ? Il est peut-être temps de passer l'éponge : nous nous sommes assez disputés à propos de ce voyage.

– Je ne suis pas en colère. Simplement, je ne comprends toujours pas.

– Quoi ?

– Ce que tu es allé chercher au fond de la jungle zaïroise.

– Il y a quand même un lien entre notre famille et ce petit bout d'Afrique.

– Ce n'est qu'un prétexte, tu le sais aussi bien que moi. Pourquoi donc t'intéresses-tu à ce terrain ? Plus vite nous l'oublierons, plus vite je dormirai tranquille.

Ils s'interrompent, au moment où le garçon apporte deux cafés noirs, du jambon cru et des couverts.

Luc reprend avec douceur :

– Tes réactions sont trop violentes. Tu penses encore à l'accident, n'est-ce pas ?

Typique de Luc, ça. On lui parle raison, il répond par un uppercut en plein cœur. Elle se mord les lèvres, le regard figé.

La mort de leur père reste un sujet tabou – de même

que les cauchemars qui ont longtemps hanté ses nuits de petite fille.

– Je ne souhaite pas en parler.

– Je suis désolé.

– Ce n'est rien. Raconte ton voyage.

– J'ai d'abord travaillé trois mois à Kinshasa pour rassembler l'argent nécessaire. J'étais disc-jockey au club *La Paillote*. Puis un ancien militaire m'a servi de guide pour retrouver notre concession familiale. Ça n'a pas été facile : l'est de la Lomami est une des régions les plus sauvages du globe.

– La Loma-quoi ?

– Lomami. C'est un fleuve. Nous avons campé entre trois montagnes noyées dans les brumes. Sur l'une d'elles, il y avait un village : quelques huttes de branchage, des hommes plutôt sales. Je t'ai rapporté un cadeau de là-bas.

– Un tee-shirt « Vive la Jungle » ?

Il ignore le ton acide de sa sœur et pose sur la table un paquet emballé dans du papier journal.

– Qu'est-ce que c'est ?

– Ouvre.

Elle cisaille maladroitement la ficelle avec son couteau en inox. Comme un chou de papier froissé, le paquet s'ouvre. Au cœur apparaît un bijou, qui brille étrangement sous la lumière artificielle. C'est un pendentif insolite, une pierre translucide, à l'état brut, sertie dans un triangle de laiton gravé.

– C'est une amulette.

– Le cristal est joli. Je n'en ai jamais vu de semblable. Tu sais ce que c'est ?

– Un diamant brut.

Paula lève la tête vers son frère en souriant.

Mais il n'a pas l'air de plaisanter.

– Tu ne me crois pas ? Pourtant, je m'y connais un peu : la minéralogie a été un de mes hobbies préférés.

Elle se souvient : Luc collectionnait des boîtes d'allumettes emplies de cristaux, chacune soigneusement étiquetée. Parfois, il partait avec quelques autres adolescents, sous la direction d'un géologue, pour gratter la terre des carrières autour de Bordeaux.

– Crois-tu vraiment que ces camps de vacances te qualifient pour reconnaître un diamant brut ?

– Pourquoi pas ? Le diamant est une pierre si particulière... J'ai rapporté une dizaine de ces gris-gris.

Incrédule, elle éclate de rire.

– Une dizaine ! Aussi gros que celui-là ?

– Ne te moque pas de moi. J'aimerais faire expertiser ces gemmes.

Retrouvant son sérieux, elle observe son frère avec attention : lui habituellement si détaché des choses matérielles, pourquoi s'est-il lancé dans cette chasse au trésor ?

– Tu vas comprendre.

Il se penche et tire de son sac à dos un bouquin relié en toile verte, dont le titre doré s'efface presque : *Le Congo belge et ses richesses*, par Leopold Van Hoovels.

Elle ouvre de grands yeux et retient une exclamation : tous les ouvrages de leur père sur le Congo étaient rangés sur la plus haute étagère de la bibliothèque, à Bordeaux. Après l'accident, leur mère, hystérique, avait défendu qu'on les lise, qu'on les touche, qu'on les regarde.

– Ouvre à la page quatre-vingt, indique Luc. Certains paragraphes sont soulignés.

Les yeux de Paula parcourent le papier jauni. Quelques phrases la frappent de plein fouet. Ces mots-là contiennent toute la tragédie de la famille Desprelles. « La richesse des gisements diamantaires belges est presque abusive. » Et, plus loin : « Une fois recensées les mines de Tshikapa et du Bakwanga, on trouve aussi des diamants d'origine énigmatique, à l'est de la cuvette congolaise. De telles gemmes ont notamment été découvertes dans la région de la Lomami. »

– C'est donc cela qui le faisait courir ?

Soudain, elle se sent très lasse. Elle baisse le front, à demi dissimulée par sa chevelure.

– Les diamants. Pas seulement le plaisir de l'aventure, non. Il lui fallait aussi la chasse au trésor. Papa... Négociant bordelais et chercheur de diamants ! Quelle gaminerie !

Elle pose sur son frère un regard gris, froid.

– Et toi aussi, maintenant ? Il doit y avoir un chromosome d'aventurier raté chez les mâles de la famille.

– Tu prends les choses trop au sérieux.

– Écoute-moi. Notre père souffrait d'une overdose de Jack London. Il en est mort! Et tu pars sur ses traces pour rapporter une poignée de cailloux terreux à faire expertiser. Je ne devrais pas prendre cela au sérieux?

Luc baisse le nez vers son café froid. Il connaît trop sa sœur pour tenter de dialoguer lorsque ses yeux argent jettent ces éclairs-là.

Elle se lève, lisse la jupe de son tailleur, empoche le bijou africain.

– Je te laisse te réadapter à la vie parisienne. Maintenant, je dois partir.

Elle traverse la salle, droite, sans un regard en arrière, et disparaît.

Minuit. Paula abandonne sa veste sur une chaise de bambou, expédie ses escarpins à l'autre bout de la salle de bains. Au moment d'ôter sa jupe, elle sent un poids au fond de sa poche. Le bijou de Luc. Elle a toujours su que le voyage de son frère au Zaïre serait une source de contrariétés. Songeuse, elle pose le pendentif sur le bord de la baignoire, puis achève de se déshabiller, et s'immerge dans l'eau chaude et mousseuse. Elle s'étire, savoure cette minute privilégiée où elle se retrouve enfin seule, l'esprit libre pour réfléchir à la journée qui s'achève.

Elle saisit le bijou, passe un doigt mouillé sur la pierre. La lumière vive d'un spot frôle le cristal et révèle un chatoiement rosé.

Serait-ce vraiment un diamant?

Luc est si rêveur, si bohème. Pour lui, l'argent n'a pas d'importance et elle n'arrive pas à comprendre ce qui l'a poussé à chercher ces gemmes, au cœur de l'Afrique. Le souvenir de leur père? Le sentiment d'une aventure familiale inachevée? Peut-être. Mais sans doute plutôt ce goût du voyage qui sévit chez les Desprelles depuis plusieurs générations.

Paula sort du bain, s'enroule dans un peignoir, puis, rêveuse, se laisse tomber dans un fauteuil. Ce qu'elle connaît de l'histoire familiale pourrait, c'est vrai, expliquer la soif d'aventures qui a poussé Luc vers l'Afrique.

Au XVIIIe siècle, petits armateurs bordelais, les Desprelles commerçaient avec « les Iles » : les Antilles et la Réunion. Bon prétexte pour prendre la mer et fréquenter de près les jeunes créoles.

Mais l'apparition du sucre de betterave et l'abolition de la traite des Noirs affaiblirent progressivement la maison familiale. D'hypothèques en faillites, la chute fut dure, puis définitive vers 1850. Les fils tentèrent une reconversion dans le commerce alimentaire, tout en rêvant des Tropiques. Penchés sur les livres de compte, les Desprelles ne pensaient qu'aux horizons lointains. Ils se passionnaient pour l'aventure coloniale : le Tonkin, Madagascar, l'Afrique... Autant d'images puissantes qui illuminaient la grisaille des entrepôts. De père en fils, ils se transmirent cette bizarre schizophrénie : un cœur d'aventurier et une vie de petit commerçant.

Lorsque Patrick Desprelles, leur père, vit le jour, la famille était pratiquement ruinée. Il hérita d'une affaire vétuste, mal adaptée au marché moderne. Et, surtout, d'une frustration intense : celle de ses ancêtres, qui le poussait vers le large.

Les vies de Paula et de son père se sont à peine croisées, et elle ne se rappelle pas ses traits avec précision. Mais elle se souvient d'une complicité, d'une admiration sans bornes pour un homme qui lui parlait d'égal à égal alors qu'elle n'avait pas sept ans.

L'union de ses parents ne fut pas heureuse : Patrick avait épousé une créature maigre, au sourire trop rare. Mais cette jeune femme belge était l'héritière d'une plantation de caoutchouc perdue au cœur du Congo. La plantation était depuis longtemps retournée à l'état de brousse. Qu'importe : elle nourrit les rêves de Patrick, pendant des années.

Un jour, le négociant n'y tint plus. Il quitta son affaire, sa famille, vida son compte d'épargne. Puis il partit vers l'équateur rechercher d'hypothétiques diamants. Le démon de midi, pensa sa femme.

Après l'accident, Luc devint le dernier porteur du rêve Desprelles...

Paula garde la tête froide. Elle n'a hérité ni de la frustration paternelle, ni de la timidité de sa mère. Elle ne ressemble à personne. Mais, depuis vingt-trois ans, elle est responsable de Luc. Il est hors de question qu'il suive les traces de son père. Elle ne le laissera pas s'embarquer dans cette histoire. Et le meilleur moyen de rogner les ailes de ce rêve imbécile est encore de faire expertiser les pierres : avec le certificat « caillou vulgaire », elles deviendront sans doute moins exaltantes.

Paula se faufile à travers la circulation et emprunte le labyrinthe de ruelles qui mène chez son frère, au cœur du Marais.

Immobilisée à un feu rouge, elle ignore les regards intéressés de quelques promeneurs. Sa Mustang 65 cabriolet, blanche et noire, attire parfois plus d'attention qu'elle ne le souhaiterait. Elle n'a jamais eu le cœur de troquer ce jouet – la dernière folie de son père, dont elle a hérité à dix-huit ans – pour une voiture de fonction. Mais elle menace régulièrement de l'envoyer à la casse, lorsque les factures du garagiste atteignent des montants trop astronomiques.

Une silhouette familière apparaît à l'angle de la rue. Paula sourit, elle arrive juste à temps. La Mustang freine devant Luc, dans un crissement de pneus.

– Allez, monte !

– Je pars travailler...

– A trois heures et demie ? Quel esclavage !

– Je suis déjà en retard.

– Arrête de geindre. En route.

La portière claque derrière Luc, qui tente de plier ses longues jambes sous la boîte à gants du cabriolet.

– Tyran ! Despote !

– Ça suffit. C'est toi qui as voulu faire expertiser ces cailloux. Non ? Alors tu m'accompagnes pour chercher les résultats.

– Tant pis. Je serai viré. Tu me condamnes au chômage, à la lente glissade vers la rue...

– Et ta sœur ! Il n'y a pas que toi qui travailles. Que crois-tu que je fasse un jeudi après-midi ? J'expérimente des hamacs, peut-être ?

Le frère et la sœur échangent un sourire furibond, sous lequel couve un violent fou rire.

– Écoute-moi une seconde : j'ai rendez-vous à l'hôpital. Un nouveau job.

– Chirurgien ? Tu te trompes de carrière.

– Non. Animateur pour enfants psychotiques...

– Cela te ressemble plus. N'essaye pas de m'attendrir : tu viens avec moi. Je ne veux pas être la seule ridiculisée lorsque l'expert nous rendra nos bouchons de carafe.

Paula a choisi le laboratoire de gemmologie le plus réputé de France : celui de la chambre de commerce de Paris, place de la Bourse.

M. Prabot, l'expert, paraît proche de la retraite. Son œil brille derrière les verres de myope, et ses joues sont empourprées.

– Mademoiselle, monsieur Desprelles... J'étais impatient de vous voir. Nous devons... discuter.

Le bureau est tapissé de gris. Aménagement sommaire : quelques cristaux dans une vitrine poussiéreuse, un coffre blindé encastré dans le mur.

– Comme convenu, nous avons fait tailler vos diamants par un lapidaire.

– Pardon ?

– Nous ne pouvions pas faire autrement, mademoiselle : notre laboratoire n'expertise que les gemmes taillées.

– Enfin, c'est incroyable !

– Mon Dieu, mais je ne comprends pas : j'étais pourtant certain de votre accord.

Luc croise les jambes avec une certaine nonchalance.

– Il y a un malentendu. Ce qui surprend ma sœur, c'est le mot que vous avez utilisé.

– Le...

– Oui, le mot « diamant ».

– Ah ? Des diamants... Oui, bien sûr, des diamants.

Paula porte la main à son front comme si elle ne pouvait saisir l'ampleur de cette révélation. Elle se penche sur les pierres, scellées dans des sachets avec leurs certificats. Le scintillement des gemmes est visible, même à travers le plastique.

– Êtes-vous bien sûr qu'il s'agit de nos cailloux ? Nous vous avons confié des morceaux de roche, et vous nous rendez des joyaux.

– Il n'y a aucun risque d'erreur. Simplement, le polissage et le facettage ont révélé les feux de ces pierres. Mais ce n'est pas tout... Ces diamants sont roses!

– Et alors?

– Les diamants de couleur sont extrêmement rares. Sur cent mille gemmes de la meilleure qualité, on en trouve une tout au plus, qui soit d'une couleur soutenue.

– Je croyais que tous les diamants étaient blancs, plus ou moins.

– Oh non! Il en existe de toutes les couleurs de l'arc-en-ciel. Le rose est l'une des teintes les plus rares et les plus appréciées. Mais ces diamants de couleur sont de véritables accidents de la nature. Or, les sept gemmes que vous m'avez confiées sont toutes roses. Du même rose soutenu et uniforme. Qui plus est, la composition chimique de vos diamants semble particulière et leur confère une certaine phosphorescence.

Le regard de l'expert est comme illuminé, tant ses yeux brillent d'excitation.

– Roses et phosphorescents! Appartenant probablement au type rarissime des diamants ne contenant pas d'azote.

Paula fronce les sourcils.

– Je ne suis pas sûre de bien vous suivre...

– Mais moi non plus, je ne comprends pas tout! Je dois vous avouer que nous avons passé quelques heures nocturnes à étudier ces pierres. Deux théories semblent possibles. Elles pourraient être d'origine extraterrestre : on trouve parfois des petits diamants sur des météorites. Ou bien...

– Ou bien?

– Il pourrait s'agir d'un gisement de type inconnu. Découvert pour la première fois. Une mine de diamants roses.

Prabot s'interrompt, comme effrayé par l'audace de ses propres mots.

– Hérétique! reprend-il. Cette hypothèse va à l'encontre de toute la gemmologie moderne. Il faut que vous alertiez les autorités zaïroises. De toute urgence. Elles lanceront des équipes de géologues pour étudier le terrain.

Paula se tourne vers son frère.

– Tu es bien silencieux...

– Il y a quelques jours, j'échangeais ma boîte à pharmacie contre ces pierres. Je me demande si j'ai bien fait.

– C'est toi qui dis cela ? Après t'être donné tant de mal pour trouver ces diamants ?

– Je l'ai surtout fait pour le plaisir de l'aventure. Mais une telle découverte aurait un retentissement énorme. Je n'imagine même pas les conséquences que cela pourrait avoir sur nos vies. Non, il vaut mieux que cette histoire s'arrête maintenant.

L'expert intervient, d'une voix qui trahit sa nervosité :

– Ces gemmes ne peuvent tout de même pas rester au fond de la jungle ! Elles sont d'un intérêt scientifique majeur.

– Mais nous pouvons compter sur votre discrétion professionnelle, n'est-ce pas ?

– Cela va de soi. Cependant, vous feriez une grave erreur en ne recherchant pas la source de ces diamants.

L'échange entre les deux hommes est plutôt tendu, et Paula décide de conclure. Elle rassemble les pochettes et les certificats, et les glisse dans son sac.

– Ces pierres dorment au cœur du Zaïre depuis plusieurs millénaires. Nous avons le temps de réfléchir à notre décision.

Luc et l'expert la dévisagent, tous deux anxieux de deviner ses intentions.

Le visage de la jeune femme demeure insondable.

Paula jette un coup d'œil au miroir, discipline du bout du doigt quelques mèches ébouriffées. Ce tailleur couleur anis lui va bien. Dans le salon, Luc s'active autour du bar :

– Où as-tu mis les pistaches ?

– Derrière les bouteilles. C'est gentil d'être venu me donner un coup de main. L'appartement était dans un état épouvantable, et j'étais bloquée par une série de réunions. Sans toi j'aurais reçu notre homme dans une écurie...

– Pas de problème. Mais pourquoi faire tant de frais pour recevoir ce personnage ?

– Il est ce qu'on appelle traditionnellement un « ami de la famille ».

– Et tu as été prise d'un désir irrépressible de rencontrer ce vieux filou ? Pourtant, cela fait bien dix ans que tu n'as pas mentionné son nom.

– Pour tout t'avouer j'ai une question à lui poser.

– Une question qui concerne l'Afrique ?

– Oui.

Luc secoue la tête, découragé.

– Il fallait que tu te mêles de cette histoire de diamants, n'est-ce pas ?

– J'ai demandé à M. Prabot de prévenir les autorités zaïroises compétentes. Rien de plus.

– Arrête. Tu n'en resteras pas là. Je le sais.

– Je t'assure que, pour le moment, je ne fais que réfléchir aux différentes possibilités.

– Mais pourquoi ? Tu gagnes déjà assez d'argent pour acheter les pistaches au kilo.

– Je m'ennuie, peut-être.

Il hausse les épaules et saisit son blouson.

– Comment peux-tu t'ennuyer en menant une vie si frénétique ? Rien qu'à te regarder, je me sens épuisé.

– Tu pars déjà ?

– Je n'ai pas une grosse passion pour les notables de province. Et les diamants, c'est ton jeu, plus le mien.

L'ancien homme de loi de Patrick Desprelles n'aime pas la capitale. La soixantaine passée, Jean Darbeaux partage son temps entre les boiseries de son étude bordelaise et les vignes de sa gentilhommière. Paula a dû insister pour qu'il consente à venir lui rendre visite.

– Tu es bien installée, je vois, commente-t-il, en se glissant avec méfiance au fond d'un fauteuil Le Corbusier.

Elle lui sert un bourbon et dispose sur la table des coupelles de pistaches et de noix de cajou.

– J'ai appris que ton frère s'était rendu au Zaïre. Voilà qui n'a pas rassuré ta pauvre mère.

– Je la comprends. Mais Luc est revenu enchanté.

– Toi aussi, l'Afrique semble t'intéresser. Tu m'as appelé pour faire le point sur ce territoire dont ta mère avait hérité ?

– C'est cela.

– Il n'y a pas grand-chose à dire : il a été nationalisé en 1972-1973 comme tous les biens appartenant aux étrangers.

– Quoi ? Mais je n'en savais rien.

– Tu ne t'es jamais beaucoup occupée des affaires familiales.

– Il n'y a aucun recours possible ?

– Tu plaisantes ? Même ton père en avait pris son parti. Quand la loi Bakajika a été votée, en 1966, il a compris que le terrain reviendrait tôt ou tard à Kinshasa.

– Mais alors, pourquoi est-il allé au Zaïre, sur les lieux mêmes de la propriété familiale ?

– Parce qu'il voulait négocier une concession de prospection minière. Pour quelle raison, je n'en sais rien : ce terrain n'a aucune valeur, il est quasiment inaccessible, et on n'y a jamais trouvé que des moustiques.

– Étais-tu au courant de tout cela, à l'époque ?

– Oui. J'ai tout fait bien entendu pour dissuader ton père de ces projets ridicules. De plus, sa comptabilité n'était pas en état de supporter de telles fantaisies. Il a versé une fortune au gouvernement de Kinshasa.

Jean Darbeaux lève les mains en geste d'impuissance.

– Je ne voudrais pas blesser tes sentiments. Mais Patrick se comportait de manière tout à fait déraisonnable. De nos jours, on aurait appelé cela une dépression, un symptôme psy quelque chose. Mais à l'époque, nous ne parlions même pas de stress...

Paula tourne son verre entre ses doigts. Le ton paternaliste de cet homme l'agace.

– Imaginons pourtant que je souhaite acquérir des droits d'exploitation sur ce terrain. Il me faudrait demander une concession personnelle à Kinshasa, n'est-ce pas ?

– Sans doute. Mais cela ne serait pas facile.

– Pourquoi ?

– Ma petite fille, je ne suis pas complètement gâteux. De deux choses l'une : soit ce terrain n'a réellement aucun intérêt, et tu désires suivre le rêve fumeux de ton père ; soit il existe sur place des richesses minières, que le gouvernement zaïrois ne cédera pas au premier venu. Te connaissant, j'opterais plutôt pour la seconde solution.

Paula vide son verre d'un trait. La chaleur de l'alcool

lui fait du bien. Dire qu'elle s'est vue propriétaire d'une mine de diamants, elle qui n'a jamais cru aux contes de fées!

Sa famille n'a plus aucun droit sur ce morceau de forêt équatoriale qui – elle le sait maintenant – recèle une mine d'une qualité exceptionnelle.

Pour s'approprier les diamants roses, il faudrait arriver à la table de négociation avec de gros, très gros capitaux. Même en cassant sa tirelire, elle n'est pas dans la course...

Paula dispose avec soin la théière en porcelaine et les petits fours sur son bureau. L'homme qui lui fait face, John Lee Wong, possède 51 % des actions de la société Moras. C'est un visiteur de marque. La trentaine passée, il est conseiller financier auprès des plus grandes banques internationales. Sa fortune personnelle, de dimension très respectable, est investie dans l'industrie du luxe.

Elle extrait d'un écrin une sphère de verre soufflé. Sur la courbure délicate, deux gouttes de cristal semblent figées à mi-course.

– Vous n'aviez pas encore vu le prototype du flacon de Bulle. Le voici.

Un rayon de soleil couchant fait scintiller la bulle entre les doigts de la jeune femme.

– C'est magnifique!

JLW sourit d'un air approbateur. Cette femme change en or tout ce qu'elle touche. Il n'a aucune inquiétude : le lancement de Bulle sera une superbe réussite. Il note sur son filofax d'augmenter ses parts de la société. Peut-être jusqu'à 60 %.

Dix-huit mois plus tôt, John fut l'un des principaux opposants à l'embauche de Paula. Une directrice de vingt-sept ans? Inimaginable!

L'ancien président avait vigoureusement plaidé sa cause.

– John, avez-vous déjà vu un tel cursus? L'E.N.A., un Masters, cette fulgurante ascension au ministère des Finances...

– Si je calcule bien, votre candidate a passé son bac au berceau?

– Cher ami, vous êtes de mauvaise foi. Elle parle quatre langues. Le ministre l'a intégrée au cercle le plus restreint de ses conseillers et ne se déplace plus sans elle.

– Tout cela n'a rien à voir avec les parfums. Il nous faut quelqu'un qui puisse coordonner un business international.

– Écoutez-moi. Cette jeune femme est brillante. Très brillante. La haute administration ne l'intéresse plus ? Tant mieux ! Nous avons la chance de la saisir au vol.

En fin de compte, ce ne fut pas le président qui convainquit John. Mais Paula elle-même, vibrante d'énergie, d'intelligence. Et ce regard qu'elle posa sur lui, qu'il retrouve à chacune de leurs rencontres.

Ses yeux sont argent : ils ont l'éclat du métal le plus pur. C'est à cela qu'on pense en l'observant : métal. Celui dont on trempe les armes blanches.

Il s'était dit « Pourquoi pas ? »

Et Dieu, il avait eu raison !

– Magnifique flacon, ma chère. Laissez-moi servir le thé.

Paula a tenté d'obtenir quelques renseignements concernant le Chinois. Mais les rumeurs sur son compte sont rares. Et austères. A part une admiration soutenue pour Napoléon, et une chasteté étonnante, pas de quoi passionner la commère moyenne. Cependant, elle a appris un détail qui prend toute sa valeur aujourd'hui : le père de JLW est négociant en perles et pierres précieuses, à Kowloon.

Après ses études à Oxford, JLW a fait ses premières armes dans la société paternelle. A la tête du service d'importation pour les diamants bruts et taillés. Dans les circonstances actuelles, le Chinois pourrait se révéler un atout maître.

– Je suis heureuse que vous approuviez ce lancement. Bulle représente l'avant-garde d'un nouveau...

Elle s'interrompt, ferme les yeux, passe une main sur son front. La réaction de JLW est immédiate :

– Êtes-vous fatiguée ? Du surmenage, sans doute.

– Je vous en prie, ce n'est rien.

– Allez-vous enfin accepter de prendre des vacances ?

– Cela n'est pas nécessaire, je vous assure. A vrai dire, je mène en ce moment un projet personnel qui se révèle plus épuisant que prévu.

Surprenant : Paula Desprelles a la réputation de consacrer toute son énergie aux parfums Moras. La curiosité de JLW est éveillée.

– J'espère que vous ne songez pas à nous quitter ?

– Qu'allez-vous imaginer ?

– Vous êtes une jeune femme ambitieuse, chère amie. Vous pourriez prévoir de fonder votre propre société, ou bien rejoindre la haute administration. Mais nous sommes prêts à beaucoup pour vous garder à la tête de la maison Moras, vous le savez.

– Rassurez-vous, je n'envisage pas de démissionner. J'ai seulement été préoccupée ces derniers temps.

La lueur mystérieuse au fond des prunelles de la jeune femme titille l'intérêt de JLW.

– Puis-je vous être utile en quoi que ce soit ?

– Non... Je ne crois pas. Merci.

Elle fait une pause, comme si elle hésitait à se confier plus avant.

– Il s'agit en fait d'une coïncidence remarquable. Une mine de pierres précieuses a été découverte sur un terrain qui a longtemps appartenu à ma famille.

– Excellente nouvelle !

– Pas vraiment. La propriété a été nationalisée. Mais il y a plus intéressant : il s'agit d'une mine de diamants d'un type nouveau. Des diamants roses.

Elle en est sûre, le regard du Chinois brille. Le mot diamant est un appât irrésistible.

– D'ailleurs, on en parle dans *L'Express* cette semaine.

Elle sort le magazine d'un tiroir et indique l'article à JLW. Celui-ci lit à mi-voix :

– « Le Zaïre a lancé une véritable bombe dans les milieux diamantaires internationaux, en annonçant mardi 17 qu'une mine de diamants d'un type nouveau avait été découverte, dans une région reculée du pays... » Effectivement, j'en ai entendu parler. Une histoire étonnante !

John rapproche la page de ses yeux myopes.

– Voyons... « Une équipe de géologues travaille sur place depuis plus d'un mois, au cœur de la forêt équatoriale.

Marc Boffray, chef de projet, explique : “ Cette mine n’a rien à voir avec les cheminées diamantifères répertoriées jusqu’à présent. En effet, toutes les gemmes que nous trouvons ici sont d’un rose intense... ” C’est remarquable! Composition chimique particulière, phosphorescence, etc. ... La diversité des diamants n’est pas une chose nouvelle : la Diamond International Company, la fameuse D.I.C., classe ces gemmes en plus de cinq mille catégories. Cependant, les diamants de couleur sont considérés comme de rarissimes caprices de la nature, réservés à quelques collectionneurs fortunés. Le fait que la mine de la Lomami produise exclusivement des diamants roses est une grande première mondiale ! »

JLW parcourt la fin de l’article, le front plissé par la concentration.

– « En France, M. Zerbisky, directeur de Van Cleef & Arpels, déclare : “ Nous restons prudents quant à l’annonce d’un nouveau type de diamants. Mais tout est possible : après tant de milliers d’années, notre bonne vieille Terre nous réserve peut-être une surprise de taille ! ” »

Paula reprend le magazine avec un sourire.

– Je suis désolée, je vous fais perdre votre temps avec ces histoires. J’ai ici un rapport sur la pénétration de la consommation de parfums par segment de la population...

Mais JLW n’est plus d’humeur à étudier des pages de chiffres. Son flair est réputé dans le monde des affaires, de Paris à Hong Kong, en passant par la Suisse. Et il a l’intuition que ces diamants roses méritent un examen approfondi.

– Un rapport intéressant, j’en suis sûr. Mais vous êtes trop épuisée pour plonger dans cette étude à une heure si tardive. Puis-je me permettre de vous inviter à dîner ?

Elle baisse les yeux pour dissimuler son envie de rire. JLW a réagi exactement comme elle le prévoyait.

Les soufflés de foie gras au sauternes crépitent dans les assiettes. Paula pose un regard attentif sur son interlocuteur.

– Je suis fascinée par la puissance des banquiers avec qui vous travaillez. J’en ai rencontré quelques-uns lors de mon passage au ministère des Finances. Il s’agit d’un monde à part, n’est-ce pas ?

– Une sorte de caste, oui.

Elle ouvre des yeux admiratifs. Elle est presque sincère : JLW pèse plusieurs millions de dollars. Il fait partie d'un monde qui l'a toujours attirée et impressionnée.

Le Chinois boit à petites gorgées, puis pose son verre avec un sourire satisfait. La compagnie de la jeune femme est très agréable. Mais cela ne lui fait pas oublier la principale raison de son invitation. Quelle est cette mine de diamants roses ? Comment Paula est-elle impliquée dans cette découverte ? Il opte pour une ouverture franche, directe.

– Que savez-vous exactement du monde du diamant ? demande-t-il à brûle-pourpoint.

– Pas grand-chose.

– J'ai du mal à le croire. Votre intérêt pour cette mine paraît si vif...

– Mon frère a rapporté du Zaïre les gemmes brutes qui ont permis de découvrir la mine. C'est moi qui les ai fait expertiser. Je pensais, à l'époque, que le terrain nous appartenait.

– C'est une véritable aventure !

– Oui, n'est-ce pas ? J'aimerais suivre ce qu'il advient de cette mine. Mais j'ignore tout de l'exploitation et de la commercialisation des diamants. Vos conseils me seraient précieux...

Elle lui lance un regard transparent. Le Chinois sourit. Les questions de la jeune femme sont bien innocentes.

– Vous êtes quelqu'un de généralement bien informé. Mais je ne suis pas surpris de votre manque de connaissances dans ce domaine. L'univers du diamant est fermé. Une sorte de club international. Qui réserve quelques belles surprises aux curieux. Un de mes amis en a fait l'expérience.

JLW plonge sa fourchette dans la croûte encore frémissante du soufflé. L'intérieur est fondant, parfumé.

– Georges est journaliste pour un magazine économique, à Londres. Un ami de longue date. Il y a quelques années, en plein boom du diamant, son magazine a voulu estimer ce que pouvait rapporter la spéculation sur les pierres précieuses. Georges acheta donc un diamant – une très belle pierre – pour l'équivalent de 6 300 dollars. Une semaine après – une semaine, Paula ! – il fit le tour des diamantaires de Hatton Garden. Il dut revendre la pierre pour 2 400 dollars.

– Laissez-moi deviner : c'était un intellectuel myope qui n'avait pas le sens du commerce.

– Pas du tout. L'expérience a été tentée bien des fois depuis. Vous-même, avec tout votre talent de femme d'affaires, vous ne pourriez pas revendre le solitaire de votre grand-mère. Peut-être, votre charme aidant, vous en proposerait-on une somme dérisoire.

Le sauternes rend John particulièrement loquace.

– L'explication est simple : le diamant n'est pas aussi précieux qu'on le dit.

– Je vous demande pardon ?

– Mais oui. C'est une pierre précieuse... Tant qu'on n'essaie pas de la vendre.

– Vous me faites marcher !

– Je n'oserais pas. Il y a un siècle les diamants étaient vraiment rares. Ils provenaient surtout d'Afrique du Sud. Mais depuis... On ne cesse de découvrir des mines toujours plus gigantesques, en Afrique, en Australie, en Sibérie... Une montagne de diamants, toujours plus haute, toujours plus difficile à écouler.

– Mais les prix ne s'effondrent jamais ?

– Jamais. Au contraire, ils progressent depuis le début du siècle. Aucune fluctuation, contrairement à l'or ou à l'émeraude, par exemple.

– C'est de la magie ?

Elle entame avec appétit ses papillotes de saumon au beurre d'estragon. Pris par son sujet, JLW essuie longuement ses lunettes à sa serviette.

– Non. Pas de magie, mais un monopole redoutable : la Diamond International Company. Qui « fabrique », en quelque sorte, la rareté des diamants.

– Voyons, aucune société ne peut s'asseoir sur une telle fortune et éviter les fuites.

– Vous êtes incrédule ? Il s'agit d'une organisation colossale. Objectif : distiller les diamants sur le marché au compte-gouttes, afin que l'offre reste toujours inférieure à la demande.

– Comment s'y prennent-ils ?

– La D.I.C. achète 90 % de la production mondiale et stocke la quasi-totalité des diamants bruts du monde dans un coffre-fort souterrain de quatre étages, à Londres. Combien de gemmes contient ce coffre ? C'est un des secrets les mieux gardés du XXe siècle... Toutes les cinq semaines, la D.I.C. vend une petite partie de ses réserves. A des clients sélectionnés. Après une enquête digne de la C.I.A., elle a choisi cent trente diamantaires qui lui obéissent au doigt et à l'œil. Ainsi, elle maintient artificiellement le prix de ses petits cailloux. Brillant, si j'ose dire.

Paula fronce les sourcils. Le choix est difficile : Bavarois de fruits rouges, ou plus simplement charlotte au chocolat noir et vanille fraîche ?

– Je comprends. Mais la situation est un peu différente pour les diamants roses, n'est-ce pas ?

– Que voulez-vous dire ?

– Le diamant rose, lui, est véritablement rare. Et puis il n'est pas – encore – soumis aux lois de la D.I.C.

Brusquement, JLW se demande si l'ignorance de Paula est bien réelle. Elle poursuit, lançant des remarques d'une pertinence étudiée.

– Il y a comme un parallèle entre la valeur artificielle du diamant – symbole d'amour éternel – et les difficultés du mariage au XXe siècle. Mais le diamant rose, lui, est une pierre exceptionnelle. En quelque sorte, on pourrait en faire la bague de l'amour vrai.

JLW l'observe avec une certaine admiration. Cette femme a des intuitions fulgurantes.

– Il faudrait préciser cela. C'est une direction intéressante.

– Attention John, c'est mon idée.

– Une idée ou... un projet ?

Elle ne répond pas tout de suite.

La discussion mondaine a laissé place à une atmosphère de tension, de défi.

JLW étudie l'attitude de la jeune femme. Sa candeur a disparu. La voix vibrante, l'allure pleine d'assurance, elle n'est plus seulement une convive séduisante. Il reconnaît la grande professionnelle. Elle lui livre maintenant un avant-goût de ses réflexions. Et le concept est alléchant : une pierre bravant la D.I.C., et qui symbolise l'amour moderne. Nul doute qu'elle a effectué les recherches nécessaires pour valider son idée.

– Ce pourrait être un projet. Il me manque certains éléments...

Le Chinois la regarde. Puis articule d'une voix neutre :

– Nous devrons nous revoir en dehors de la maison Moras. C'est un vrai plaisir de discuter avec vous.

Paula s'est décidée pour une laque nacrée et entreprend de se vernir les ongles. Le va-et-vient du pinceau a le don de lui faire oublier ses soucis.

D'accord, son ambition paraît excessive.

Un tout petit peu.

Elle voudrait commercialiser les diamants roses elle-même. Créer un nouveau symbole amoureux.

Aidée par un riche Chinois, peut-être.

La démesure même de son défi est excitante : cela fait longtemps qu'elle n'a pas ressenti ce frisson intérieur, mélange d'enthousiasme et de nervosité. Elle travaille sur ce projet depuis près de quarante jours maintenant. Elle a payé de ses propres deniers une étude de marché, effectuée par le cabinet Mc Karmisch Potts & Bogles. A sa demande, des consultants sont partis au Zaïre pour tâter le terrain. En laissant d'ailleurs des notes de frais faramineuses. A croire que l'on ne sert que caviar et champagne à Kinshasa.

Elle a également visité toutes les boutiques de la place Vendôme – sans faire aucune emplette – pour comprendre qui achetait des diamants, et comment.

Les piles de dossiers, de traités de gemmologie et d'analyses financières envahissent son salon et sa chambre.

Il reste à obtenir le financement du projet.

JLW peut être convaincu. Mais elle devra prouver qu'elle a l'envergure de son ambition. Pour cela, elle devra mettre en avant son influence personnelle auprès du gouvernement zaïrois. L'étape numéro un est d'obtenir un rendez-vous à Kinshasa, au plus haut niveau, pour présenter son idée.

Il est assez difficile, pour une jeune femme de vingt-huit ans parfaitement anonyme, de converser avec le président du Zaïre. Surtout pour lui proposer de révolutionner le marché mondial du diamant.

Elle a besoin de recommandations très haut placées.

Un seul homme peut l'aider.

Pierre Laffaillère.

Elle souffle sur ses doigts, puis se concentre sur la seconde couche de vernis.

Pierre Laffaillère est un ambitieux, brillant. On l'appelait l'« énarque étalon ». Non parce qu'il était l'élève modèle de cette prestigieuse école. Mais parce qu'il pourchassait sans répit les jeunes femmes de sa promotion.

Dans leur conférence, à l'E.N.A., Paula fut la seule qu'il n'obtint pas. Cette résistance exaspéra le désir de Laffaillère. Il fit tout pour l'afficher à son tableau de chasse : poésie d'avant-garde, débats intellectuels, flots de Dom Pérignon, mains baladeuses et suggestions érotiques. Après quelques mois, le jeune homme se laissa même aller à des déclarations passionnées. Paula l'écoutait d'une oreille, en haussant les épaules. Le don juanisme de Pierre l'exaspérait. Et puis elle gardait ses distances. Elle ne se mêlait pas à la foule des grandes écoles. Toujours cette sensation de faire partie d'une espèce différente, aux préoccupations très éloignées de celles des autres étudiants...

Assise à même le tapis, elle se sert une tasse de thé, en soupirant. Obtenir l'aide du diplomate ne s'annonce pas simple. Le quotient intellectuel de Pierre s'effondre d'au moins cent points à proximité d'une représentante du sexe opposé. Et ce type d'homme n'oublie pas facilement les blessures d'amour-propre.

Elle espère quand même : après tout, il est maintenant marié à une certaine Ghislaine de Montjoie. L'étudiant, devenu haut fonctionnaire, s'est assagi et consacre toute son énergie à une carrière qui s'annonce brillante. Au Quai d'Orsay, il est le conseiller favori du ministre. Il a longtemps travaillé à la direction des Affaires africaines. Pas de doute : il est le prochain pion sur l'échiquier de Paula. Lui seul peut lui ouvrir les portes du gouvernement zaïrois.

Dix-sept heures. Paula gravit les marches quatre à quatre. Elle a eu du mal à s'échapper du bureau. Il ne lui reste que quarante minutes pour se préparer à son entrevue avec Laffaillère.

Elle se penche vers le miroir, scrute sans complaisance un visage fatigué par une dizaine d'heures de travail. Elle se sent terne, sans ce frisson d'énergie qui la rend belle. Elle a juste le temps de passer sous la douche pour s'asperger d'eau brûlante, puis glacée. Enroulée dans une serviette, elle passe en revue sa garde-robe, avec attention. Laffaillère est surtout sensible au prestige social : c'est la griffe Saint Laurent, plus que la nuance pétale de rose de sa veste, qu'il remarquera.

Sa chevelure est rejetée en arrière, une masse sépia, ondulée, qui adoucit son visage. Elle applique une touche de poudre sur les cernes qui ombrent son regard.

Cela fait bien longtemps qu'elle ne s'est pas préparée ainsi, dans l'intention avouée de séduire. Sans doute aime-t-elle trop sa solitude. Tout simplement, elle n'a ni le temps, ni l'énergie, de répondre aux demandes d'un amant. A vingt-huit ans, elle a tort, mais tant pis. Il faut espérer que sa chasteté actuelle ne la rendra pas trop vulnérable. Pierre est un homme attirant, et il sera prompt à déceler le moindre défaut de sa cuirasse. Elle sourit à son reflet, rectifie son rouge à lèvres. Non, son corps ne la trahira pas.

Elle attrape les clefs de la Mustang et claque la porte derrière elle.

Laffaillère est un homme grand, blond, dont les yeux pâles semblent ne jamais ciller. La voix est aristocratique, souvent aiguisée par une pointe de sarcasme.

– Paula, tu n'as pas changé.

– Bonjour. Tu es gentil de me recevoir si vite.

– Ton parfum Bulle me ruine. Ma femme ne porte que cela.

– Je t'en ferai livrer quelques flacons.

– Très aimable. Les années t'ont adoucie, je vois...

Il lui fait signe de s'asseoir de l'autre côté de la table de travail. Elle s'exécute, jetant autour d'elle un regard appréciateur. Tout ici est symbole de pouvoir et reflète la position hiérarchique du fonctionnaire, selon les nuances subtiles qui règnent aux Affaires étrangères. Le bureau spacieux de

Pierre Laffaillère, qui bénéficie de deux fenêtres côté jardin, révèle la position prestigieuse de l'énarque.

– Je te félicite de ta réussite, dit-elle. Tu as l'air tout à fait dans ton élément ici.

– Oui, la Maison ne me traite pas trop mal. Mais je m'ennuie un peu à Paris. On m'a promis un poste à Washington qui me conviendrait tout à fait.

– Vraiment ? Quand espères-tu partir ?

– La Maison ne fait jamais rien avec précipitation, tu le sais. Mais notre ambassadeur à la Maison Blanche est un homme charmant. Nous avons eu de longues discussions. Disons que j'ai bon espoir...

Elle sort les dossiers qu'elle a préparés.

– Tu sais ce qui m'amène : je t'ai envoyé une copie de ce rapport. Une mine de diamants roses a été découverte au cœur du Zaïre.

– Les télex de l'A.F.P. ont craché quantité de choses à ce sujet.

– J'ai un projet pour ces diamants. Tu as pu en lire les grandes lignes dans ce dossier.

– Une association entre Kinshasa et une société fondée par toi, pour exploiter cette mine. C'est bien cela ?

– Oui. Je contrôlerais la taille des pierres, la conception des bijoux, et surtout le marketing d'un nouveau symbole amoureux : le diamant rose.

– Rien que ça !

Le sourire de Pierre est ironique.

– Et tu as besoin d'une introduction auprès du gouvernement zaïrois ? Justement, l'ambassadeur de France à Kinshasa est à Paris pour une semaine. Quel heureux hasard ! Ou plutôt, te connaissant, quel calcul précis...

Paula se mord les lèvres. Elle n'a aucune intention de jouer au chat et à la souris, si le rôle du rongeur lui est dévolu. Tant que Pierre est assis parmi les dorures de son bureau, elle n'arrivera à rien. Il faut l'amener hors de son territoire.

La voix vibrante de franchise, elle répond :

– Tu m'imagines plus cynique que je ne suis. Je tenais surtout à te demander conseil. Tu es sans doute, à Paris, l'un des hommes le mieux au fait des politiques africaines.

– Je ne suis pas si bien placé...

– Ne sois pas modeste. Et puis, parlons franchement, j'étais curieuse de te revoir. Bien que ce bureau soit un cadre un peu intimidant...

– Vraiment ? Je t'imaginais plus difficile à impressionner.

– Disons que j'aurais aimé une discussion plus informelle. Peut-être as-tu le temps de prendre un verre ?

Le diplomate est un peu désarçonné. Il avait oublié comme les manières de Paula pouvaient être cavalières. Ce qu'on appelle une femme moderne, sans doute...

– Volontiers. Je vais parfois chez *Castellain*, à quinze minutes d'ici. Cela te conviendrait-il ?

– Je te suis.

Pierre ouvre la portière de sa Renault, pour laisser descendre la jeune femme. Elle lui jette un regard moqueur.

– Quelle galanterie !

– La vieille école. Tu vois, cela existe encore...

– J'espère que tu me laisseras tout de même t'inviter ?

– C'est hors de question, et tu le sais.

Ils pénètrent dans le bar et choisissent une table tranquille. Pierre commande deux coupes de champagne. Déjà, sa voix s'est adoucie.

– Ton projet est remarquable, en théorie. En pratique, les risques sont énormes.

– Je m'en rends compte.

– Tu es seule, inconnue, et tes interlocuteurs dans cette affaire sont rien moins que le gouvernement zaïrois et la D.I.C., l'une des sociétés les plus puissantes au monde.

– Je dispose de quelques bonnes cartes. Un solide appui financier, entre autres.

Il observe la jeune femme du coin de l'œil. Toujours aussi attirante. Une femme de grande classe. Il l'a tant désirée, autrefois... Il ne faudrait d'ailleurs pas grand-chose pour qu'il vibre à nouveau.

– Je reconnais là ton entêtement. Une telle ambition est-elle bien nécessaire chez une aussi jolie femme ?

Paula crispe les doigts autour de la coupe de cristal.

Sans doute l'imagine-t-il mieux en cocotte de luxe qu'en femme d'affaires? Elle se contient et ne répond pas.

– As-tu vraiment obtenu un soutien financier?

– Oui. Et cela se chiffre en dizaines de millions.

Elle ment avec assurance. L'accord avec JLW est loin d'être signé.

– Comment comptes-tu aborder le gouvernement zaïrois?

– Une des banques qui participent au montage financier prête de gros capitaux à Kinshasa. Cela devrait m'ouvrir les portes du ministère.

Cette dernière déclaration relève de la haute fantaisie. Elle cherche à dissimuler le fait qu'elle dépend du diplomate. Mais celui-ci n'est pas dupe.

– Il ne serait pas difficile de t'obtenir un entretien avec le ministre des Mines à Kinshasa. Mais il faudrait être sûr que ton projet tienne la route.

– Le dossier ne t'a pas semblé convaincant?

– Si... Mais tu es bien inexpérimentée pour mener une telle négociation.

– On me parle tant de cette sacro-sainte expérience! Il y a d'autres valeurs: l'esprit stratégique, la vision à long terme et – tout simplement – l'audace.

– Hmmm... Il y a beaucoup de présomption dans cette petite tête.

La condescendance de ce type est si exaspérante qu'elle refrène l'envie de lui lancer le contenu de son verre à la figure.

– Cessons de parler de ce projet, veux-tu? coupe-t-elle. Je n'ai plus la tête au travail...

– Encore un peu de champagne?

– Volontiers. Sais-tu que Gaston et Rosy se sont mariés?

– Vraiment? Gaston et moi avions travaillé le diplôme ensemble. Qu'est-il devenu?

– Un poste au ministère de l'Agriculture. Il dit s'occuper surtout de vaches laitières.

– Il est toujours ardu de faire décoller une carrière de fonctionnaire.

– Tu ne t'en tires pas mal.

– Pour l'instant... Il faut gérer ses cartes avec soin.

– A voir ton bureau, tu sembles sur la bonne route. Il y a comme une odeur de puissance autour de toi...

– Il paraît que cela attire les femmes.

– Ne te crois pas obligé d'énoncer un stéréotype machiste toutes les minutes.

Le regard de Paula est taquin, mais sa voix est un peu trop froide. Pierre sourit.

– J'oubliais que tu aimais jouer les suffragettes.

– Je t'en prie, ne recommençons pas. Cela fait bien cinq ans que nous ne nous sommes pas disputés.

– La seule raison était que nous ne nous sommes pas vus. Mais tu as raison. Je devrais cesser de te provoquer.

Il commande une bouteille de champagne. Elle accepte une coupe, mais boit du bout des lèvres.

– Parle-moi du ministre. Es-tu vraiment son protégé ?

– Ce n'est pas le terme exact. Disons que je l'assiste. Mais c'est un homme dangereux.

– Que veux-tu dire ?

Elle ne le quitte pas des yeux. Ses prunelles argent reflètent l'attention la plus totale. Pierre a beau être absorbé par la conversation, il ne peut s'empêcher d'entendre le froissement soyeux des bas, lorsqu'elle croise et décroise les jambes, ou de remarquer la moue ravissante avec laquelle elle ponctue certains propos.

Il ne faut pas le pousser beaucoup pour qu'il lui confie ses angoisses professionnelles. L'intelligence de la jeune femme et sa connaissance des rouages de la haute administration en font une auditrice idéale.

– Ce poste à Washington est une ouverture fantastique : j'ai besoin de faire mes preuves à l'étranger. Mais le ministre ne me laissera pas partir.

– A-t-il besoin de toi ?

– Oui, mais je ne suis pas irremplaçable.

– C'est donc surtout une question de susceptibilité ?

– Exact. Le problème n'en est que plus épineux.

Paula était venue parler de son projet, mais la meilleure façon d'arriver à ses fins est en fait d'écouter le monologue du diplomate. Tout en donnant la réplique, elle veille à ce que le verre de Pierre soit toujours plein. Lorsque la bouteille est vide et le soir tombé, elle jette un œil à sa montre et pousse un cri de surprise.

– Nous poursuivrons cette discussion une prochaine fois. Je dois m'éclipser, il est affreusement tard.

Elle se lève, rassemble sa chevelure en torsade pour la glisser sous le col de son manteau.

Pierre enfile son Burberry's, et pose la main sur son épaule.

– Attends-moi, je t'accompagne.

– Ce n'est pas la peine, je vais marcher un peu. Besoin d'air.

– Ai-je l'air si décati que tu ne m'imagines pas capable de faire trois pas ?

Elle jette un œil au physique athlétique de Pierre, entretenu par des séances de squash et de jogging.

– C'est plutôt moi qui aurais du mal à te suivre.

Au-dehors, une bise glacée fait battre les pans des manteaux, ébouriffe les chevelures. Ils marchent le long des quais, l'un à côté de l'autre. Pierre soupire. La présence de la jeune femme ramène un flot de souvenirs, datant de ses années d'étudiant. Le studio encombré de journaux, de linge sale, de disques éparpillés... Et la variété des filles, la diversité des formes, des courbes, des textures de peau... Celles qui voulaient discuter toute la nuit, celles qui piquaient des crises de nerfs, celles avec qui il fallait se battre... Le plaisir de la chasse – ou de la séduction, suivant le nom qu'on choisit – était libre, impuni.

Tout cela est très éloigné de la vie bourgeoise que Pierre mène aujourd'hui.

Paula est une des rares qui lui aient résisté. Un défi inachevé. Une frustration agaçante, qui l'empêche d'oublier.

Un bateau-mouche les dépasse. Ils doivent s'immobiliser, aveuglés par les feux des projecteurs.

Il agit sur impulsion, passe un bras autour de sa taille. L'étreinte est impérieuse, mais Paula le repousse. Il la lâche à regret.

– Et si nous dînions ensemble ?

– Pas ce soir, malheureusement.

– Toujours aussi effarouchée. Ce serait l'occasion de parler de tes diamants roses. Que crains-tu donc ?

Elle éclate de rire.

– Allons donc, Pierre! Tu oublies que je vois à travers le vernis du diplomate. Tu restes aussi dom juan qu'à l'époque où tu collectionnais les demoiselles de la rue des Saints-Pères.

– Seigneur, que tu es difficile! Je n'avais pas l'intention d'abuser de ma position, je t'assure. Ce dîner aurait été tout à fait respectable.

– Comment veux-tu que je te fasse confiance? Je n'ai jamais compris ce qui te poussait à courir après n'importe quel jupon.

– Pas n'importe lequel, tu es injuste. D'ailleurs, c'est toi qui m'as fait courir le plus.

– Bien involontairement.

– Aujourd'hui, comme hier, je me heurte à un iceberg.

– Peut-être ne sais-tu pas t'y prendre?

Il lève les mains, en signe d'abandon.

– Ce fut une excellente soirée. Trop courte, comme toujours avec toi. Nous nous reverrons, j'espère?

– Je te téléphonerai à propos de cette mine zaïroise.

– Oublie ces foutus cailloux. Quand es-tu libre?

– Pierre! Ce projet est d'une importance cruciale pour moi...

– Oublie-le, te dis-je. Je m'occupe personnellement de t'obtenir ce rendez-vous à Kinshasa. Mais je ne veux plus voir ce joli front plissé d'inquiétude.

– Laisse mon front tranquille.

– Je croyais que tu tenais à ces diamants?

– C'est le cas. Mais je ne marchande pas mes faveurs. Je serais heureuse de te revoir, hors de toutes considérations professionnelles. Pour parler crûment, cela ne veut pas dire que je vais sauter dans ton lit.

– Quel langage! Tu oublies que je suis un homme marié.

Elle hausse les épaules. Ses yeux brillent, et l'animation a rosi ses pommettes. Il s'était toujours douté que le feu bouillait sous la glace. Elle a bien changé en quelques années : beaucoup plus femme, plus sensuelle. Il perçoit enfin ce trouble qu'il avait tant espéré. Il a une petite chance. Et, même si elle ne cède pas, la lutte aura été belle.

– Il faut nous séparer, ma jolie. Le devoir conjugal m'appelle.

– A bientôt.

– J'attends ta prochaine visite. Mais attention : pas pour parler de tes cailloux.

– On verra.

– Tu seras de meilleure humeur à ton retour de Kinshasa.

Lorsque Pierre approche, elle se raidit, s'apprêtant à repousser une nouvelle étreinte. Mais il se contente d'une rapide poignée de main. Surprise, elle le regarde s'éloigner. L'homme est moins prévisible qu'il ne le fut jadis.

Quinze minutes après avoir quitté Laffaillère, Paula abandonne sa Mustang à la Concorde. Une impulsion irraisonnée la pousse vers les lumières de la fête, aux Tuileries. Elle rejoint les baraques foraines en quelques foulées.

Le bonhomme du stand de tir lui tend la carabine avec un sourire.

– Bonne soirée, ma petite dame ?

Douze détonations successives lui répondent. Avant même qu'il ait pu reprendre son souffle, elle jette l'arme vidée sur le comptoir. Ahuri, il contemple la cible de carton déchiquetée qui tressaute au bout d'une ficelle. Lorsqu'il se tourne pour lui donner le tigre en peluche qu'elle a gagné, il aperçoit seulement une silhouette qui s'éloigne, dont les talons résonnent sur le bitume.

– Besoin de se défouler, on dirait...

JLW a voulu la rencontrer ici, sur son territoire, au dernier étage de la Zurich Financial Corporation. La banque met ce bureau à la disposition du Chinois lorsque ses affaires l'amènent à Paris. Un « pied-à-terre » luxueux, qui domine les Champs-Élysées.

Paula lui serre la main et regrette de n'avoir pas chaussé des talons plats. Le Chinois est petit, et sa carrure est si étroite qu'elle a l'impression de pouvoir le renverser d'une chiquenaude.

– Chère amie, vous connaissez mon avocat, et voici mon assistante. Nous sommes au complet.

JLW fait un geste vers la table de marbre, sur laquelle on a posé une théière fumante.

– J'espère que cette réunion sera la dernière, dit-il, et que nous pourrons bientôt concrétiser notre projet. Vous maintenez donc vos exigences ?

– Cela vous surprend ?

– Vous serez directrice du bureau de commercialisation des diamants roses, intéressée pour quinze pour cent aux bénéfices de la société, et cela sans investir un centime de votre poche. Presque raisonnable.

– Les millions ne valent pas grand-chose sans l'idée qui les met en mouvement...

– Quant à moi, je m'engage à financer la mise en exploitation de la mine, et la commercialisation des diamants. J'ai déjà contacté certaines banques avec lesquelles j'ai des relations privilégiées, et débloqué dix pour cent du total en fonds propres. Dans l'ensemble, un montage financier solide. Il ne reste plus qu'à convaincre Kinshasa.

JLW a soigneusement pesé les risques encourus. Il est possible que Paula ne réussisse pas à décrocher l'accord du gouvernement zaïrois. En ce cas, il ne déboursera rien du tout. Mais si elle obtient la concession – ce sur quoi il ne parierait pas sa chemise –, la partie sera intéressante.

Pendant que son assistante sert le thé, le Chinois jette un regard vers sa future associée. Malgré l'importance de la réunion, elle semble calme. Elle joue avec un stylo, mais sans aucune nervosité. Son regard est clair, comme détaché, et John est tenté de croire qu'elle ne bluffe pas.

Il n'est pas impossible qu'elle soit vraiment à la hauteur du défi qu'elle a lancé. JLW a consulté plusieurs experts avant de rédiger un contrat. La plupart ont montré une bonne dose de scepticisme : la D.I.C. paraît indétrônable. Mais il a vu, chez certains spécialistes du marché du diamant, comme une étincelle de doute. Le plan de Paula, par son audace même, peut réussir.

Sur un point, cependant, tous les experts sont d'accord : cette réussite – hypothétique – se révélerait extrêmement profitable.

Pour tester la jeune femme, il lance d'une voix doucereuse :

– Ce qui m'inquiète, ce sont vos responsabilités au sein des parfums Moras. Je ne sais pas si vous aurez l'énergie – et tout simplement le temps – de mener de front la maison Moras et votre projet zaïrois.

– N'en dites pas plus.

Elle sort une enveloppe de son sac et la pose sur la table.

– Je vous présente ma démission.

– Mais enfin... Vous pourriez disposer d'un congé sans solde ! Vous prenez un risque trop important !

– J'ai confiance. Et puis on n'est jeune qu'une fois...

– Comme vous voudrez. Démission acceptée.

L'avocat, un Suisse qui s'exprime avec un fort accent germanique, observe tour à tour les deux interlocuteurs.

– Il semble que nous soyons d'accord sur les points essentiels. Mademoiselle Desprelles, monsieur Wong... Si vous voulez bien signer ici...

2

New York

– Enfer de putain de merde, c'est pas possible!

Nicholas Salzdji frappe le bureau des deux poings. Reginald Hockway, son second, scrute les motifs du tapis persan avec une attention toute particulière.

– Hockway! Levez la tête, enfin!

– Je vous écoute...

– Une mine de diamants roses! Il a fallu que je voie ça, à mon âge! Est-on sûr que cette histoire tienne debout?

– La presse en a beaucoup parlé. L'information vient d'être confirmée par la D.I.C.

Nicholas secoue sa tignasse blanche, traverse la bibliothèque à grands pas, et se sert une bière avec un double whisky-chaser.

La soixantaine passée, Salzdji reste un fauve redoutable. L'homme est patelin, fourbe, mais irradie un charme qui séduit les deux sexes. Une sorte de souplesse orientale, de proximité naturelle : main sur l'épaule, étreinte fraternelle, projets glissés au creux de l'oreille.

De père arménien et de mère néerlandaise, Salzdji est arrivé à New York à dix-neuf ans. Depuis, il a géré la carrière de stars du show-business, investi dans l'hôtellerie de luxe, construit un casino-palace à Atlantic City.

Sa fascination pour les diamants de couleur est célèbre, et il a accumulé une collection unique au monde.

– Treize diamants roses ! J'ai passé des années à traquer ces gemmes dans le monde entier. Maintenant, les Zaïrois découvrent une mine, une mine entière de ces cailloux ! Savez-vous ce qui va se passer quand la production zaïroise s'écoulera sur le marché ?

Reginald, diplômé de la Wharton Business School, a effectivement une petite idée sur la question.

– Chacun de vos diamants roses est rarissime. La valeur au carat restera bien supérieure à celle des pierres zaïroises. Mais il faudra s'attendre à une chute globale du prix de votre collection. D'environ cinquante à soixante pour cent.

– Soixante pour cent ! Nom de Dieu ! Nous devons vendre : le cheik Afhed et aussi Farouk Ben Galem pourraient être intéressés. Mais nous avons besoin de temps !

– Le meilleur moyen serait de discréditer ces nouvelles gemmes. Avec vos relations, il serait facile de lancer une rumeur. Ces pierres sont peut-être trafiquées, afin d'obtenir une couleur artificielle.

– Voilà une excellente idée. Qui plus est, cette rumeur se révélera probablement exacte. Une mine de diamants roses ! Cela sent le coup fourré à plein nez.

Nicholas Salzdji contemple le jeune Anglais qui se tient modestement debout, à quelques pas. Un collaborateur précieux. Il le prend par le bras et l'attire près de lui.

– La mine zaïroise ne sera pas opérationnelle avant un certain temps, n'est-ce pas ?

– Exact. Mais l'annonce de sa découverte a suffi à faire chuter le prix de vos diamants.

– Je sais ça. Combien de temps faudrait-il pour lancer la rumeur dont vous parliez ?

– Il faut rappeler aux spécialistes que la couleur d'un diamant est souvent obtenue par irradiation ou chauffage. Puis nous lâcherons quelques chèques pour attiser les ragots dans le milieu diamantaire. D'ici, un mois, la rumeur atteindra la presse grand public.

– Et je pourrai vendre mes gemmes ?

– Oui. Le doute sur l'authenticité de la mine zaïroise devrait suffire à revaloriser votre collection.

– Bien. Contactez le cheik Afhed. Racontez-lui que j'ai un besoin urgent de cash. Le jeu, les femmes, les impôts :

trouvez un prétexte. Je me résous donc, la mort dans l'âme, à me séparer de ma collection de diamants roses. Et puis, n'oubliez pas : je pourrais ajouter quelques zéros à votre prime de fin d'année. Malgré le salaire exorbitant dont vous bénéficiez déjà. Faites au mieux, mon petit.

Kinshasa s'étale sous une brume de chaleur polluée. Trois millions de Zaïrois s'activent parmi la tôle, le béton taché d'humidité, les embouteillages et les marchés populaires.

Au sommet d'une tour, Moké Bosoké, ministre des Mines, cale sa masse impressionnante derrière la table de travail.

– C'est tout ce que tu as appris ?

– Tout est là : Paula Desprelles, vingt-huit ans, directrice des parfums Moras.

– Oui, oui... J'ai lu ton rapport. Mais tu n'as pas parlé de ses relations haut placées. L'ambassade de France est intervenue en sa faveur. L'ambassadeur suit le dossier personnellement, paraît-il.

– Je n'ai aucune information à ce sujet. Mais elle est diplômée de l'E.N.A. et a travaillé au ministère des Finances. Elle a sans doute noué des relations stratégiques avec certains grands personnages.

– Nous voilà donc obligés de l'écouter. Je ne peux pas refuser cela à l'ambassade.

– Son dossier est elliptique, pour le moins.

– Il tient en deux mots : diamants roses. Cette mine stimule les convoitises d'une manière remarquable. Ces gemmes sont une chance pour le pays. Et pour nous, qui administrons les ressources minières. Il faut manœuvrer avec soin et en tirer un profit maximum.

– Bien sûr, Votre Excellence...

Une secrétaire interrompt les deux hommes.

– Mlle Desprelles et M. Wong sont arrivés.

– Bien. Appelez le directeur de cabinet, je désire qu'il assiste à cette réunion. Ensuite, vous pourrez les faire entrer.

Lorsque Paula et JLW sont introduits dans la pièce, Moké Bosoké se lève lourdement. D'une voix douce, surprenante chez cet obèse, il leur souhaite la bienvenue.

– Avez-vous fait bon voyage ? Voici mon directeur de cabinet, et mon secrétaire particulier. La chaleur est étouffante ici. Dieu merci, cet immeuble est climatisé.

Le bureau du ministre est le résultat d'un étrange croisement de styles. Les murs sont badigeonnés d'un jaune administratif. La pièce est encombrée par la masse du bureau Louis-Philippe. Quelques photos illustrent différentes étapes de la carrière de Bosoké : au côté du citoyen-président Mobutu ; serrant la main du roi Baudouin de Belgique ; inaugurant une mine...

Une jeune femme en tenue africaine pousse une table roulante dans la pièce, et sert des boissons fraîches.

JLW se cale au fond du sofa et jette à Paula un regard entendu : c'est à elle de jouer.

Derrière la porte, on frappe furieusement sur une machine à écrire qui doit dater de la dernière guerre. Les rafales métalliques couvrent le silence qui règne un instant dans le bureau.

Le secrétaire du ministre attaque le premier :

– Nous comprenons bien votre intérêt pour la mine de la Lomami, mademoiselle Desprelles. Ce territoire a appartenu à votre famille – qui y a exploité le caoutchouc, je crois ? Mais il a été nationalisé il y a longtemps, et – si je ne me trompe – votre père a été indemnisé...

– Cette propriété était le résidu d'une économie coloniale. Un monde aujourd'hui disparu. Selon moi, notre famille n'a jamais eu de droits réels sur ce terrain. Je suis toute prête à vous rembourser l'indemnisation qui nous a été versée.

La riposte a été rapide et efficace. L'accusation de colonialisme latent que le secrétaire gardait en réserve est vidée de son sens.

– Mon intérêt pour cette mine est tout autre. Je suis convaincue que les diamants roses ouvrent des perspectives nouvelles au Zaïre, tant d'un point de vue politique que financier.

– Selon votre dossier, vous désirez créer une société d'économie mixte, entre l'État zaïrois et vous-même, pour exploiter la mine. Nous apprécions votre proposition, mais cela n'a rien de très nouveau.

– Vous savez comme moi qu'une telle société révolutionnerait le marché du diamant. Parce qu'elle vous permettrait d'échapper à l'emprise de la D.I.C. Le Zaïre a tenté par deux fois de rompre son contrat avec cette société sud-africaine, en 1981 et en 1985. Les deux fois, vous avez échoué. La D.I.C. fait la pluie et le beau temps sur le marché mondial. Jusqu'ici, vous étiez trop faibles pour résister à son influence. Mais les diamants roses sont uniques. Et ils sont zaïrois. Voilà le moyen de faire acte d'indépendance.

Moké Bosoké hoche la tête, intéressé.

– L'Afrique du Sud est effectivement un de nos principaux partenaires. A vrai dire, un partenaire presque exclusif, en ce qui concerne l'exploitation et la commercialisation de nos ressources diamantifères. Je ne vous cache pas que les diamants roses les intéressent. Quel avantage aurions-nous à mécontenter un associé si puissant ?

– Il y a un intérêt politique évident à prendre quelque distance vis-à-vis de ce pays. Mais, Excellence, nous n'avons pas besoin de discuter de cela. Depuis plusieurs années, la D.I.C. vous tient le même discours : les diamants zaïrois sont de mauvaise qualité. Il y a surproduction. En bref, ils ne peuvent augmenter leur prix au carat. J'aimerais rappeler ici l'épisode de 1981 – un moment douloureux pour le Zaïre. A l'époque, votre président, considérant que les commissions versées par la D.I.C. étaient insuffisantes, rompit son contrat avec elle. Le Zaïre, pour la première fois, s'apprêtait à vendre ses diamants librement. Qu'a fait la D.I.C. ? Elle a lâché un million de carats sur le marché pour faire chuter les cours. Les prix du diamant se sont effondrés. Vaincu, le Zaïre est rentré dans le rang. Nous sommes aujourd'hui en mesure de vous offrir un contrat beaucoup plus avantageux. En vous associant aux profits du diamant rose. Qui seront énormes.

Le directeur du cabinet se penche vers le ministre, chuchote quelques mots à son oreille. Sans quitter Paula des yeux, Bosoké acquiesce, puis reprend la parole :

– Vous désirez vous lancer dans un business que vous ne connaissez pas. Le monde des diamantaires est un milieu très fermé. Pour diriger ce bureau d'exploitation, ne croyez-vous pas que nous devrions choisir quelqu'un de plus expérimenté ?

– Je ne suis pas issue d'une longue lignée de diamantaires, comme la plupart des professionnels de ce milieu. Mais j'ai une grande expérience des produits de luxe et des mythes publicitaires. En fait, j'ai tout simplement une idée. Une idée qui fera de la commercialisation des diamants roses un événement sans précédent.

– Et ?

– Je vous demande pardon ?

– Continuez donc, chère mademoiselle. Quelle est cette idée remarquable ?

– Votre Excellence, je ne crois pas qu'il soit sage d'en dire plus.

– C'est un secret ?

– C'est une excellente idée qui peut rapporter beaucoup d'argent. Étant femme de bon sens, je préférerais ne pas la divulguer. Sachez qu'elle m'a permis de convaincre un financier éminent : John Lee Wong apporte les capitaux nécessaires à mon projet.

– Je suis intrigué. Et intéressé. Vous devriez me faire confiance et nous résumer, en deux mots, l'essence de votre réflexion.

– Nous aimerions faire de cette nouvelle gemme l'emblème de la passion pour le XXIe siècle.

JLW décide qu'il est temps de prendre la parole. Il sort de son attaché-case quelques pages qu'il distribue aux trois hommes. Souriant, il expose le plan de financement qu'ils ont conçu, parle retour sur investissements et marges bénéficiaires. Paula, calculette à la main, précise plusieurs points de la présentation.

Petit à petit, alors que défilent courbes et tableaux, la voix du ministre se fait aimable, positive. Ces chiffres-là sont très convaincants. Bosoké réfléchit vite. Il se demande si la Française ne lui offre pas, sur un plateau, le coup d'éclat qui couronnerait sa carrière.

La fête bat son plein dans la demeure du ministre, à une vingtaine de kilomètres de Kinshasa. La luxueuse villa, cachée au milieu d'un parc tropical, domine les collines environnantes.

Dans la salle de réception, les lustres inondent de lumière la foule des invités.

JLW s'approche de Paula.

– J'ai bien reçu les quarante-cinq caisses de Moët et Chandon. Elles ont été expédiées aux principaux responsables du gouvernement. Et vous-même, comment se déroulent vos manœuvres d'approche ?

– Merveilleux. Hier, j'ai déjeuné avec neuf personnes, et dîné plusieurs fois. Ma note de frais se monte à vingt-cinq mille francs, et mon tour de taille s'envole vers le quatre-vingt-dix.

– Souriez donc, le ministre approche.

Moké Bosoké est accompagné d'une adorable créature.

– Je vous présente notre célèbre Miss Zaïre. Est-ce que vous vous amusez ?

– Beaucoup. Toutes nos félicitations : cette fête est superbe !

– Vous l'avez vu ?

– Pas encore.

Paula n'est pas ici pour se divertir. Une fois de plus, elle doit convaincre. Un homme bloque son projet : Diallo, le président de la MITE, la Minière du Tekwango, responsable de l'extraction des diamants zaïrois. Une partie du capital de la MITE est indirectement contrôlée par la D.I.C. Il est donc assez logique que Diallo s'oppose au projet. Bosoké a organisé cette soirée pour qu'elle puisse parler à cet homme, qui est un proche du Président.

La jeune femme soupire. Elle a l'impression de négocier avec des poupées russes : ses interlocuteurs se dédoublent à l'infini. Une fois Moké Bosoké séduit par sa proposition, il a fallu parler au ministre des Finances. Au PDG de la Banque nationale. Au chef du cabinet présidentiel.

Heureusement, JLW est là. Ajustant son nœud papillon, il écoute avec politesse le babillage de Miss Zaïre. Les rondeurs révélées par la courte robe à sequins ne semblent pas l'impressionner.

Bosoké passe une main sur le cou de la jeune fille, effleure du doigt un gros diamant monté en boucle d'oreille. La pierre attrape l'éclat d'un projecteur et dévoile un instant ses plus beaux feux. Puis le joyau s'immobilise contre la peau sombre de Miss Zaïre.

– Production nationale ! déclare le ministre avec un sourire, sans que l'on sache s'il parle des pierres, de la femme, ou des deux.

Des domestiques servent des cocktails aux couleurs inquiétantes. Paula refuse une boisson d'un vert phosphorescent. « Un martini sec, je vous prie... » JLW, qui picore des gambas frites, jette un œil vers son associée. Encore une fois, elle a choisi la tenue idéale. Élégante, un peu hautaine : un ensemble en lin coquille d'œuf, veste longue s'ouvrant sur une jupe fendue. Elle est la seule femme ici à ne pas dénuder ses épaules et sa gorge. Elle est aussi la seule femme venue parler business.

– Je crois que voici notre homme.

Diallo, président de l'omnipotente MITE, est une silhouette impressionnante. Il dissimule un visage d'oiseau de proie derrière d'épaisses lunettes d'écaille.

JLW réprime une grimace.

– Je connais ce genre, dit-il. Pas commode...

– Votre intuition masculine ?

– Mon intuition de financier. Vous allez voir : cet homme est aussi souple qu'une barre à mine.

Bosoké entraîne ses invités vers la terrasse. Musique sirupeuse et bavardages mondains. La Croix du Sud scintille, loin au-dessus de cette vaine agitation.

Le représentant de l'ambassade française se penche vers Paula.

– Mademoiselle Desprelles ? Je suis enchanté de vous rencontrer enfin. A Paris, M. Laffaillère m'a beaucoup parlé de vous.

– Pierre est un excellent ami.

– Vous avez du pain sur la planche, si je puis dire. Les rumeurs les plus folles courent au sujet de votre projet. Les partisans de la D.I.C. sont très puissants à Kinshasa. Mon soutien vous est acquis : il est temps que la France se rapproche économiquement du Zaïre. J'espère que vous viendrez dîner à l'ambassade lors de votre séjour ? Nous avons un chef qui n'est pas mal.

– Je vous remercie infiniment...

Elle rejoint le groupe qui entoure le ministre. La terrasse, décorée de corbeilles d'hibiscus, surplombe un bassin d'ornement. Lancé dans une tirade sur le banditisme, Bosoké s'emporte, et sa voix douce prend des accents véhéments.

– Une villa comme la mienne attire les voyous des quatre coins du pays. Je suis obligé de la faire garder. Il y a les partisans du Doberman, mais ces bêtes s'acclimatent mal à nos pays. Et pourquoi chercher si loin ce qu'on a sous la main ?

– Quelle solution avez-vous choisie ?

– Ma panthère Akita veille sur le domaine. Plus efficace, plus esthétique qu'un chien.

JLW jette un regard nerveux en direction du parc. Les systèmes d'alarmes électroniques et de vidéo-surveillance lui sont plus familiers que les fauves lâchés en liberté. Les autres invités semblent inquiets, eux aussi, et suivent le ministre avec soulagement lorsqu'il rejoint le confort des salons.

La terrasse est maintenant déserte. Seul, Diallo est resté. Assis face à un verre d'eau gazeuse, près de la balustrade, il semble perdu dans ses pensées. Paula s'approche et saisit une chaise.

– Vous permettez ?

– Je vous en prie...

Le regard fuyant, Diallo ne paraît pas enthousiasmé par cette intrusion.

– Permettez-moi de me présenter : Paula Desprelles...

– Je sais, je sais...

– J'étais impatiente de vous rencontrer. J'ai discuté avec de nombreux responsables, cette semaine, et de l'avis de beaucoup, vous êtes l'homme clé du secteur diamantaire zaïrois.

– Il est temps que vous le réalisiez.

– Croyez-moi, nous avons pleinement conscience de votre rôle. Sans votre accord, aucun projet ne reçoit l'aval du gouvernement. C'est pourquoi je suis anxieuse de savoir ce que vous pensez de notre dossier.

Le regard de Diallo se teinte de mépris. Avec un rire sec, il lâche :

– Je l'ai parcouru. Cela ne tient pas debout.

Elle ressent physiquement les ondes d'agressivité que dégage le président de la MITE. Tout était trop facile. Cet homme est le caillot qui va bloquer son projet.

– Que voulez-vous dire ?

– Vous ne faites pas le poids. Pas face à un monopole international, présent dans tous les cercles du pouvoir en Afrique. Je n'arrive pas à comprendre comment Bosoké a pu vous accorder sa confiance.

– J'ai montré au ministre des chiffres convaincants. A terme, un profit triple pour le Zaïre, par rapport à ce que vous toucheriez en traitant avec la D.I.C...

– Veuillez m'excuser, mademoiselle, mais je dois passer un appel important. Auriez-vous l'obligeance de m'attendre quelques minutes ?

Déconcertée, Paula acquiesce. Le président de la MITE se lève, traverse la terrasse d'un pas pressé. Elle le suit du regard : des problèmes de vessie, peut-être ?

Elle finit son verre, s'accoude à la balustrade et scrute les buissons, à la recherche de la panthère du ministre. Le fauve ne montre pas le bout de sa queue, et la jeune femme se lasse vite de son guet. Diallo est parti depuis déjà dix minutes. Elle grimace. Quelque chose ne tourne pas rond, elle le sent. Alarmée, elle se lève, traverse les salles de réception, puis le hall d'entrée. De l'autre côté du parking, Diallo s'engouffre dans sa limousine.

Paula n'en croit pas ses yeux. Il lui a purement et simplement faussé compagnie ! Une violente montée d'adrénaline la paralyse. Capable de colères monumentales, elle a rarement eu d'aussi bonnes raisons d'en piquer une. En quelques secondes, elle est au bas des marches, et traverse le jardin au pas de course.

La limousine quitte le parking, embraye, et se dirige vers le portail du domaine.

Paula coupe à travers la pelouse, rejoint l'allée centrale et surgit face au portail, devant la voiture en pleine accélération. Le chauffeur pousse un cri, à la vue de la silhouette prise dans le faisceau des phares. Il enfonce le frein... Mais la masse noire poursuit droit sur sa lancée. Une demi-seconde avant le choc, la limousine effectue une embardée, grimpe sur le talus, puis retombe sur la route dans un nuage de poussière. Le chauffeur bondit hors de son siège et se précipite vers la jeune femme.

– Seigneur! Mais qu'est-ce qui vous a pris de... Comment allez-vous?

– Ça va.

Paula est un peu secouée: la voiture est passée à moins de cinquante centimètres. Mais la colère la protège de la peur. Elle pose la main sur sa poitrine pour contrôler sa respiration puis, sans hésitation, ouvre la portière et se glisse sur la banquette arrière.

Diallo est pétrifié.

– Monsieur, votre attitude est inadmissible.

Il reste bouche bée un instant, avant de reprendre ses esprits.

– Mais vous êtes folle! Vous avez failli vous faire tuer!

– L'ambassadeur et le ministre seront heureux d'entendre que, non content de me fausser compagnie, vous avez manqué m'écraser.

– Calmons-nous...

– M'accorderez-vous enfin l'entretien que vous avez interrompu?

– Je crois que je n'ai plus le choix.

Las, Diallo fait signe au chauffeur de démarrer. Paula s'applique à retrouver son sang-froid. Et à s'exprimer d'une voix basse et contrôlée.

– Je crois que vous me devez quelques excuses. Passez-moi l'expression, mais vous m'avez vraiment plantée là.

– C'est que vous vous obstinez à exiger une discussion qui n'a pas lieu d'être. J'ai lu votre dossier, et il est hors de question que je le soutienne auprès du président.

– Est-ce dû à l'influence qu'exerce la D.I.C. sur la MITE, et donc sur vous-même?

– Il n'y a aucun lien entre la D.I.C. et la minière de Tekwango.

– C'est une façon de parler. Le trust contrôle votre groupe par l'intermédiaire de quatre ou cinq sous-filiales et sociétés-écrans, dont vous connaissez les noms aussi bien que moi.

Diallo hausse les épaules et tente de dévier la conversation.

– Vous êtes l'obstacle principal à votre propre projet. On ne confie pas les intérêts du Zaïre au premier aventurier venu. Vous agissez seule et vous n'avez aucune expérience du monde du diamant.

– Vous êtes donc convaincu que j'échouerai à commercialiser ces diamants de manière profitable ?

– Tout à fait.

– Alors pourquoi vous opposer à moi ? Si j'échoue, la D.I.C. – ou sa filiale au Zaïre – aura beau jeu de négocier son retour. Sous prétexte de ramasser les morceaux, elle récupérera la mine sans avoir à payer le prix fort.

Diallo garde le silence quelques secondes, puis éclate de rire.

– Vous n'avez pas tort. Je ne peux rien répondre à cela.

L'atmosphère s'est détendue. Diallo fait glisser la paroi acajou du mini-bar et offre un cognac à la jeune femme. Pendant qu'il emplit deux verres de glace pilée, elle poursuit son raisonnement.

– Je comprends que vous ne preniez pas le risque de me voir réussir. Mais avez-vous calculé les dangers de votre opposition ?

– Des dangers ? Comme vous y allez !

Diallo s'amuse. Ce duel avec la jeune femme, dans la limousine qui fonce à travers les faubourgs de Kinshasa, est un des moments les plus bizarres qu'il ait connus.

– Ces deux dernières semaines, mon associé et moi-même avons rencontré plus de cinquante personnalités du gouvernement, de la haute administration et du monde bancaire. Croyez-moi, nous avons pris la température du pays. Et la tendance est claire : elle est à l'indépendance économique du Zaïre. Celle-ci passe par un contrôle accru des ressources du pays et par une diversification des capitaux étrangers. Notre projet correspond bien à ces idées : des capitaux frais, qui ne viennent pas d'Afrique du Sud, et une mine exploitée sous le contrôle direct du ministère. Économiquement, je comprends votre opposition. Politiquement, je ne suis pas sûre qu'elle soit réaliste.

Elle laisse passer un instant de silence, puis conclut :

– Le Président, parce qu'il privilégiera une solution politique, pourrait se retourner contre vous.

Diallo tripote son verre entre ses doigts. Il prend la Française de plus en plus au sérieux.

Le long de la route, des ampoules blafardes révèlent des rangées de cases construites en tôle ondulée. Après quelques minutes, Paula ajoute à voix basse :

– Je ne vous demande pas de soutenir ce projet. Il suffit que vous ne vous y opposiez pas ouvertement : une attitude neutre, prudente pour vous-même, et qui ne me fasse pas obstacle.

Le président de la MITE n'acquiesce ni ne refuse. Bientôt, la voiture stoppe devant l'hôtel Intercontinental. Après une brève poignée de main, Paula se retrouve dans le hall illuminé. Il est temps d'appeler la demeure de Bosoké et d'expliquer sa disparition. Le ministre et JLW doivent déjà la croire dévorée par la panthère, dans un coin reculé du parc. Elle ajuste sa tenue, puis se dirige vers les ascenseurs. Impossible de savoir si elle a, ou pas, convaincu Diallo. Maintenant, c'est au Président de trancher.

L'hôtel *Intercontinental* est un des immeubles les plus luxueux de Kinshasa. La chambre de Paula donne sur les courts de tennis, dont les lignes blanches tremblent à travers le voile de chaleur.

Paula s'évente avec un magazine. Elle envie la chance de son associé chinois. JLW est parti il y a quelques jours : il profite maintenant de la vivifiante fraîcheur zurichoise.

Elle arpente la pièce, vêtue d'un tee-shirt. L'inactivité lui pèse. Mais il n'y a plus rien à faire. Elle a déployé tous ses talents pour convaincre des fonctionnaires butés : une diplomatie dont Kissinger ne rougirait pas, un charme insolent, une grande habilité à manipuler les chiffres pour prouver son point de vue. Dix-sept jours de folie, soutenue par quelques heures de sommeil arrachées à un emploi du temps inhumain.

Mais la décision finale du Président se fait attendre. Car, en fin de course, c'est de lui que tout dépend. Prendra-t-il le risque de défier la D.I.C. ? Le gouvernement frémit de rumeurs et de contre-rumeurs. Complots, alliances, retournements : la visite de Paula au Zaïre n'est pas passée inaperçue.

Elle pénètre dans la salle de bains, asperge d'eau fraîche son visage, ses bras, ses seins.

Ce contrat avec le Zaïre marquera un tournant dans sa vie. Jamais elle n'a voulu quelque chose avec tant de force.

Pourquoi ?

Elle-même comprend mal ce qui l'a lancée sur cet échiquier international.

Peut-être le désir de relever le drapeau familial. Son père est mort ici, dans le ciel de ce pays, il y a plus de vingt ans. Lorsque elle tente d'oublier le crash du Cessna, ses cauchemars se chargent de le lui rappeler. A l'aube, il lui arrive encore trop souvent d'être réveillée par son propre cri, rigide, les muscles tétanisés.

Et puis le diamant est une drogue. Un monde dont la complexité passionne, qui rassemble le prospecteur fouillant la terre, le diamantaire juif dont l'art s'est transmis à travers plusieurs générations, et la star qui, du bord de sa piscine, fait monter les enchères pour acquérir une pierre unique.

Elle ouvre le minibar, décapsule un jus d'ananas.

Toute une journée à ne strictement rien faire : ce changement de rythme menace sa santé mentale.

Le Président réfléchit. Elle attend.

La décision finale doit lui être communiquée avant son départ, prévu pour le lendemain, à l'aube. L'angoisse lui crispe le ventre comme une vilaine colique. Même ses résultats d'examens et ses premiers flirts ne l'ont jamais mise dans des états pareils.

« Déjà vingt heures... Est-ce qu'il m'appelleront cette nuit ? Dois-je annuler mon retour ? Encore un quart d'heure dans cette chambre à couver le téléphone et je suis bonne pour la camisole de force. Tant pis, je ne suis pas Pénélope ! Il me faut de l'air, du mouvement, du bruit. Et, accessoirement, un dîner. »

Elle enfile une robe de coton et décide d'aller jeter un œil à *La Devinière*, le restaurant le plus chic de Kinshasa.

Une nuit orageuse étouffe la ville. L'air est poisseux comme du miel, gorgé d'humidité. Dans le taxi, Paula s'abandonne au spectacle de la métropole africaine. La Peugeot progresse avec difficulté, bloquée par un embouteillage géant. Lorsqu'elle s'immobilise quelques instants face au néon d'une discothèque, la jeune femme fronce le nez, interloquée.

Cette enseigne lumineuse lui chatouille la mémoire. *La Paillote...* Où a-t-elle entendu ce nom-là ?

La Peugeot s'ébranle à nouveau, portée par le flot de la circulation.

– Stop ! crie-t-elle.

La Paillote : le club où Luc a travaillé lors de son séjour au Zaïre ! Curieuse d'observer l'endroit, elle quitte le taxi.

L'entrée est gardée par un portier aux allures de bouledogue, qui ne prête aucune attention à la jeune femme.

La discothèque est située en plein air. La piste de danse borde une piscine d'un vert électrique. Sur l'estrade, les musiciens attaquent une rumba.

Paula s'approche du bar. Tous les regards convergent vers elle.

Autour des parasols en raphia, la foule est presque exclusivement africaine. Les femmes sont fardées, moulées dans des tissus brillants qui contrastent avec la robe toute simple de la Française.

Elle réalise soudain qu'elle est seule, étrangère, et qu'elle n'a strictement rien à faire ici. Les hommes accoudés au comptoir la dévisageant avec une curiosité de plus en plus marquée. Elle agrippe son sac et s'apprête à sortir.

– Hé Miss, vous cherchez quelqu'un ?

Elle hésite une seconde. La voix est masculine, plutôt gentille. Elle se retourne.

L'homme qui lui fait face est un rêve d'adolescente : tignasse blonde, un visage marqué par le soleil, et des yeux Pacifique Sud.

– Non, je ne cherche personne.

– Désolé. Vous aviez l'air perdue.

– Je ne fais que passer. Mon frère travaillait ici.

– A *La Paillote* ?

– Oui. Il a passé quelques mois à Kinshasa, et...

– Incroyable! N'Dioué, viens voir une minute. Il s'appelait comment, votre frère?

N'Dioué pousse un cri de surprise. Luc! Bien sûr! Celui qui a fait la première – et seule – soirée Rap de Kinshasa. Un disc-jockey capable de rester debout quarante-huit heures d'affilée sans fermer l'œil.

Un petit groupe se rassemble, échange des souvenirs émus. Luc a marqué la vie nocturne du quartier, et la visite de sa sœur prend les dimensions d'un événement.

N'Dioué pose un cocktail mousseux devant la jeune femme.

– Courtoisie du bar. Comment va-t-il présentement, le petit frère?

– Bien, bien...

Elle vide son verre d'une traite. Une gorgée de feu l'étrangle, elle s'étouffe, les joues rouges. Le blond sourit.

– Fort, hein? C'est du gingembre. Un aphrodisiaque. Tu viens danser?

Elle se sent soudain très féminine. Pourtant, ce blond n'est pas son style – un physique de maître nageur du Club Méditerranée. Mais elle a envie de se détendre, d'abandonner ses allures de femme d'affaires, pour se souvenir qu'elle n'a que vingt-huit ans, et de très jolies jambes. Elle ajuste les bretelles de sa robe, qui glissent et dénudent ses épaules.

– D'accord. Allons-y.

Une foule enthousiaste piétine la piste : des jeunes filles dansent le rock enlacées, en pouffant comme des folles. Un pilote de ligne pelote les rondeurs d'un boubou doré. Des étudiants tapent dans leurs mains, tandis qu'une danseuse virevolte, dévoilant de longues cuisses noires.

– Moi, c'est Max, précise le géant blond.

Le batteur entame un solo frénétique, et on n'entend plus rien. Paula expédie ses sandales sur le bord de la piste et se laisse aller. Enfin, elle peut oublier la chambre d'hôtel où elle tournait comme un animal en cage.

Max la fait tourner très vite, tout en vidant une bouteille de bière qui ne semble pas le rafraîchir. Les étudiants crient « Ambiance! » et font un bruit infernal.

Lorsque la poussière, la sueur et la chaleur de la nuit

atteignent leur paroxysme, le groupe attaque une drôle de rengaine. Le trompettiste lance un clin d'œil à la foule et... les hommes précipitent leurs partenaires dans la piscine. Visiblement, la coutume est bien établie.

Assourdie par les rires et les éclaboussements, Paula ne comprend pas tout de suite. Lorsque en un éclair elle tente la fuite, il est trop tard : soulevée, portée à bout de bras, elle est lâchée parmi les gerbes d'eau lumineuses. Boit la tasse, perd une boucle d'oreille, se relève et lance le plus long chapelet d'injures de sa vie. Debout face à elle, sur le bord, Max la contemple comme un marin sa sirène.

Un quart d'heure plus tard, Paula quitte la discothèque. Malgré une explication tumultueuse, Max l'accompagne toujours. Affamée, la chevelure dégoulinante, elle se dirige droit vers un vendeur ambulant, qui grille des brochettes sur un brasero, à même le trottoir. Les braises grésillent et dégagent une fumée épicée, intoxicante. Paula réalise qu'elle ne se nourrit que de jus de fruits depuis trois jours, et s'apprête à vider son porte-monnaie dans la main du marchand, lorsque Max lui saisit le bras.

– Laisse tomber les brochettes. Kinshasa a mieux à te proposer.

– On me jette à l'eau, on me moleste, puis on m'affame ?

– Nous pourrions être à *La Devinière* en un coup de taxi. Ils servent une excellente *chikwangué*. C'est le plat national de Kin.

Les yeux de la jeune femme s'agrandissent d'effroi. *La Devinière* sera bondée, comme tous les vendredis soir : banquiers, diplomates, membres de la haute administration... Elle s'imagine faisant son entrée, moulée dans une robe humide, les cheveux trempés, au bras d'un aventurier de passage, et réprime un hoquet d'horreur.

– Je crois que je préfère les brochettes.

– Alors, puis-je t'offrir quelque chose à boire ? J'aimerais me racheter, après ce bain forcé.

Elle hésite. Après tout, il est sans doute fréquentable. Surtout, elle a encore envie de danser, encore envie de boire.

– O.K. Mais le plus loin possible de *La Devinière.*

C'est une drôle de nuit, égayée par des guirlandes d'ampoules multicolores. Max passe un bras autour de ses épaules pour l'aider à fendre la foule. Des dizaines de clubs tentent d'attirer les noctambules : *Club Vatican*, *La Perruche bleue*, « Vous entrez O.K., vous sortez K.O. »...

Max choisit le *Palais de l'Animation.*

– Deux Primus, s'il vous plaît.

– Vous semblez bien connaître la ville. Vous habitez au Zaïre ?

– Non. Mais je voyage beaucoup en Afrique, pour mes recherches.

– Ah bon ? (Seigneur, ces bouteilles de bière locales sont énormes !) C'est-à-dire ?

– J'écris des romans policiers. A la chaîne. Quelquefois, j'en ai marre de compulser le catalogue de Smith & Wesson, et je raconte à l'éditeur qu'il me faut de la couleur locale.

Elle lui jette un regard malicieux.

– Des policiers, vraiment ? Et quel est votre nom de plume ?

– Vu le style de mes bouquins, le terme « nom de plume » paraît peu adapté. Mon pseudo, c'est La Guerthy.

La Guerthy !

Le nom qui signe en rouge des romans de gare aux couvertures érotico-exotiques ! Trois collections qui s'arrachent comme des petits pains chez les adolescents libidineux et les papies frustrés...

Elle se rappelle en avoir parcouru (une fois, une seule) un volume. Elle avait des circonstances atténuantes : un soir de déprime, chez une amie. Elle n'avait pas acheté le journal, et il n'y avait rien à la télé. Elle se souvient vaguement d'un mercenaire cubain, le fusil mitrailleur à la main, menaçant de manière équivoque une jeune Thaïlandaise nue et ligotée. Summum du bon goût.

Soudain, elle considère Max d'un autre œil.

– Mais ces bouquins sont de véritables torchons !

– C'est gentil...

– La Guerthy ! C'est incroyable.

– Et quel métier me donnais-tu ?

– Je ne sais pas. Gigolo, videur de boîte de nuit : quelque chose de plus respectable.

– Tu as raison, ce n'est pas très respectable. Mais n'est pas Hemingway qui veut. Et puis c'est si facile...

– Quoi donc ?

– D'écrire ce genre de polars. Ces bouquins sont mes mauvaises fées : ils me permettent de parcourir le monde sans effort. Comme une grande promenade.

Le regard du géant blond se fait lointain, distant.

La vie comme une promenade ? Une idée qui plairait à Luc. Elle profite de la distraction de Max pour jeter un coup d'œil à sa montre.

– Je devrais rentrer à l'hôtel. Mon avion décolle demain, à l'aube.

– A l'aube ? AF 913 pour Paris ?

– Oui, pourquoi ?

– Nous serons sur le même vol. On danse encore ?

Elle hésite. Bras croisés, il attend sa réponse.

– Peur de manquer de sommeil ?

– Non. Peur que vous me preniez pour une créature sortie de vos bouquins. Genre poupée sexy pour nuit tropicale.

– Oublie La Guerthy. Imaginons que je sois routier transafricain, et que je te trouve belle comme un camion.

Elle éclate de rire.

Trois heures du matin. Les ruelles de la Cité ne désemplissent pas, et les clubs poussent leur sono au maximum, pour couvrir la musique des voisins.

Max semble connaître la moitié de la population de Kin. Mais ce soir, il écarte ses amis, pour se consacrer à une jeune Française dont il ne sait rien.

Elle s'est rarement autant amusée. Son corps frémit, joyeux, incontrôlable. Envie de bouger.

D'une poussée au creux des reins, Max l'expédie sur la piste de danse. Lui-même n'en peut plus. Il emporte son verre à l'écart, pour profiter de la fraîcheur de la nuit. Un homme le suit. Il est très grand, coiffé d'une toque de moire rouge. Max lève vers lui un regard curieux.

– Je ne crois pas que nous nous connaissions.
– Mon nom est Bula. Puis-je vous offrir un verre ?
– Certainement.
– Je trouve cette jeune Française très... très séduisante.
– Vraiment ?

L'expression de Max reste indéfinissable. Tous deux, côte à côte, font face à la foule. Bula extirpe de son portefeuille en croco une pierre grise, qui roule sur la table.

– Un diamant ?
– Oui. Il est à vous, si vous m'autorisez à danser avec votre amie.

Paula choisit cet instant pour venir s'effondrer sur un tabouret, près des deux hommes.

Max sourit.

– Je n'ai aucun titre de propriété sur elle. Malheureusement. Il vaut mieux lui demander son avis.

Elle contemple le petit morceau de sucre candi que Bula a coincé entre l'ongle et le doigt.

– Un diamant ne me suffit pas. C'est la mine entière que je veux. Mais j'offre le champagne, si vous voulez bien.

Le Zaïrois écarte les mains avec un sourire.

– Autrefois, les diamants impressionnaient les femmes. C'est la crise !

Six heures trente. L'aube drape la ville d'une brume jaune, tiède. Max et Paula pénètrent en courant dans le hall de l'*Intercontinental*.

– On va le rater, cet avion !
– Cours ! Le taxi nous attend.
– Ça n'était pas raisonnable d'accepter l'invitation de Bula.
– Tu n'as pas aimé le petit déjeuner arrosé de Dom Pérignon ?
– J'aurais surtout voulu prendre une douche.

Elle entasse fébrilement robes et dossiers dans sa valise, lorsque la sonnerie du téléphone retentit.

Elle se laisse tomber sur le lit.

– Mademoiselle Desprelles ? Un appel du ministre des Mines.

– Oui. Passez-moi la communication.

Elle avait presque oublié la raison de sa présence ici! Pensif, Max caresse du doigt la cuisse de cette jeune femme dont il connaît à peine le nom.

La voix ensommeillée d'une secrétaire annonce le ministre lui-même. Accrochée au combiné, le cœur battant, Paula tente de repousser la paume qui glisse entre ses jambes, la main rugueuse qui cherche son chemin sous sa jupe.

– Paula ? Je craignais que vous n'ayez déjà quitté l'hôtel. La décision du Président est tombée tard cette nuit, et j'ai tenu à vous l'annoncer moi-même.

– Votre Excellence, je vous en remercie.

Surpris par ce ton très protocolaire, Max interrompt ses câlineries.

– Le projet d'exploitation du diamant rose est accepté. Nos avocats étudient les termes d'une lettre d'agrément, ils vous recontacteront à Paris.

Paula ferme les yeux un instant pour maîtriser le choc du triomphe. Le souffle coupé, elle laisse le ministre poursuivre.

– Toutes mes félicitations. C'est un marché colossal que vous remportez là. Vous devrez nous soumettre un plan d'action détaillé. Le directeur de la mine sera un certain Kaboré. Un homme solide. Il pense commencer l'exploitation d'ici à cinq mois. Les premiers diamants roses apparaîtront sur le marché dans un peu moins d'un an, juste avant Noël. Vous devrez être prête à cette date.

– Bien entendu. Nous reverrons timing et quotas et production à Paris.

– Parfait. Je ne vais pas vous retenir plus longtemps, vous allez rater votre avion.

Max soulève son sac et lui jette un regard narquois.

– Si Mademoiselle est comme cul et chemise avec une Excellence, peut-être pourrait-elle nous trouver un hélicoptère ? Nous devons rejoindre l'aéroport de Ndili avant un quart d'heure.

L'avion survole l'Afrique centrale. Dans la cabine des Première, Paula s'est effondrée sur le siège et laisse son esprit vagabonder. Un sourire euphorique flotte sur son visage : elle a gagné son pari, au terme d'un épuisant marathon. Max, lui, est bien éveillé. Il a peu de temps, il le sait. Dès que l'avion aura touché terre, Paula s'échappera. Elle a choisi de vivre cette nuit comme un moment privilégié. Une parenthèse qu'elle s'empressera de refermer. Après réflexion, il ne compte pas la laisser faire. Elle lui plaît trop.

Il la caresse avec douceur, du genou rond à la cuisse. Puis ses doigts glissent sous la jupe, effleurent la peau tendre, se rapprochent du slip de coton. Prise d'une étrange torpeur, elle ne proteste pas. Son corps réagit souplement à cette caresse de moins en moins discrète. Il se lève et lui fait signe de le suivre.

Elle secoue la tête. Hors de question. Ce serait de mauvais goût. Et puis elle a sommeil. Quand Max lui prend le coude pour la mettre debout, elle se débat – mais faiblement – chuchotant des injures qui semblent glisser sur son sourire.

Une hôtesse bien intentionnée s'approche.

– Quelque chose ne va pas?

Rouge de honte, Paula se sent défaillir. Mais Max reste calme.

– Mademoiselle supporte mal les voyages en avion. Un peu d'eau fraîche sur le visage lui fera du bien. Ne vous inquiétez pas, je l'accompagne.

L'hôtesse offre un sourire compatissant. Paula, effarée par tant de perfidie, se laisse entraîner vers les lavabos.

Cotonneuse, elle se sent soulevée par deux mains qui la tiennent clouée à la cloison. Contre son dos, la paroi de métal vibre au rythme des réacteurs. Elle ne touche plus le sol et sent son esprit lui échapper. Ils font l'amour d'une manière âpre, intuitive.

Il l'observe, les yeux mi-clos, presque hésitant. Dans le miroir, elle aperçoit le dos puissant, et une main qui la caresse avec délicatesse. Il écrase son torse contre les seins tièdes, mord le cou ployé, imprime sa cadence au corps épuisé. Leurs respirations, haletantes, retenues, emplissent l'étroit réduit. Très rapidement, elle cède à un plaisir violent, submergée par des vagues dont elle ne reconnaît plus les couleurs.

Prise de vertige, suspendue au-dessus d'un ciel vide,

elle s'effondre presque le long de la cloison. Max la retient rajuste la jupe de la jeune femme, recoiffe ses boucles claires, et la ramène à sa place, presque évanouie, dans un acide parfum d'amour qu'aucun passager ne semble remarquer. Elle sombre immédiatement dans un sommeil sans rêves.

DEUXIÈME PARTIE

L'Afrique est un champ de bataille

1

Londres

Alex Kentzel contemple la pluie qui crépite sur le goudron. Le hall du *Ritz,* brillamment illuminé, contraste avec le crépuscule qui s'est abattu sur la capitale britannique.

Soudain, une voix le fait sursauter :

– En voilà une surprise! Je ne vous savais pas ici.

– Harry! Comment allez-vous? Vous avez rendez-vous maintenant?

– Oui. Pourtant, je n'aime pas examiner ma boîte en fin d'après-midi. La luminosité est détestable. Difficile d'observer des diamants dans ces conditions.

– Un temps abominable. Partagez donc mon taxi.

Comme Alex, Harry Berlin est un diamantaire important de la Quarante-septième Rue, à New York. Comme lui, il vient à Londres dix fois par an, pour chercher sa « boîte », sa livraison de diamants bruts, au siège même de la Diamond International Company. Tous deux sont juifs, mais une génération les sépare : Alex a cinquante-huit ans. Depuis trente ans, il vient à Londres toutes les cinq semaines, pour recevoir sa boîte, et prend soin chaque fois d'entretenir les relations qui le lient au « Syndicat ». La D.I.C. dispose d'un pouvoir de vie et de mort sur sa société familiale. Alex a apprivoisé ce monstre omnipotent par des décennies d'amitié.

Ce n'est pas l'attitude d'Harry qui, à trente-deux ans, dirige « Diamond Cutters International ».

Harry enfonce les poings dans les poches de son pardessus et observe la rue d'un air sombre.

– Je suis anxieux de connaître l'accueil que me réserve le Syndicat. Lors de ma dernière « vue », j'ai refusé deux pierres. Des cailloux impurs, dont je n'aurais pas su quoi faire.

– Refusé ?

Alex est ébahi. L'arrogance des jeunes est sans limites. Pauvre Harry.

– J'ai besoin de gros diamants. La D.I.C. ne m'en fournit pas assez.

– Nous avons tous besoin de grosses pierres. Les Américaines aiment en avoir plein les doigts. Plus vous critiquerez le Syndicat, plus les diamants qu'ils vous fourniront seront petits et sales. Faites attention : la D.I.C. peut même vous exclure de la liste de ses clients. En quinze ans, le nombre de diamantaires admis aux « vues » est passé de trois cents à cent trente !

– Mais je paie chacune de mes boîtes un million de dollars, et cela dix fois par an ! Cela devrait me donner quelques droits. Celui de choisir ma marchandise, par exemple !

– En trente ans, j'ai acheté quatre cents boîtes à la D.I.C... Et jamais, jamais je n'ai contesté une pierre, ou une facture.

Harry se tait et respire un grand coup. Il est inutile de discuter avec ces vieux schnoks. Ne jamais prendre un risque, vivre dans la crainte perpétuelle d'une catastrophe... Quel monde, et quel métier !

Le taxi arrive, noir et luisant. Les deux hommes se glissent sur la banquette. « Smithfield street, *please.* »

Alex sourit intérieurement. Harry joue un jeu dangereux, mais quelle fougue ! Lui-même, à son âge, achetait des diamants en contrebande aux trafiquants congolais. Il se reconnaît dans cette jeunesse audacieuse. Ce n'est pas comme son fils Irving, si timide, avec ce goût absurde pour les pantalons de cuir.

– Nous y voilà.

– Abritez-vous sous mon parapluie.

Les deux silhouettes se hâtent vers l'édifice imposant de la D.I.C. Le Syndicat possède deux immeubles, de chaque côté de Smithfield street, reliés par une passerelle d'acier renforcé. Dix étages anonymes, massifs, que n'identifie aucune plaque. Seul indice : une fresque discrète, sur le fronton gris, représentant l'arrivée des premiers Boers en Afrique du Sud.

Là sont élaborés des plans et des intrigues qui jouent sur l'avenir de nations entières. Il y a plus de pouvoir derrière cette triste façade que dans bien des ministères.

Passé les grilles monumentales, un garde en uniforme accompagne Harry et Alex au second étage. Moquette verte et portes d'acajou. Dans le salon, Alex salue quelques tailleurs de pierre de Tel-Aviv et d'Anvers. Mais déjà, le garde lui fait signe. Il est introduit dans un bureau aux murs nus. Sur la table, une boîte rectangulaire, en carton noir. *The Box.*

Il approche, le cœur battant. Depuis des années, il n'a pu se défaire de cette contraction à l'estomac, semblable à celle d'un joueur s'asseyant à la table de Black Jack. Son avenir est là. Dans les petites enveloppes en papier de soie, qu'on appelle Briefke.

La livraison de diamants bruts qui fera vivre sa société pendant cinq semaines.

Il prend la loupe, rapproche la balance électronique, commence son investigation... Et s'interrompt : au fond de la boîte, quatre enveloppes plus lourdes, plus rondes. Sa fidélité à la D.I.C. serait-elle enfin récompensée ?

Mieux que ça. Quatre énormes pierres roulent sur la table, dans la lumière du nord. Dont deux octaèdres de quinze carats, qui, sous la loupe anxieuse du diamantaire, ne révèlent que pureté et blancheur. Le prix inscrit aligne les zéros sans complexes. « Des boucles d'oreilles, pense Alex à toute vitesse. Un profit considérable qui financera la maison en Floride. »

Une toux discrète l'arrache à ses calculs. Le garde entrebâille la porte :

– Doug voudrait vous voir.

Doug ! L'homme qui décide du contenu des cent trente boîtes, de la fortune ou de la faillite des plus grands diamantaires du monde.

Alex suit le garde le long des couloirs, indifférent aux toiles de Sol Lewitt qui ornent les cloisons. La D.I.C. possède la deuxième collection privée d'art moderne en Grande-Bretagne. Mais peu de chose impressionne le diamantaire : le blanc exceptionnel d'une pierre et – parfois – un *home run* au base-ball.

Il ignore donc aussi le Jackson Pollock du bureau de Doug, et se concentre sur le maître des lieux.

L'homme est ramassé dans son fauteuil, le regard perçant, impitoyable.

Dans le petit monde des diamantaires, Doug est une légende. Du fait de son pouvoir, qui est immense. Mais aussi à cause de sa dureté, et de sa dévotion à la famille Van Groot.

Douglas Lebstein est issu d'une famille modeste. Son père était employé dans une usine à chaussures, près de Birmingham. Pour participer aux dépenses familiales, Douglas a travaillé très tôt. A quatorze ans, il est engagé comme garçon d'écurie. C'est là que son destin croise pour la première fois le monde du diamant : on lui confie la charge de cinq chevaux appartenant à Thomas Van Groot.

Juif d'Afrique du Sud, Thomas Van Groot a succédé à son père, à la tête du méga-trust familial. Il contrôle la D.I.C., le tiers de la production mondiale d'or, et dirige indirectement plus de neuf cents compagnies qui interviennent dans des domaines aussi variés que la finance, l'immobilier, l'informatique ou l'agro-alimentaire.

Thomas possède l'une des plus grandes fortunes privées au monde, estimée à vingt-cinq milliards de francs. Son seul vice : les chevaux de course. Il en possède plus de cinquante.

« J'ai plus d'estime pour mes chevaux que pour les hommes », déclare-t-il parfois.

Certains de ces pur-sang ont été confiés au haras qui emploie le jeune Lebstein.

Doug est vite repéré. C'est un garçon vif, intelligent, qui poursuit ses études par des cours du soir. Son sens de l'observation est étonnant. Sa mémoire, exceptionnelle. Thomas Van Groot le remarque. Et lui propose de travailler à Londres, comme apprenti trieur de diamants. Doug saisit à deux mains la perche qu'on lui tend. En une année, il apprend à distinguer les cinq mille catégories définies par la D.I.C., à partir d'un tas de gemmes brutes.

Il est promu.

Puis la guerre éclate. Doug rejoint la British Army en tant qu'officier.

Six mois après le début de la guerre, il est capturé par les Allemands. En 1945, quand il est libéré, il a perdu quinze kilos, et la plupart de ses cheveux. C'est un survivant.

Il réintègre la D.I.C. et travaille à son avancement avec une rage décuplée. En dix ans, il devient la clef de voûte du mécanisme qui transforme de minuscules cristaux en symboles d'amour et de richesse.

Doug vérifie les stocks de diamants dans le monde entier, grâce à un réseau d'information international. Personne n'est autorisé à constituer sa propre réserve de gemmes. Ni les tailleurs de pierres, ni les banques, ni – surtout – les gouvernements des pays producteurs. Doug évalue la demande. Sur les cinq continents, des experts étudient pour lui les taux de mariage, l'évolution des revenus, et tous les facteurs qui affectent l'achat des diamants.

Doug détermine alors la quantité de gemmes brutes qu'il est nécessaire de lâcher sur le marché, toutes les cinq semaines. Il décide quelle pierre ira à quel diamantaire. Et à quel prix.

Un tailleur de pierres qui conteste une de ses décisions risque la faillite. Unilatéralement, Doug peut augmenter le prix des diamants qu'il lui destine, livrer des gemmes de qualité inférieure... Ou exclure le malheureux des « vues » de la D.I.C.

La famille du diamantaire déchu ne rentrera jamais dans les bonnes grâces de la compagnie. Douglas Lebstein a une très bonne mémoire.

Bref, Doug est le maître d'un jeu qui couvre plusieurs milliards de dollars. Par an.

Il salue Alex d'un signe de tête, sans prendre la peine de quitter son siège.

– Enchanté de vous voir, mon ami. Comment allez-vous ?

– Un peu las. Le décalage horaire, comme d'habitude.

– Le voyage est fatigant. Pourquoi ne pas prendre le Concorde ?

– Ah! je suis un vieux radin, voilà pourquoi.

Doug ouvre un humidificateur à cigares, choisit un MonteCristo n° 3, et commande du thé pour Alex.

– Content de votre boîte?

Les rides d'Alex s'écartent en un sourire mesuré.

– Ces pierres sont magnifiques.

– Allons, c'est bien normal. Nous travaillons ensemble depuis si longtemps.

Comme il n'est pas dans les habitudes de Doug de faire des « cadeaux » sans contrepartie, Alex est inquiet. Il sait qu'on va lui demander une faveur, un service.

Doug se tait pendant une longue minute, puis lance :

– Entendu parler de ces diamants roses?

– Une nouvelle extraordinaire! D'autant plus que les diamants de couleur sont à la mode et s'arrachent à des prix insensés.

– Avez-vous eu l'occasion d'observer une de ces pierres zaïroises?

– Un ami expert m'a affirmé qu'elles étaient d'une teinte semblable au Nur Al Nain.

– « L'œil de lumière. » Énorme gemme rose trouvée en Inde au XVIIe siècle.

– Cela même. Je l'avais observée chez Harry Winston, alors qu'on la sertissait sur la tiare de Farah d'Iran. Quelle couleur! Quel éclat! J'imagine que cette merveille est maintenant enfouie dans les coffres des Ayatollahs.

Doug se renverse dans son fauteuil, fixe la fumée de son cigare d'un air vindicatif.

– La découverte d'un nouveau type de diamants pourrait bien révolutionner le marché. Nous en souffririons tous. Et le Zaïre prétend faire cavalier seul.

– Quoi? La D.I.C. ne contrôlerait pas la nouvelle mine?

– Depuis un siècle, le Syndicat n'a cessé de lutter contre les atteintes au monopole. Voici une autre bataille qui s'engage. Nous négocions avec le Zaïre. Mais nous avons besoin de temps.

Doug se tourne vers le diamantaire.

– Quelqu'un doit pouvoir nous aider à retarder l'exploitation de cette mine. Mais qui?

– La question me prend au dépourvu. Laissez-moi réfléchir à voix haute... Cette mine va dévaluer le cours des gemmes de couleur, n'est-ce pas ? Désormais, les diamants roses ne seront plus l'exclusivité d'une poignée de collectionneurs millionnaires. Certains diamantaires new-yorkais ont payé des prix astronomiques, pour des pierres qu'ils croyaient uniques au monde. Ils vont perdre beaucoup d'argent.

– Bonne analyse. La Compagnie doit s'appuyer sur un homme déterminé à freiner le lancement des diamants roses.

– Je connais un collectionneur spécialisé dans les gemmes de couleur. Il va avoir besoin de quelques semaines pour écouler ses pierres, avant que les diamants zaïrois n'inondent le marché. Cet homme s'appelle Salzdji.

Le visage de Doug s'éclaire d'un vaste sourire.

– Salzdji, j'aurais pu y penser moi-même ! Pourriez-vous le contacter ? La Compagnie n'a pas de bureaux à New York, comme vous le savez, et votre aide serait bienvenue.

Alex n'est pas dupe une seconde : la D.I.C. a jeté son dévolu sur Salzdji bien avant cette réunion. Doug l'a gentiment manipulé.

Selon la loi fédérale américaine, la D.I.C. viole le Sherman Act – aussi appelé Loi AntiTrust. C'est bien la moindre des choses, pour le monopole le plus flagrant du monde capitaliste. Mais, tant que la société sud-africaine n'est pas implantée aux États-Unis, elle est hors d'atteinte du F.B.I. C'est pourquoi les affaires se traitent à Londres ou à Zurich. C'est aussi la raison pour laquelle Doug a besoin d'un intermédiaire de confiance afin de contacter Salzdji.

Paris

Paula contemple le profil de son frère : buté.

– Je ne te comprends plus. C'est toi qui as découvert cette mine de diamants. Pourquoi t'opposes-tu à son exploitation ?

– Une mine, cela représente des mineurs noirs, une forêt défrichée, des intérêts économiques que tu ne contrôles absolument pas. Je n'ai aucune envie d'être associé à cela.

– Excuse-moi, mais tes scrupules paraissent un rien puérils. Tu dois travailler ici et là pour joindre les deux bouts, tu vis dans une chambre de bonne... Ces diamants pourraient nous placer à la tête d'une véritable fortune.

– Tu sais bien que cela ne m'intéresse pas.

– Enfin, sois réaliste ! Que voulais-tu faire de ce bout de jungle ? Une réserve protégée ?

Luc pâlit. Ses colères sont rares, mais intenses.

– Et pourquoi pas ? Sais-tu combien d'espèces sont menacées de disparition au Zaïre ? As-tu déjà entendu parler des gorilles ? Des panthères ? Des okapis ?

– Cela n'a rien à voir avec les diamants roses.

– Quelle certitude de la part de quelqu'un qui n'a jamais mis les pieds dans la jungle, qui ne sait pas à quoi une mine peut ressembler !

– La mine aurait été exploitée de toute façon, avec ou sans mon intervention.

– Tu ne comprends pas. Ta visite au Zaïre s'est limitée aux bureaux des hauts fonctionnaires. Tu n'as pas été sur place. L'endroit est si sauvage, si beau...

– Ça suffit ! Tu parles comme un rêveur, un idéaliste. Comme notre père, en fait.

Paula n'a aucun respect pour la jungle zaïroise. C'est là que son père est mort. Le cauchemar qui hantait ses nuits de petite fille vient de là-bas.

Le frère et la sœur interrompent leur dispute quand on frappe à la porte.

– John, enfin ! dit-elle en accueillant JLW, une bouteille de Veuve Clicquot Ponsardin 1979 à la main. Avez-vous reçu mon télégramme ? L'affaire est conclue ! Nous avons le monopole mondial des diamants roses. Un premier point contre la D.I.C. Pour célébrer l'événement, je propose d'appeler nos gemmes « Diamants Aurore ».

Pendant qu'elle verse une mousse ambrée dans les flûtes, JLW semble soucieux. Sa cravate club est de travers. Il passe la main sur la mèche plate qui couvre son front.

– Un beau contrat. « Diamants Aurore »... Très joli, très bien trouvé.

– Vous avez l'air tendu ?

– Une broutille désagréable.

Il lui tend le journal et indique :

– Page seize, chapitre Sciences.

Elle lisse sa courte robe de cocktail, s'assoit sur le sofa. Le titre attire immédiatement son regard : « Diamants roses : Imposture ou réalité ? »

« Le Zaïre annonçait il y a un mois la découverte de la première mine de diamants de couleur au monde. Cette découverte est cependant déjà mise en cause par des experts new-yorkais. Le Fancy Diamonds International Club a déclaré jeudi qu'il était possible d'obtenir une couleur rose " trafiquée ", en soumettant un diamant ordinaire au bombardement par électrons, ainsi qu'à de très fortes températures. »

Paula pousse un soupir et pose sa coupe de champagne. Les ennuis commencent.

« Cet avis vient renforcer la réaction étonnée des géologues du monde entier, lors de la découverte de la mine zaïroise. M. Millish, minéralogiste, écrivait alors dans la prestigieuse revue *Nature* : " Les diamants peuvent contenir des particules atomiques de substances étrangères, comme le nitrogène ou l'uranium, qui donnent aux gemmes une couleur particulière. Ce phénomène est par essence extraordinaire, accidentel et dispersé. Annoncer la possibilité d'une mine de diamants de couleur, c'est bouleverser toutes les théories actuelles sur la formation du diamant. " On mesure mieux l'importance de cette controverse lorsqu'on sait que le dernier diamant rose vendu par Christie's a presque atteint un million de dollars le carat. Supercherie ? Gigantesque canular ? Miracle de la Nature ? Une expertise internationale devrait, à très court terme, faire la lumière sur la question. »

Accablée, Paula laisse tomber le journal comme un vieux chiffon, accablée, et Luc en profite pour se lever en dépliant sa longue carcasse.

– Je m'éclipse, dit-il. Désolé pour vous deux.

Une fois son frère parti, Paula tente de rassurer son principal bailleur de fonds.

– Ce n'est pas la fin du monde. Le journaliste a raison : une expertise internationale tranchera.

JLW se racle la gorge, contrarié.

– Ces rumeurs sont dangereuses. Je ne veux pas vous faire peur, mais cela sent la campagne de diffamation.

– Croyez-vous qu'on cherche à discréditer la mine Aurore ?

– Je le crains. Il faut contre-attaquer très rapidement.

– Nos diamants sont authentiques. Il suffit de le prouver.

– Le Gemmological Institute of America est le laboratoire le plus réputé pour les diamants de couleur. Vous devez leur faire parvenir un échantillon de pierres, le plus vite possible. C'est une question de jours. Nous devons rétablir la confiance dans cette mine.

– Bien. Je dispose d'une dizaine de gemmes. J'irai les chercher au coffre samedi, pour les expédier à la première heure lundi matin. L'expertise aura lieu la semaine prochaine.

Connecticut

Le haras de Middle Road, Connecticut, est réservé à une clientèle très sélectionnée. Parcours de golf, collines verdoyantes, auberge faussement rustique où l'on sert à toute heure les tortellinis au crabe, et le *chicken* à la française : tout concourt à faire de l'endroit un paradis pour riches.

Nicholas Salzdji y possède deux chevaux qu'il monte tous les samedis. Il tient Aladin par la bride, calmant l'étalon avant de le faire rentrer dans son box.

– Brave bête. Ah, ah ! Bel animal, hein !

Satisfait, il flatte l'encolure du cheval. La robe baie encore fumante, Aladin fait quelques pas nerveux, souffle bruyamment, puis fait un brutal écart quand une Jaguar surgit dans la cour du haras et s'immobilise dans un nuage de poussière à quelques mètres de Salzdji.

– Hockway ! Content de vous voir, s'exclame-t-il en retenant la bête.

Le jeune Anglais le rejoint, la veste de son costume négligemment jetée sur l'épaule.

– Quel superbe animal !

– N'est-ce pas ? Pur-sang arabe mâtiné de jument argentine. Idéal pour le polo. Palefrenier !

Un garçon arrive en courant et saisit la bride d'Aladin.

Salzdji entraîne Hockway vers le bar.

– Quoi de neuf, jeune homme ?

– Coup de chance : Farah fête ses vingt ans le mois prochain. Son père, le cheik Afhed, désire marquer l'événement.

– Combien ?

– Vous allez trop vite. Le papa hésite encore entre une île indonésienne et une parure de diamants roses. Tirée de la collection Salzdji, bien sûr.

– Ridicule ! Qu'est-ce que cette pauvre petite ferait d'une île ?

– J'ai suggéré qu'elle n'en aurait pas l'utilité. Elle passe la plus grande partie de l'année sur la Riviera, et les bals l'attirent plus que la plage. Le cheik donnera sa réponse dans trois semaines.

– Trois semaines ! Nous ne pouvons pas attendre si longtemps. Vous avez réussi à créer un doute quant à l'authenticité des diamants zaïrois, mais il ne résistera pas à une solide expertise.

– Hélas ! vous avez raison.

– D'ici à quelques jours, le cheik Afhed refusera tout net de payer le prix fort pour ma collection. Vous n'attendez quand même pas que je vous félicite ?

– Il y a une seconde solution.

Reginald laisse flotter quelques secondes pleines de suspens, et commande un gin tonic.

– J'ai eu une discussion fort instructive avec votre ami Alex Kentzel. Le Zaïre a décidé d'exploiter la mine de manière indépendante.

– Pardon ?

– La D.I.C. n'a pas de contrôle sur les diamants roses. Les gemmes seront commercialisées par un bureau franco-zaïrois. Dirigé par une femme, qui plus est.

– Franco-zaïrois ? Ça n'a pas dû leur plaire, à Johannesburg !

– Précisément. Ce bureau n'est sans doute qu'un

moyen de faire monter les enchères, mais le vieux Mobutu leur mène la vie dure. Comme nous, la D.I.C. a besoin de temps pour négocier. Notre campagne de désinformation les arrange bien.

– Alex vous a dit tout ça ? Il n'est pourtant pas bavard, d'habitude.

– D'habitude, il n'agit pas comme porte-parole de la Compagnie.

– Doug a bien choisi son homme. Alex Kentzel est le seul diamantaire sur la place de New York à qui je fasse confiance. Continuez.

– La D.I.C. rachètera au prix fort les diamants roses dont vous voudrez vous défaire.

– Ah, je m'y attendais : un marché !

– Oui, mais un marché intéressant : c'est la seule manière de vous défaire vite et bien de votre entière collection de gemmes.

– Quelles sont les conditions ?

– Il leur faut une quinzaine de jours. A nous de faire pression sur les laboratoires de gemmologie et les syndicats diamantaires pour retarder l'expertise.

– C'est faisable. Eh bien, au travail, jeune homme. Ne me racontez surtout pas comment vous vous y prendrez. Je ne veux rien savoir.

Le vieil homme pouffe dans son bourbon.

– Quelle histoire ! J'imagine le travail souterrain que la Compagnie est en train de mener à Kinshasa. Une nouvelle espèce de diamants, roses et phosphorescents, qui leur échappe : ils doivent en être malades !

Reginald jette un œil à sa Rolex. Il n'est pas mécontent de prouver qu'il sait mener une affaire délicate. Mais une rousse pulpeuse, femme de sénateur, l'attend à New York. Un rendez-vous mensuel qu'il ne manquerait pour rien au monde.

Salzdji surprend son geste.

– Le business vous attend, jeune homme ? Allez donc. Attention à ne pas laisser vos canines rayer le parquet.

Le vieil homme se tourne vers le barman.

– Ces gamins sortis des grandes écoles s'imaginent qu'on ne peut pas travailler hors d'un bureau. Stupide !

Georges, servez-moi un autre bourbon, et appelez le cheik Afhed. Il est quelque part sur son yacht, au large de Djibouti.

– Bien, Monsieur. Vous prendrez la communication au comptoir ?

– Évidemment.

Confortablement installé au volant de sa Jaguar, Hockway médite sur ce que vient de lui dire son patron. Salzdji ne veut pas connaître les moyens employés pour retarder l'expertise ? Il en conclut qu'il a carte blanche. Son intention est de mener vivement cette affaire.

Il est trop souvent catalogué comme un intellectuel peu au fait des choses matérielles. Une étiquette due sans doute à son accent anglais et à la distinction de ses costumes. Même Salzdji le voit comme un homme brillant – tant qu'il ne quitte pas la moquette de son bureau pour l'asphalte de la rue.

Cette image est un handicap pour sa carrière. Hockway doit prouver qu'il est aussi un homme d'action. Cette affaire est l'occasion rêvée. Et Carlos Esteguez, l'instrument idéal... Charger Carlos de l'opération, c'est accepter de flirter avec l'illégalité. L'homme recrute aux sorties de prison, et ses contacts avec la « Casa Nostra » ne sont un secret pour personne.

Hockway hésite un instant. Faire pression sur les diamantaires et les laboratoires d'experts est une chose. Appeler Carlos Esteguez en est une autre. Plus dangereux, mais aussi redoutablement plus efficace.

Le Mexicain gère le casino de Salzdji. Hockway ne l'a rencontré qu'une fois, lors de la vérification bi-annuelle des comptes. Une séance dont le souvenir glace encore le jeune Anglais. L'audit a duré cinq heures, pendant lesquelles Carlos ne l'a pas quitté des yeux. Il est resté là, les bras croisés, seul dans le bureau, face au jeune homme qui suait à grosses gouttes sur les piles de factures.

Dieu merci, les comptes étaient parfaits.

L'idée de diriger cette brute est excitante. Hockway a pris sa décision : il sera le cerveau d'une opération coup de poing. Il saisit le téléphone et compose un numéro sans quasiment quitter la route des yeux.

– Allô, Carlos? C'est Hockway qui vous parle...

Paris

Le soir tombe sur la place des Vosges. Paula se hâte, les bras chargés de paquets. Son frère, qui rentre d'un week-end à la campagne, viendra dîner vers dix heures. Elle sort de l'ascenseur, la clef de son appartement à la main, et brusquement, se fige.

La porte d'entrée est ouverte et il y a un trou béant à la place de la serrure. Le choc l'immobilise, comme un coup sous le sternum. Les diamants... Elle les a laissés là, chez elle. La banque est fermée le dimanche. Elle devait expédier les gemmes à New York, pour l'expertise, dès le lendemain. Elle n'a pas de coffre.

Elle pousse la porte du pied, pénètre angoissée dans le duplex. Un tremblement de terre n'aurait pas fait mieux : meubles, plantes et bibelots jonchent le sol. Un instant de stupeur, puis elle se précipite dans la cuisine. Ouvre le congélateur, s'empare du bac à glaçons. Ils sont là.

Le soulagement l'étourdit presque. Certains de ces glaçons valent plusieurs millions de francs. La mine Aurore se révèle un projet plus éprouvant qu'elle ne l'imaginait...

C'est en décrochant le téléphone pour appeler la police qu'elle constate que la ligne est coupée.

Un cambrioleur ordinaire prendrait-il la peine d'agir ainsi? Sans doute pas. Paula secoue la tête, pour reprendre le contrôle de ses pensées. L'immeuble est désert : tous ses voisins sont partis en week-end. Mais elle peut appeler la police d'une cabine publique, dans la rue des Francs-Bourgeois.

Sortir dans la rue seule, avec les diamants?

Et si on l'attendait en bas?

Oppressée, elle se balance d'un pied sur l'autre. Jette un œil à l'horloge. Neuf heures quarante-cinq. Luc sera là dans moins d'un quart d'heure. Le plus sage est sans doute de l'attendre.

Machinalement, elle remet de l'ordre dans la pièce dévastée. Replace les pots sur les étagères, aussi doucement que possible, comme pour ne pas briser le silence qui plane dans l'appartement.

Du coin de l'œil, elle croit apercevoir un reflet, dans la fenêtre d'un immeuble voisin – et laisse échapper un rire nerveux. « Je suis parano. Une simple effraction, et mes nerfs lâchent... » Pourtant, ces trois hommes qui attendent en bas, près de l'arrêt de bus... Il n'y a pas de bus sur cette ligne le dimanche soir. L'une des silhouettes se tourne dans sa direction, lève le visage vers sa fenêtre. Peut-être n'aurait-elle pas dû allumer la lumière ?

Elle se force à nettoyer la vaisselle brisée, à conserver son calme. Mais lorsque, à nouveau, elle risque un regard vers la rue, les hommes ont disparu.

Le cœur de Paula fait un bond. « Ils n'ont pas trouvé les diamants. Ils vont revenir. » Instantanément, elle décide d'agir. Insensible à la brûlure du froid, elle saisit le bac à glaçons. Là se trouve le seul échantillon de gemmes Aurore disponible hors d'Afrique. Attendu par le Gemmological Institute of America, mais aussi par les journalistes et les diamantaires du monde entier. C'est toute sa vie qui en dépend désormais.

Elle s'avance dans le vestibule, puis, rigide, attend dans la pénombre.

Son instinct, plus que ses sens, l'avertit de l'arrivée des hommes. Un chuchotement, presque un souffle, au rez-de-chaussée... Une semelle de feutre sur le tapis de l'escalier... Un effluve d'aftershave, quasiment indiscernable.

Avant même d'avoir pris une décision consciente, elle fuit dans l'escalier et monte au dernier étage sans faire aucun bruit. Sur le palier une trappe mène au toit. Elle n'est utilisée que par les réparateurs de télévision ou par le concierge, lorsqu'il se mêle d'inspecter les câbles de l'ascenseur. Une échelle de bois fixée au mur permet d'y accéder. Paula jette un œil à sa montre. Dix heures cinq. Luc devrait être là, normalement. Normalement...

De toute façon, que pourrait-il faire ? Les hommes sont certainement armés.

Le grincement de la porte, un juron vite étouffé : le doute n'est plus possible, ils sont entrés chez elle.

Paula réprime un hoquet de panique. Pour se libérer les mains, elle introduit le bac à glaçons dans son décolleté, entre le chemisier et la peau, puis saisit l'échelle, qu'elle cale contre le mur, et commence son escalade. L'échelle oscille sous son poids, mais le moment n'est pas aux crises de vertige. Elle respire profondément, comme pour pomper du courage dans ses veines. Son collant accroche une écharde, se déchire. Elle sursaute : le crissement du nylon contre sa jambe lui semble plus bruyant qu'un éternuement. Enfin, elle atteint le loquet qui ferme la trappe. Mais le métal est rouillé, et ses doigts tremblent. Impossible d'ouvrir. Elle est prise au piège.

Deux étages plus bas, les truands surgissent sur le palier, avec des exclamations contenues. Elle aperçoit des imperméables, une chevelure taillée en brosse et une main large, noueuse, qui se crispe sur la rampe. Ils vont avoir l'idée de lever les yeux. Ce n'est qu'une question de secondes. Elle rassemble ses forces, s'arc-boute contre la trappe.

Les marches craquent violemment, sous le poids d'un homme qui bondit.

Elle n'ose pas regarder, jette un coup de poing désespéré au loquet. Enfin, la trappe s'abat sur le toit, résonnant comme un gong. Elle s'élance comme jamais elle ne s'en serait crue capable, s'écorche les genoux sur le zinc, se retourne et empoigne l'échelle.

Il est là, juste au-dessous. Une masse silencieuse, un regard opaque, froid. Ses mains agrippent le dernier barreau, et il tire l'échelle à lui.

Paula se défend de toutes ses forces. Mais sa vision se brouille, et sa main droite est endolorie par le coup porté à la trappe. Le combat est inégal : l'échelle redescend par à-coups. Elle se penche en avant pour mieux résister. Soudain, un frisson mouillé la parcourt : le bac à glaçons glisse hors de son chemisier, s'écrase sur le palier. Les glaçons s'éparpillent en cascade sur les marches. L'homme se fige une seconde, surpris. Puis il comprend, éclate de rire et lâche prise.

Paula abat la trappe, balance l'échelle sur le toit. Elle a presque réussi. A une seconde près. Une demi-seconde. Elle vibre de rage. Il faut prévenir la police.

Dans sa colère, elle oublie qu'elle n'a rien d'un funambule. Enjambe un parapet et se laisse tomber sur la toiture voisine – sans un regard pour la rue des Tournelles, quelques dizaines de mètres plus bas.

Une ardoise glisse sous son poids. Deux pigeons s'enfuient dans un grand bruit d'ailes. A plat ventre sur la pente, elle tente de récupérer son souffle. Au-dessus d'elle, le ciel est hérissé d'antennes. Elle risque un regard de côté, jusqu'à une lucarne, à deux mètres sur la droite. Il faudrait ramper jusque-là, se glisser à l'intérieur, appeler la police...

La joue collée à la poussière, elle respire à petits coups, pour ne pas briser un équilibre précaire. Tous les pores de sa peau ressentent l'appel du vide, juste derrière elle : un trou noir de plusieurs dizaines de mètres, qui s'achève sur les pavés d'une cour.

Le vertige lui tord l'estomac.

« Mais qu'est-ce que je fais là ? » pense-t-elle. Tout cela est stupide, comme dans un mauvais rêve.

Soudain, une sirène hululante trouble le quartier endormi. Elle entend des cris, des portes qui claquent. Les fenêtres de l'immeuble voisin reflètent l'éclat orange, intermittent d'un gyrophare de police.

Ses membres sont tétanisés. La pulpe de chacun de ses doigts s'est transformée en ventouse, pour l'empêcher de glisser. Elle n'ose plus bouger un cil. Mais ses pensées sont tumultueuses : Comment a-t-elle pu se laisser piéger ainsi ? Qu'aurait-elle dû faire ? Les grandes écoles et les parfums Moras l'ont mal préparée à ce genre de situation. Enfin, elle entend qu'on ouvre la trappe métallique. Des faisceaux de torches balaient la nuit. Et la voix de Luc, qui l'appelle.

Paula tente de répondre, en vain. Aucun son ne sort de sa gorge. Peu après, une paire de bottes apparaît dans son champ de vision, deux mains agrippent ses poignets. Elle se dresse avec lenteur, appuyée au bras d'un pompier, qui la pousse vers le toit de son immeuble.

Luc l'attend près de la trappe, le teint vert, les mains tremblantes.

– Ça va bien ?

– Tout à fait. Désolée. Je n'aurais pas dû quitter ce toit...

– Rien de cassé ? Tu es sûre ?

– Ne t'inquiète pas. Vous n'avez pas pu les coincer ?

– Les cambrioleurs ? Non. L'appartement était vide quand je suis arrivé. J'ai cru qu'ils t'avaient emmenée.

Un pompier leur fait signe de descendre.

– Vous serez mieux en bas pour discuter. La demoiselle a besoin d'un remontant : elle est bien pâlotte.

Au bas de l'échelle, un policier en civil tient du bout des doigts un bac à glaçons. Vide.

– Curieux. J'ai trouvé ça...

Paula cache son visage entre ses doigts, secouée par un fou rire nerveux.

Dans la salle de réception de l'ambassade zaïroise, une rumeur de protestation monte parmi les journalistes.

– Rarement entendu un alibi aussi minable ! On se moque de nous ! Pas la peine de convoquer la presse...

Assise sous le portrait du général Mobutu Sésé Séko, Paula tente de secouer la torpeur qui l'envahit. Elle tombe de sommeil. La nuit a été mouvementée : le cambriolage, la police, une succession de cafés noirs au commissariat, puis l'ambassade, et maintenant une conférence de presse... Le regard de la jeune femme est ombré de cernes, elle a du mal à garder les paupières ouvertes.

Gérard Brambin, de France Info, calme ses collègues d'un geste de la main et interpelle l'attaché de presse de l'ambassade.

– Vous annoncez que le seul échantillon de diamants roses en Europe a disparu, à la veille d'une expertise internationale. Est-ce que cela ne jette pas un sérieux doute sur l'authenticité de ces gemmes ?

– Je ne vous permets pas ! Le Zaïre est une puissance minière dont le respect sur la scène internationale...

Paula soupire. Les journalistes ont raison. Demain, la presse sera détestable. Elle se lève, lisse sa robe de jersey et prend la parole :

– Messieurs, comme je vous comprends ! Le sarcasme est, en l'occurrence, une tentation irrésistible. Et ce cambriolage vous offre des titres croustillants : « Des diamants dissimulés dans un congélateur! » « Trafic de gemmes chez Mobutu. »

Le journaliste du *Parisien* l'interrompt :

– Est-ce un aveu ? Le Président est-il impliqué dans la prétendue découverte des diamants Aurore ?

Le représentant de l'ambassade foudroie Paula du regard. Imperturbable, elle poursuit :

– Pourtant, je vous dis : Attention ! Vos articles ne seront pas drôles très longtemps. Dans quelques jours, ce sera au tour de vos rédacteurs en chef de se montrer sarcastiques. En effet, la mine Aurore a reçu ce matin même l'ordre d'expédier de nouvelles pierres. L'échantillon sera ici dans deux jours, et nous l'expédierons sous scellés au G.I.A. américain. Qui publiera son expertise d'ici à une semaine. Une expertise évidemment positive car les diamants Aurore existent bel et bien.

– Vous confirmez l'authenticité de cette mine. Pourtant, les plus grands experts internationaux sont sceptiques.

– Il y a quelque temps, les plus grands experts internationaux affirmaient que la terre était plate !

Rires. L'atmosphère dans la salle se détend sensiblement. Difficile de ne pas faire confiance à ce regard direct, intelligent.

Linda Bredd, de l'A.F.P., lève la main.

– Ce vol intervient tout de même à un moment stratégique.

– Oui, tout à fait. Et vous touchez à la vraie question : qui a intérêt à discréditer le diamant Aurore ?

Plusieurs exclamations résonnent sous les moulures dorées. Paula repousse la masse de ses cheveux et sourit à un photographe.

– Mademoiselle Desprelles ! Voulez-vous dire que le diamant Aurore a des ennemis ? Pouvez-vous citer des noms ?

– Les noms, c'est à vous de les trouver. Mais il y a des raisons évidentes pour que le projet Aurore ne plaise pas à tout le monde. Dois-je vous le rappeler ? Les diamants du monde entier sont contrôlés par une société – par une seule famille, en fait. C'est un monopole total, un dinosaure économique, qui prospère discrètement dans notre monde capitaliste. Un dinosaure qui n'aime pas la compétition !

Paula discute avec l'attaché de presse de l'ambassade, lorsqu'elle aperçoit un visage familier, dans l'entrebâillement d'une porte. Elle s'excuse et quitte la salle. Pierre Laffaillère, visiblement préoccupé, l'attend dans le couloir.

– Pierre! Quelle surprise...

– Comment vas-tu?

– Pas mal, vu les circonstances.

– Je suis arrivé à la fin de ta conférence. Tu t'en es bien tirée. Pour l'instant...

– Que veux-tu dire?

Il lui saisit brutalement le bras.

– Tu me fais mal! proteste-t-elle en se dégageant.

– Qu'est-ce que c'est que cette histoire, Paula? Ces diamants existent-ils, oui ou non?

– Je croyais que tu avais entendu mes explications.

– Les journalistes goberont tout ce que tu leur diras, parce que tu sais t'y prendre. Mais tu me dois la vérité.

– Calme-toi. Tu ne crois tout de même pas à cette rumeur de pierres trafiquées par irradiation?

– Tu ne te rends pas compte! Je t'ai recommandée auprès de l'ambassade. Si tu t'es laissé embarquer dans une supercherie à l'échelon international, nos diplomates à Kinshasa seront ridiculisés.

– Je comprends que tu t'inquiètes pour ta carrière...

– Il ne s'agit pas de ma carrière. Il s'agit de la France!

Elle soupire. Les grands mots de Pierre ne l'impressionnent pas. L'homme a peur, voilà tout. Il pensait avoir recommandé un obscur projet minier, et voilà que les médias, à Paris, s'emparent de l'affaire.

– Mon propre frère a découvert ces diamants. C'est moi qui ai fait analyser ces gemmes. Je t'assure que la stupéfaction de l'expert était sincère.

– Es-tu sûre de ne pas être manipulée? On aurait pu placer des gemmes trafiquées sur ce terrain, s'arranger pour que ton frère les trouve...

– Tu as trop lu de James Bond!

Pierre ne se déride pas. Il fait un geste vers la troupe des journalistes qui se dirige vers la sortie.

– Tu as vu cette meute? S'il y a quoi que ce soit de louche dans cette affaire, ils le dénicheront.

– Il n'y a rien à dénicher.

– Alors, ils inventeront! L'histoire est trop belle : un chef d'État africain, un prétendu nouveau type de diamant, dont les échantillons disparaissent mystérieusement... Mon implication – moi, un proche du ministre – suggérera des ramifications politiques. Nous sommes en très mauvaise posture.

– Quelle imagination! Dans quelques semaines les gemmes Aurore seront authentifiées, et tu pourras dormir tranquille.

– C'est le premier faux pas de ma carrière. Lorsque j'ai appris que tu donnais une conférence de presse, je suis venu aussi discrètement que possible...

– Peur d'être intercepté par un journaliste du *Canard enchaîné*?

– Comment oses-tu te moquer?

– Pierre, excuse-moi. Je te suis très reconnaissante. Sans toi, il m'aurait été difficile de parler à Bosoké. Je t'assure que je n'aurais rien fait qui puisse te compromettre, d'une manière ou d'une autre...

La voix du diplomate est sifflante :

– Je l'espère. Je l'espère vraiment. Pour toi comme pour moi.

Il tourne les talons sans la saluer. Paula secoue la tête. Il est furieux. Au moins il ne pense plus à lui conter fleurette...

2

Mekanga, Zaïre

La véranda du *Select Bar* est le seul endroit civilisé de ce coin d'Afrique. Mekanga, située presque au milieu du Zaïre, au cœur de l'Afrique centrale, est une petite bourgade entourée de milliers de kilomètres de forêt inextricable.

« Pays de trou du cul... » pense Pietro, en ajustant son chapeau.

Il est assis dans la véranda du bar avec Mousi, qui s'impatiente :

– Tu m'avais promis d'aller à la piscine!

– Finis ton jus d'ananas, petite. Le travail passe avant la trempette. Ce sera pour une autre fois.

Pietro est employé à la mine Aurore depuis six semaines. Le défrichage du terrain et les travaux de terrassement ont été menés à un train d'enfer. L'Italien ne se permet que quelques heures de loisirs hebdomadaires, et celles-ci se réduisent comme une peau de chagrin. C'est un des chantiers les plus durs de sa carrière.

Heureusement, il y a Mousi, ses formes charmantes dans un boubou ocre, son petit air sérieux modelé chez les religieuses belges de Kinshasa.

Les ventilateurs brassent l'air chargé d'humidité. Sur la table, deux mouches se cherchent dans une flaque de bière.

– Je ne te vois que les week-ends, et tu passes ton temps à faire des achats!

– Tu veux que je laisse crever de faim les gars de la mine pour tes beaux yeux ?

– Tu n'es pas gentil.

– Cesse ton cinéma. Les courses ne me prendront pas longtemps. Attends-moi ici.

Il se lève, repousse sa chaise, quitte l'abri du toit de paille. Dans la rue, la lumière est douloureusement blanche. Il fait quelques mètres, jusqu'au bureau de poste local.

– Bonjour, Augustin, tu me fais Kinshasa ?

– Tout de suite. J'ai gardé le numéro sur un bout de papier. Comment ça va au chantier ?

– Ça avance.

– Voilà, tu vas dans la cabine, je te passe la communication.

Le combiné du téléphone est graisseux. Pietro l'essuie à son pantalon de toile, avant de le coller contre son oreille.

– Passez-moi le Bureau d'Exploitation de la mine Aurore, s'il vous plaît. M. Kaboré, de la part de Pietro.

Un déclic, puis la voix excédée de Kaboré :

– Vous deviez appeler hier !

– Je n'ai pas pu.

– Si vous voulez garder ce job, faites ce qu'on vous dit ! Cela fait plusieurs heures que j'essaie de vous joindre. De combien de diamants disposez-vous à la mine ?

– Une quinzaine.

– Bien. Rapportez tout pour demain soir.

– Quoi ? Je ne pourrai jamais être à Kinshasa demain soir !

– Débrouillez-vous. Trouvez un avion.

– Vous voulez que je trimbale un tel paquet sans escorte ?

– Nous n'avons pas le temps d'organiser un convoi traditionnel. Soyez discret. Et ne lésinez pas sur les frais : je vous couvre.

– O.K. Je partirai dans vingt-quatre heures. Je dois inspecter la dernière tranche de travaux et faire réviser le Pajero.

– Vous êtes sourd, Pietro. Vous partez maintenant. Compris ?

L'Italien raccroche le combiné d'un geste un peu trop

brusque. Il allume un cigarillo, donne quelques pièces à Augustin et retourne au *Select* en réfléchissant.

Mousi boude, le menton sur le poing, devant son cinquième jus d'ananas.

Il n'a pas l'habitude de confier ses problèmes aux femmes mais celle-ci peut l'aider.

– Le chef me demande de partir maintenant. Il y a une urgence dont je dois m'occuper. Tu sais que je préférerais aller nager avec toi. Mais je n'ai pas le choix.

– Dire que j'ai acheté un maillot rien que pour aujourd'hui...

– Écoute : je vais amener le Pajero au garage. Pendant ce temps, tu vas chercher du riz, du concentré de tomate, du poisson séché et des piles. Tout est marqué sur cette liste. On se retrouve ici.

La jeune fille fait disparaître la liste des courses et les billets dans les plis de son boubou, et quitte la véranda avec un roulement de hanches dédaigneux.

Deux heures plus tard, Pietro effectue un dérapage contrôlé devant les baraquements de la mine. Sur la terrasse du bungalow, Farrington et Doc jouent aux cartes.

– Déjà rentré ? Une dispute avec Mousi ? s'exclame Farrington.

– Pas vraiment. Quelqu'un m'aide à décharger ?

Pietro, ancien militaire de l'armée italienne, et Farrington, le géologue anglais, forment un duo bizarre mais efficace. Tous deux ont une solide expérience de la prospection. Depuis dix ans, Pietro dirige des brigades de chercheurs sur tous les sites diamantifères d'Afrique. Farrington, lui, est Field officier : c'est un géologue internationalement réputé, qui a travaillé avec la filiale « prospection » de la D.I.C. Tous deux se sont volontairement exilés dans ce coin perdu d'Afrique centrale. La jungle ne leur fait pas peur. Et le diamant rose est un mythe pour lequel ils sont prêts à braver toutes les difficultés.

Farrington parle d'une voix lente, tout en suçotant le bout de sa pipe.

– Un ouvrier a été blessé. Près de la future piste d'atterrissage. La dynamite a déclenché une série d'éboulements, il a reçu un rocher sur la cuisse.

– Rapatriement ?

– Non, rien de grave : on peut le soigner ici.

– Je préfère ça.

– Pourquoi es-tu rentré si tôt ?

– Ultra confidentiel. Kaboré m'a demandé de rapporter toutes nos gemmes à Kinshasa.

– Diable ! Le Président a décidé de se faire sacrer empereur ?

– Je n'en sais pas plus que toi. Kaboré semblait proche de l'apoplexie. Il veut que je parte ce soir même.

Le Britannique émet un long sifflement.

– Incroyable !

– J'ai besoin d'une bière.

– Tu pars tout de suite ?

– Tu plaisantes ? Je ne vais pas rouler de nuit. Kaboré oublie que nous n'avons pas d'autoroutes, par ici.

– Il y a un petit aérodrome à Kindu, à vingt-quatre heures d'ici par la piste de l'Ouest. C'est ta meilleure chance de rejoindre la capitale dans ces conditions.

Farrington déplie une carte de la région. Pietro se penche pour étudier son trajet.

Quelques ouvriers passent devant le baraquement, leurs casques jaunes à la main.

– Qu'est-ce qu'on bouffe ce soir, Doc ?

– Ce sera du riz, pour sûr !

Le dernier camion-benne se range en cahotant au bord de la piste. Un soleil énorme, orangé, tremble dans la brume, au-dessus de la jungle.

Pietro allume la lampe à pétrole, écarte un moustique en jurant et se renverse dans le fauteuil de toile.

Le calme est soudain troublé par un moteur étranger. Les hommes s'immobilisent : les visites ne sont pas fréquentes dans le coin. Une Peugeot flambant neuve surgit de la forêt, et freine devant le bungalow.

Le conducteur sort de la voiture, nonchalamment, sous les regards curieux d'une quinzaine d'ouvriers. C'est un Zaïrois qui porte un gilet de cuir à même son torse nu et vient se camper devant Pietro.

– Je cherche du travail. On m'a dit que la mine prenait des hommes.

– Je ne vois pas qui a pu te dire ça. La mine n'ouvre pas avant deux mois. Il faudra que tu repasses.

Pietro soutient sans broncher le regard furieux que lui jette le nouveau venu.

– Je peux rester pour la nuit ?

L'Italien indique du doigt la bâtisse de terre et de tôle qui sert de dortoir aux ouvriers. L'homme s'éloigne à pas lents.

– Drôle de zigoto..., observe Farrington. Quand je pense que l'emplacement de cette mine est, en principe, confidentiel !

Pietro hausse les épaules. La nuit tombe vite, et il a beaucoup à faire avant son départ.

3

Cinq heures et demie. Ciel blanc, neutre : le jour n'est pas levé mais la nuit n'est plus là. Le grésillement de milliers d'insectes fait vibrer le silence. Penché sur le coffre-fort, Pietro compte une dizaine de gemmes brutes, enveloppées dans du papier de soie. Bientôt, des avions se poseront à la mine et assureront le transport des diamants jusqu'aux banques de Kinshasa, sous contrôle militaire. En attendant, pour faire six cents kilomètres de piste, il faut bricoler quelque chose de plus aventureux et... discret. Il pose la boîte à pharmacie sur le coffre-fort. Enroule une bande de coton blanc autour de son mollet. Fixe les diamants contre sa jambe, à l'aide de pansements. Une couche de gaze, mouillée de teinture d'iode pour faire plus vrai, et la jambe réintègre la botte de cuir.

Il grimace : inconfortable, mais il faudra bien s'y faire.

Soudain, Pietro se fige. La sensation d'une présence toute proche. Juste derrière lui.

Lentement, il se retourne.

Une silhouette se découpe sur le ciel clair, à quelques pas. Il ferme le coffre-fort d'un coup de pied et attrape son fusil de chasse.

La silhouette recule à peine.

En un coup d'œil, il reconnaît le Noir vêtu de cuir, arrivé la veille. Qu'a-t-il vu ?

Une seconde, les deux hommes se font face, séparés par le canon du fusil pointé vers le sol.

L'homme baisse les yeux – vers la botte de Pietro ? – et marmonne :

– Je m'en vais maintenant.

« Pas question ! pense l'Italien. Je n'ai pas besoin qu'on me file le train, avec mes millions dans la botte droite. »

– Il vaut mieux que tu partes plus tard. Doc prendra ton nom sur son registre. C'est nécessaire.

– Non, je pars maintenant.

– Écoute-moi bien. Si tu quittes la mine avant une heure, je te garantis les pires ennuis.

Le fusil se balance ostensiblement.

– Okay...

L'homme hausse les épaules, traîne les pieds jusqu'à sa Peugeot, et se laisse tomber sur la banquette arrière pour finir la nuit.

Le Pajero bondit d'une bosse à l'autre. De chaque côté, la forêt tourne le dos à la piste rouge.

Pietro conduit trop vite : les embardées deviennent difficiles à contrôler. La radiocassette hurle un tube de Vanessa Paradis.

Brusquement, il coupe le son. Tente de maîtriser un frisson désagréable, le long de sa colonne vertébrale.

Toujours ce bruit de moteur qui gronde au loin.

Cela fait plusieurs heures qu'il se sent suivi.

Mais qui peut être à ses trousses ? Le Noir qui l'a surpris devant le coffre-fort ce matin ? Peu probable : sa Peugeot, même neuve, n'aurait pu soutenir longtemps l'allure du 4 × 4.

« Ça ne peut pas continuer comme ça. Je dois me planquer. Et vite. »

La piste s'étend, rectiligne, aussi loin que porte le regard. Aucun embranchement, aucun sentier parallèle qui permette de semer un poursuivant.

Risquant le tout pour le tout, Pietro dirige la voiture vers le fond asséché d'un marigot. Il suffit de s'éloigner de quelques mètres de la route pour se mettre à couvert du rideau végétal.

Mais le haut talus qui borde la piste est plus difficile à

monter que prévu. Le Pajero vibre de toutes ses tôles et patine furieusement. La suspension craque, gémit, les roues projettent vers l'arrière des cailloux gros comme le poing.

Au loin, le ronronnement d'un moteur, couvert à intervalles par le cri brusque des singes, se rapproche inexorablement. Pietro triture le levier de vitesse, enfonce l'accélérateur, mais le 4 × 4 patine de plus belle, recule, et cale. Au loin, le grondement du diesel devient plus perceptible.

Nerveusement, il redémarre, enclenche la première. Ses mains sont moites. Il est trempé.

« Merde, c'est pas possible ! Allez, bourrique ! »

Le moteur rugit, et le Pajero se lance à l'assaut du remblai. La terre, recuite par le soleil, ne cède pas à la pression des pneus. Au loin, deux épingles lumineuses transpercent l'ombre de la forêt. Pietro lance un regard en arrière. Des phares puissants balaient la piste. Probablement un camion.

Il enfonce la pédale et, dans un dernier effort, le 4 × 4 s'arrache à la piste pour dévaler au fond du marigot. Il pénètre aussi profondément que possible dans le sous-bois. A peine Pietro finit-il de dissimuler la blancheur du capot avec quelques branchages qu'il voit un semi-remorque s'attaquer à la pente dans un fracas épouvantable.

« Un semi-remorque, en pleine brousse, à six heures du soir ! »

L'Italien hoche la tête. Étrange : il n'y a pas de chantier à plus de quatre cents kilomètres à la ronde.

Le camion peine malgré sa puissance et, arrivé à sa hauteur, freine brusquement. Les portières claquent.

Pietro se raidit. Pourquoi s'arrêtent-ils ? Auraient-ils aperçu la masse du Pajero qui quittait la piste, tous phares éteints ? Malgré la pénombre, il distingue un Noir albinos et un rouquin.

Ils sont armés, tous les deux.

Il retient son souffle. Les diamants, dans sa botte, le brûlent. L'albinos écarte quelques grosses pierres en jurant, puis attrape une torche électrique.

Quelques mots brefs, interrogateurs. Le faisceau balaie les troncs tordus, les buissons, les feuilles poussiéreuses. Accroche le pare-choc chromé du Pajero, qui étincelle une fraction de seconde.

Pietro reconnaît le goût du sang dans sa bouche.

Mais le faisceau lumineux s'éloigne, fouille le tissu de lianes et de racines, à quelques mètres de lui. Le rouquin rejoint son équipier à grandes enjambées et pointe le doigt vers la piste qui s'étend devant eux. Les deux hommes discutent avec animation.

Enfin, ils disparaissent, et le camion s'ébranle. Pietro lâche un soupir de soulagement et laisse passer un bon quart d'heure avant de reprendre la route. Mais maintenant, plus de phares, plus de musique. Il est convaincu que des gens sont au courant de sa mission.

On cherche à mettre la main sur les diamants.

Le voyage se révèle plus dangereux que prévu.

Paris

La soirée s'annonce printanière, mais les vieilles pierres du Marais exhalent une fraîcheur aux relents de moisi. Chaises et tables de bistrot encombrent les trottoirs et les premiers touristes de la saison errent, le nez dans leur plan.

Paula descend la rue des Tournelles, cherchant déjà sa clef dans le fouillis de son sac à main. Arrivée au pied de l'immeuble, elle pose sa serviette sur le trottoir et pousse à deux mains la porte cochère.

– Je peux t'aider ?

Elle sursaute.

Max est accoudé au guidon d'une vieille moto, de l'autre côté de la rue.

Elle rougit. Elle a banni de sa mémoire le souvenir de leur brève étreinte aérienne – un épisode qui la laisse un peu honteuse, un peu humiliée. Elle espérait ne pas retrouver La Guerthy sur son chemin.

Mais il est bien là, avec un grand sourire.

– Que fais-tu ici ?

– Tu vois. Je t'attends.

– Comment as-tu eu mon adresse ?

– Tu es dans l'annuaire, ma douce, dit-il en la rejoignant.

– Je suis désolée, je ne peux pas t'inviter. Mon appartement est dans un état innommable.

– Rassure-toi, ceci est une simple visite amicale. On ne peut pas dire que je te poursuive de mes assiduités : nous ne nous sommes pas vus depuis plus de deux mois. Prendre un verre avec moi ne va pas compromettre ta réputation.

Paula regrette soudain de se montrer si brusque. Après tout, elle n'a rien à reprocher à cet homme. Si le souvenir des toilettes d'Air Zaïre la dérange, elle ne peut s'en prendre qu'à elle-même.

Elle contemple Max un instant. Elle ne se souvenait pas que ses yeux étaient si bleus.

– Eh bien d'accord, prenons un verre. Où allons-nous ?

– C'est une surprise. Peux-tu me suivre en voiture ?

– Non. Mon embrayage a rendu l'âme.

Le front de Paula s'assombrit. La longue histoire d'amour entre la Mustang et son garagiste ne l'amuse plus du tout.

– Mais tu as une superbe moto...

– Harley Davidson, Hydraglide 57. A l'époque, ils faisaient les selles très larges.

Il pose son regard sur les cuisses de la jeune femme. Le diamètre de sa jupe n'excède pas quarante centimètres. Une tenue idéale pour montrer ses jambes, inconcevable pour enfourcher une moto.

– Si tu remontes ce joli chiffon au-dessus du nombril, ça doit pouvoir aller.

– Hmmm. Il vaut peut-être mieux que je te suive en taxi.

– Mais non. Grimpe en amazone.

– En quoi ?

– Les deux jambes du même côté. Et accroche-toi bien.

Elle s'agrippe aux épaules de Max, jure car elle file un bas, et se laisse emporter. Les larmes dues à la vitesse achèvent son maquillage et, lorsqu'elle ouvre les yeux, ils sont au bord de la Seine.

– Bien loin du fleuve Zaïre, remarque Max en souriant.

La péniche est amarrée le long du quai, un chat siamois se prélasse sur le pont.

– Mais où allons-nous ?

– Chez moi.

Une cabine de bois clair. Au sol, des tapis bédouins. Des caisses de livres.

– Je te laisse un instant. Départ dans cinq minutes. On va à la campagne.

Paula, qui n'est jamais montée à bord d'une péniche, inspecte l'endroit avec curiosité. Les chopes suspendues sous les étagères s'entrechoquent lorsque le moteur se met à tousser. Elle pousse une porte et pénètre dans une cabine triangulaire, à l'avant du bateau. Une seule chaise, face à l'écran aveugle d'un ordinateur. C'est ici que Max devient La Guerthy.

Elle passe un doigt sur le clavier. L'austérité du lieu lui plaît. Un détail curieux, pourtant, l'intrigue : une icône russe d'une grande beauté est accrochée à la cloison.

Elle s'approche du hublot et observe le quai qui s'éloigne. Puis son regard se pose sur quelques photos encadrées. Sur un cliché, elle repère un homme qui ressemble à Max de manière frappante. Son père, sans doute. Sur la photo en noir et blanc, il tient dans ses bras une femme d'une beauté assassine. Derrière eux, on distingue les flancs d'un cargo. Le couple est étonnant : elle est aussi sombre qu'il est blond, paraît aussi volcanique qu'il est calme.

Paula sursaute lorsque la main de Max effleure son bras. Elle désigne la photo du menton.

– Tes parents ?

– Oui.

– Quelle dissemblance. Le feu et la glace !

– Selon la légende, ils ont rompu quatorze fois, dont la dernière un an après ma naissance.

– Et toi ?

– J'ai été élevé par ma grand-mère. Nadia Petrovska. Une grande dame. C'est elle qui m'a donné l'icône.

Il redresse du doigt la vierge peinte, dont le bois est fendillé par l'âge.

Elle est intéressée. La photo de ce couple est si frappante qu'elle pourrait faire l'affiche d'un film-fleuve, à la mode dans les années cinquante.

– Que sont-ils devenus ?

– Mon père est reparti au Danemark. Il était armateur. Il ne m'a laissé que son nom, Verensen. Je ne l'ai jamais connu. Ma mère est un peu folle. Russe. Ses parents sont arrivés à Paris en 1918. Elle fréquente beaucoup les casinos.

C'est sa première passion. Elle vit au Luxembourg avec son quatrième mari.

– Bref, une cellule familiale tout à fait traditionnelle.

– Ah, mais Nadia constitue à elle seule une famille très convenable. Paula, nous devrions cesser cette discussion...

– Je suis désolée. Me suis-je montrée indiscrète ?

– Pas du tout. Mais si nous ne remontons pas immédiatement, nous allons percuter la pile droite du Pont-Neuf.

Quelques tables sont installées sur l'herbe, face au fleuve. Un électrophone joue une valse populaire et triste, et Max sert le champagne rosé dans des verres à bistrot.

– Une sorte de buvette, où les bateliers se retrouvent. Je crains que tu ne trouves la cuisine un peu simple.

– J'adore les patates. Et tu as prévu le champagne, donc tout ira bien.

– Brut rosé Billecart Salmon. Flanagan ne boit que cela et je suis fourni gratuitement.

– Flanagan ?

– Le héros de mes œuvres littéraires.

– « Littéraire » est un bien grand mot. A côté de ton Flanagan, Stallone paraît d'une finesse proustienne. Je me rappelle une scène particulièrement subtile, où l'on torturait un top modèle suédois à l'aide de...

– N'en dis pas plus, c'était *Sang et Sperme au Ghana.*

– Exquis.

– N'est-ce pas ? Mon dernier livre est sorti il y a une semaine. Je ne te le recommande pas, mais ma grand-mère a adoré.

– Elle est partiale.

– Peut-être...

La conversation languit, malgré la bouteille vide qui gît déjà dans l'herbe. Les yeux de Paula sont gris comme l'eau : semés de reflets, lumineux. Max doit faire un effort pour ne pas les admirer à voix haute.

Elle attaque une montagne de glace, chantilly et meringue.

– Je vais prendre trois kilos. Tant pis... Je me sens comme une gamine en fugue.

– Et d'où t'échappes-tu ? Du foyer conjugal ?

Elle se fige, incrédule. Prend conscience qu'il ne sait rien d'elle.

– Mais pour qui me prends-tu ?

– Bonne question. Avoue que tu m'as donné peu d'indices.

Paula hésite. Elle n'a aucune envie de se confier. Le mystère l'amuse. Max n'a pas besoin de savoir qu'elle est une femme d'affaires célibataire, issue de la petite-bourgeoisie provinciale. C'est un profil trop étriqué pour un aventurier mi-russe, mi-danois, qui stocke au pied de son lit toute une caisse de Brut rosé Billecart Salmon.

– Je ne suis pas mariée. Voilà déjà un point réglé.

– Tu ne me diras rien d'autre ?

– Quelle curiosité ! C'est un interrogatoire ?

– Tu te méfies de mes questions, et je ne comprends pas pourquoi. Ce n'est pas grave. Je te devine un peu.

– Il te suffit de culbuter une femme dès la première rencontre pour saisir les profondeurs de sa personnalité ?

– Ce n'est pas ce que je voulais dire.

La voix de Max est froide. Elle regrette de s'être montrée agressive.

– Je suis désolée.

– Rentre les griffes, s'il te plaît.

Il remplit leurs verres, laisse passer un moment de silence. Cette femme se transforme en cactus dès qu'il tente de mieux la connaître. Mais il ne renoncera pas – pas tout de suite en tout cas. Il perçoit chez elle une énergie extraordinaire qui l'intrigue, dirigée par une volonté implacable.

La nuit est tombée. Le fleuve paresse entre les berges herbeuses. Des vaguelettes clapotent contre le bois des péniches.

Tous deux sont conscients de l'attirance physique, presque tangible, qui les rapproche. Comme un écho qui vibre entre leurs corps.

Elle s'avance la première.

– Et si on rentrait ?

– A la péniche ?

– Je préférerais aller chez moi. J'ai une réunion à l'aube demain matin.

– En route.

Il est onze heures passées lorsqu'ils pénètrent dans le duplex de la jeune femme.

– Je ne sais pas si c'était une bonne idée.

– De venir ici ? Non.

Un coursier vient d'apporter les statuts du bureau d'exploitation du diamant rose. A revoir pour demain. Le répondeur téléphonique a enregistré une douzaine d'appels, tous urgents : JLW, l'avocat, l'agence immobilière qui propose un siège à la nouvelle société...

A contrecœur, Paula décide d'oublier l'urgent. Elle attire Max dans la chambre blanche et l'enlace avec tendresse. Mais la magie de la soirée est rompue. Il paraît distant.

– Ça ne va pas ?

– Je ne suis pas très à l'aise dans ce genre de décor.

– Tu préfères les toilettes d'avion ?

– Plus authentique. Cette chambre a été décorée par un ingénieur de la N.A.S.A., j'imagine ? Blanc, propre, *high tech.*

Elle se sent très peu responsable de la décoration de son appartement. Elle l'a confiée à un ami japonais, styliste d'une sobriété spartiate. Elle ferme les yeux, abandonne sa tête contre le bras de Max. Leurs paumes se touchent et s'étreignent. Les téléphones de la chambre et du salon retentissent en même temps.

– Excuse-moi. C'est peut-être important...

Mais il enserre d'une main ses deux poignets et l'immobilise avec douceur.

– Je t'en prie, laisse-moi répondre...

– Non.

– Seulement cet appel. Après on débranche les lignes, O.K. ?

Il la libère. Il sait qu'il a tort.

Paula se précipite vers l'appareil.

– John ? C'est vous ?

– J'ai essayé de vous joindre toute la soirée ! Ce n'est pas raisonnable. Quand donc accepterez-vous de vous munir d'un beeper ?

– Que se passe-t-il ?

– La présentation du planning de production a été avancée à après-demain. L'ambassadeur a tenté de vous appeler directement, mais...

– Un instant.

Elle couvre le combiné de sa paume. « Max ! Où vas-tu ? »

Il est debout face à elle, effleure sa joue d'un doigt rapide, puis se dirige vers la porte d'entrée.

– Faquin ! Rustre ! Odieux personnage !

Elle a juste le temps de lui lancer à la tête le premier bouquin venu avant qu'il ne quitte l'appartement.

Au téléphone, John s'inquiète.

– Tout va bien ?

– Ne plaisantez pas. Tout va mal. Et je n'ai rien à me mettre pour cette foutue présentation.

Kindu, Zaïre

Kindu est un gros bourg accroché à un segment navigable de la Lomami. Les eaux du fleuve prennent des reflets métalliques sous le soleil de midi. A contre-jour, des pirogues sillonnent la surface huileuse, comme autant d'araignées d'eau.

Pietro, sale et exténué, renonce à prendre le temps d'une bière. Ce job n'est pas une sinécure. Kaboré va entendre parler d'une sérieuse augmentation.

– Tu veux l'aérodrome ? A la sortie de la ville, tu tournes à gauche. C'est indiqué.

Il laisse passer les mobylettes pétaradantes de trois garçons qui font la course, et reprend la route. Crevé. Il est crevé. Pas besoin d'un sixième sens pour comprendre qu'il est suivi de près. L'échantillon de diamants Aurore, dans sa botte gauche, vaut une fortune. Il doit jouer serré et gagner Kinshasa au plus vite.

« Aéroport » est un bien grand nom pour la clairière débroussaillée qui sert de piste aux petits avions d'Air Zaïre. Une hutte de bambous décorée de fanions Coca-Cola fait office de salle d'attente.

Pietro se dirige droit vers le « bureau », un cube de béton fermé par un rideau de perles. A l'intérieur, il s'immobilise quelques secondes pour habituer ses yeux à la pénombre ambiante.

– Bonjour, j'ai besoin d'un avion pour Kinshasa.

Le fonctionnaire agite quelques papiers d'un air las.

– Désolé, le Fokker pour la capitale est parti hier. Il revient dans une semaine.

– J'ai une licence de pilotage. Vous louez combien ?

– Ah ! je ne loue plus.

Pietro s'effondre sur une chaise.

– Comment ça ?

– Je ne loue pas. L'appareil sur la piste est en panne.

– Et l'autre, dans le hangar ?

– Déjà réservé. Le client est sous la hutte, près de la glacière. Tu peux peut-être t'arranger avec lui ? Les bières sont à trente zaïres.

Le fonctionnaire se désintéresse de son interlocuteur et tamponne un registre d'un air affairé.

L'Italien garde le silence une longue minute. Puis, en soupirant, il se soulève du siège, extirpe son portefeuille de la poche arrière et lâche :

– Combien ?

– Mais pour qui tu te prends, toi ? Le Fokker n'est pas là, ça se voit : c'est difficile à cacher, un Fokker. Et l'appareil sur la piste, tu peux toujours essayer de le faire démarrer. Je te souhaite bonne chance !

Pietro hausse les épaules et quitte la pièce. Rester calme. Peut-être l'heureux locataire du dernier avion se montrera-t-il plus compréhensif ?

Il passe une main dans ses cheveux et s'approche de la hutte de bambou. Soudain, il serre les poings, rigide.

Là, près de la glacière, un rouquin se cure les ongles. L'homme qui, la nuit dernière, conduisait le camion lancé à ses trousses.

D'un bond, Pietro rejoint le Pajero, et démarre dans un tourbillon de poussière.

Comment a-t-il pu se montrer si stupide ! Il aurait dû comprendre la veille de son départ lorsque ce Zaïrois est arrivé à la mine, dans sa voiture neuve. Depuis quand les mineurs sans emploi s'offrent-ils des Peugeot? L'homme était envoyé pour le surveiller. Et il s'est laissé surprendre devant le coffre-fort! L'espion a dû indiquer à ses petits camarades l'heure de son départ, et la cachette des diamants.

Ensuite, l'équipe du semi-remorque a tenté de l'intercepter sur la route. Après leur échec, le prochain mouvement était évident : ils sont venus l'attendre ici, à Kindu, le point de passage obligé pour rejoindre Kinshasa.

Le dernier avion est entre leurs mains. Ils se montreront certainement compréhensifs, voire amicaux. Prêts à lui offrir un aller simple vers la capitale. Pour s'emparer des diamants. Et l'initier aux frissons du vol libre sans parachute.

S'il n'avait pas aperçu leurs visages, hier soir dans la brousse, il était cuit.

Pietro freine devant la station-service de Kindu. Le pompiste relève son chapeau de paille, le contemple avec un sourire béat.

– Elle est dans un drôle d'état, votre voiture. Vous venez d'où comme ça?

Pietro marmonne « chantier... », en allumant un Wilde Havanas. Cette réponse laconique ne décourage pas le pompiste, qui le fixe avec curiosité.

– Un chantier? Mekanga peut-être?

Alerté, l'Italien dresse la tête. D'où ce type connaît-il Mekanga? La mine de diamants roses est-elle déjà si célèbre?

– Non, je viens de l'Ouest. Déboisement. Savez-vous s'il existe une liaison par le fleuve avec Ubundu? J'ai besoin de rejoindre Kinshasa, et il n'y a plus d'avions à louer.

– Non, non, pas de bateau en ce moment.

– Une petite embarcation à moteur suffirait. Je pourrais vous confier le 4 × 4 pendant mon absence.

– Vous êtes bien pressé de retourner à Kinshasa! Une affaire urgente, sans doute...

– Ma vieille mère est mourante et ma femme sur le point d'accoucher. Faites le plein, je reviens.

Pietro s'éloigne à grands pas vers les berges du fleuve, la mâchoire crispée.

Le pompiste est trop simple d'esprit pour dissimuler le

rôle d'informateur qui lui a été confié. Établi à l'entrée du bourg, il est placé de manière idéale pour surveiller les allées et venues des étrangers.

L'étau se referme.

La police et la poste sont certainement surveillées. Il faut trouver un moyen de quitter Kindu. Et vite!

Un marché flottant est installé le long des berges. Une foule de femmes et d'enfants patauge dans la boue, autour de quelques dizaines de pirogues. Les cargaisons sont variées : poissons de toutes tailles, vernis à ongle, lames de rasoirs, pain et canne à sucre... Troc et marchandages emplissent l'air d'onomatopées.

Pietro se penche vers l'étalage d'une grand-mère corpulente.

– Elles sont jolies, tes calebasses.

– Cent zaïres.

– Tu rêves, ma belle. As-tu de la ficelle?

– J'ai tout ce que tu veux. Un collier aussi, pour ton amie?

– Non. Passe-moi la petite calebasse.

Mû par une intuition soudaine, Pietro se tourne vers sa voiture, à quelques centaines de mètres. Le pompiste fait de grands gestes dans sa direction. Face à lui, l'albinos entrevu la nuit dernière, accompagné d'un militaire débraillé. Les deux hommes sont armés. Et pas exactement avec des sagaïes. Pietro s'accroupit derrière un tas d'ordures, retire sa botte, arrache le pansement, qu'il fourre aussitôt au fond de la calebasse.

A qui envoyer le colis?

Il ferme maladroitement l'emballage par une cordelette de chanvre.

En un coup d'œil, il aperçoit l'albinos et son comparse qui s'élancent à travers le marché.

Mousi. C'est risqué pour la gamine, mais il n'a pas le choix.

Pietro se penche vers la marchande, tout en griffonnant l'adresse sur un papier froissé :

– Tu peux me poster ça? Voici mille zaïres pour la peine. Fais ce que je te dis, parce que je repasserai.

A peine la femme a-t-elle esquissé son accord que Pietro disparaît dans la foule.

Il est tout de suite repéré.

La chasse à l'homme est ouverte.

Paris

L'escalier monumental s'élève jusqu'à la balustrade du premier palier. JLW, impressionné malgré lui, s'avance dans le hall. Ses pas résonnent sur le marbre nu.

– Il y a quelqu'un ?

– John, c'est vous ? Entrez donc !

Penchée au-dessus de la rampe, Paula l'accueille avec un sourire.

– Alors, que pensez-vous du siège du B.C.D.A. ?

– Le B.C.D.A. ?

– Le Bureau de Commercialisation du Diamant Aurore...

– L'endroit est superbe. Mais ne craignez-vous point que cela soit trop onéreux ?

– Le diamant Aurore est une pierre de prestige, qui s'accommoderait mal d'un siège social à La Garenne-Colombes. Mais rassurez-vous : la location de cet immeuble n'est pas aussi ruineuse que vous le craignez.

Elle entraîne le Chinois à travers les pièces vides.

– Ces portes-fenêtres s'ouvrent sur le jardin du Luxembourg. Préférez-vous ce bureau-là ou celui-ci ?

– Voyons, je n'ai pas besoin d'un bureau. Je suis trop rarement à Paris.

– Mais si, j'insiste. On livre demain une table de travail Empire. On m'a affirmé qu'il s'agissait de votre style préféré. Par ici, les salles de réception : nous y recevrons hommes d'affaires, diamantaires internationaux, journalistes. A la cave, une salle des coffres, pour nos petits cailloux...

Essoufflé par le rythme de la visite, JLW s'arrête un instant et profite de cette seconde de répit pour observer la jeune femme.

Il dissimule un sourire. Il ne regrette pas son choix : cette femme est une arme redoutable. Elle mettra toute sa puissance de travail, toute l'agressivité de son intellect au service du B.C.D.A. Lui-même pourra rester dans l'ombre, à l'abri de la tourmente qu'elle va provoquer en défiant la D.I.C.

– Tout cela est parfait. Je dois admettre que votre projet semble très bien parti.

– Notre projet!

– Non. Vous avez quitté une position prestigieuse pour prendre en charge le lancement du diamant Aurore. C'est vous qui en assurez la pleine responsabilité. Les diamants roses ne sont qu'un des investissements dont je m'occupe, et je me borne à vous conseiller.

– Eh bien, conseillez-moi. Où en sommes-nous?

– Dès que les résultats de l'expertise seront officiels, il faudra penser à la prochaine étape. Nous avons besoin d'un tailleur de pierres.

– Je sais. Les grands centres de taille sont Bombay, New York, Tel-Aviv et Anvers.

– Nous pouvons tout de suite éliminer Bombay, qui se spécialise dans les très petites pierres.

– Je comptais aller chercher du côté de la Belgique. La réputation d'Anvers pour les diamants de qualité est excellente.

– Mon père travaillait, depuis Hong Kong, avec un des meilleurs ateliers anversois, dirigé par un certain Abenthal. C'est un tailleur de réputation internationale, qui n'est pas encore lié à la D.I.C. Il ferait un partenaire idéal. Mais je doute qu'il accepte de travailler avec nous.

– Pourquoi?

– Abenthal a une ambition : faire partie des cent trente diamantaires sélectionnés par le Syndicat. Depuis plusieurs années, il manœuvre pour s'introduire dans ce club très fermé. Cela lui permettrait de se fournir en gemmes brutes directement à Londres, tous les mois.

– Et alors?

– A mon avis, la D.I.C. ne portera pas dans son cœur ceux qui travailleront pour nous. Si Abenthal touche aux gemmes Aurore, il peut oublier ses ambitions sur les diamants classiques.

La sonnerie du téléphone interrompt la conversation. Paula s'agenouille près de l'appareil, posé à même le parquet. Un déclic annonce qu'il s'agit d'une communication internationale.

– Ici Kaboré, directeur de la mine Aurore.

– Monsieur Kaboré, je suis heureuse de vous entendre. Les diamants sont-ils arrivés ?

– Non, mademoiselle.

– Enfin, ils ont déjà vingt-quatre heures de retard ! Que vais-je dire à la presse ?

– Notre convoyeur a été trouvé mort, à six cents kilomètres de la mine.

– Mort...

Le mot, même chuchoté, résonne étrangement à travers les pièces vides.

– Il s'appelait Pietro Morrongi. Il s'occupait de l'organisation générale de la mine. Il est parti lundi avec une dizaine de pierres. La police locale a retrouvé son corps hier, noyé dans la Lomami. Il avait une balle dans le ventre.

Paula passe la main sur son visage, contenant difficilement son désarroi.

– Les diamants ?

– Aucune trace. La police est sur les dents, mais nous avons peu d'espoir. Il ne reste pas grand-chose à la mine. Vous ne recevrez rien avant trois semaines.

– Trois semaines ! Vous ne connaissez pas les journalistes : dans quinze jours, monsieur, plus personne ne croira en l'authenticité des diamants roses ! Plus personne !

– Nous n'y pouvons rien. Nous faisons ce que nous pouvons ici, au Zaïre. A vous de gérer la crise en Europe.

Kaboré a le bon sens de raccrocher, avant d'être traité d'âne mongolien et de boîteux cocufié.

Après un moment de silence, elle se lève, le visage assombri.

– Cela veut dire que nous devons encore repousser l'expertise, explique-t-elle. La presse ne nous fera pas de cadeaux : nous serons couverts de ridicule. Il est impossible de faire avancer le projet dans ces conditions.

Un meurtre... La perspective du scandale paralyse presque JLW. Rien de plus dangereux dans le monde feutré de la haute finance.

– Je compte sur vous pour que mon nom soit tenu à

l'écart de ce malheureux épisode, chère amie. Je dois vous laisser, je pars pour Vienne cet après-midi. De toute façon, dans une situation aussi compromettante, je ne saurais vous être d'aucune aide.

– Je comprends bien. Mais il y a un service que vous pouvez me rendre...

JLW jette un regard anxieux vers la porte.

– Un service qui n'a rien à voir avec cette expertise. Vous connaissez Abenthal. Pourriez-vous m'obtenir un rendez-vous avec lui ? J'irai à Anvers la semaine prochaine.

– Ce sera une conversation difficile, je vous aurais prévenue. Abenthal ne voudra probablement pas entendre parler des diamants roses. Surtout dans le contexte actuel. Mais je vous aurais un entretien. Maintenant je dois filer, je suis pressé.

Paula reste seule, le front contre la fenêtre, le regard perdu. Elle laisse sa paume errer sur la vitre froide.

Avec un peu de chance, les journalistes n'auront pas vent de ce meurtre. Ce rebondissement finirait d'affoler Pierre Laffaillère. Le diplomate appelle toutes les semaines et, chaque fois, elle doit dépenser une énergie considérable à le rassurer. Il faudra trouver un nouveau mensonge pour expliquer le retard de l'expertise.

Elle articule silencieusement ce nom qu'elle ne connaissait pas : Pietro Morrongi. Que faire ? Que dire ? Un homme est mort. Le prix payé pour des bagues de fiançailles un peu rosées.

Kinshasa, Zaïre

Devant la gare centrale de Kinshasa, des centaines de provinciaux débarquent de bus cabossés. Clameurs, nuages de poussière, grondement des moteurs diesel... Perchées sur des montagnes de bagages, les femmes tentent de rassembler leurs familles. Des gamins accostent les arrivants et proposent noix de karité, mangues et cuisses de poulet frit.

Ravissante dans son boubou vert, Mousi traverse la foule, un baluchon sur la hanche.

– Ouh, jolie poupée !, lui crie un jeune en baskets.

– Toi, tu ne vaux rien, réplique-t-elle en fronçant le nez.

Déterminée, elle marche droit sur la grande poste, traverse le hall, double deux hommes qui, fascinés par son séant charnu, lui abandonnent la cabine téléphonique.

Une fois la porte de la cabine refermée, Mousi compose le numéro du ministère des Mines.

– Je voudrais parler à M. Kaboré, s'il vous plaît.

– De la part de ?

– Mousi Traoré.

– Quelle société ?

– C'est compliqué, je ne le connais pas personnellement, mais...

– Je suis désolée, M. Kaboré est en réunion.

– Je dois lui parler, c'est important !

La secrétaire a déjà raccroché. Immédiatement, Mousi remet un jeton dans la fente du téléphone, et forme le numéro d'un doigt rageur.

– Allô ! M. Kaboré, s'il vous plaît.

Kaboré tente de s'abstraire dans les factures de la semaine. Face à lui, le secrétaire d'État fait craquer ses phalanges une à une.

– Tout va de mal en pis. La presse internationale est de plus en plus critique. Si nous avions traité avec la D.I.C., nous n'en serions pas là.

– Le prix des camions-bennes devient hallucinant.

– Vous ne m'écoutez pas... Savez-vous ce qu'a dit le ministre ?

– Je préfère ne pas savoir ce qu'a dit le ministre. J'ai envoyé des travailleurs supplémentaires à la mine, protégés par une vingtaine de soldats. Nous aurons un nouvel échantillon dans une quinzaine de jours.

– Il sera trop tard. Nous sommes déjà la risée du monde diamantaire. Et ce meurtre, Kaboré, ce meurtre !

Kaboré frappe la table du poing, le visage congestionné.

– Que voulez-vous que j'y fasse ?

Une secrétaire apparaît dans l'entrebâillement de la porte.

– Quoi encore ? rugit-il.

– Je suis confuse de vous déranger. Un appel personnel...

– Je ne prends aucune communication.

– C'est une jeune personne qui insiste pour vous parler. Elle a déjà appelé huit fois.

– Dois-je lui dire d'aller se faire voir moi-même ? A quoi donc êtes-vous payée, mademoiselle ?

– Je suis désolée. Elle appelle de la part d'un certain Pietro Morrongi.

– Quoi ?

Les deux hommes s'arrachent de leurs fauteuils.

– Passez-la-moi !

Kaboré enclenche le haut-parleur de son poste.

– Monsieur Kaboré ? Je suis Mousi, la fiancée de Pietro.

– Sa fiancée ?

Le secrétaire d'État lève les yeux au ciel. Les hommes comme Pietro ont une fiancée dans chacune des mines où ils ont posé leurs bottes.

– Nous nous sommes connus à Mekanga. Mes parents habitent là-bas. Mais j'ai été éduquée ici, chez mon oncle, à Kinshasa.

– Oui, oui. Pourquoi appelez-vous ?

– Pietro est venu me voir dimanche. Mais je crois qu'il n'est pas retourné à la mine. Car, mercredi, j'ai reçu de sa part un colis qui venait de Kindu.

– De Kindu ? Qu'y avait-il dans ce colis ?

– J'ai failli tout jeter à la poubelle, cela paraissait si dégoûtant. Et puis j'ai trouvé... Mais je suis à la grande poste, il y a foule autour de moi.

– Ne parlez pas, Mousi, ne nous dites rien. Nous devinons ce que contenait le paquet.

– Pietro a seulement gribouillé deux mots : « Kaboré », et « Attention ». Alors, je suis très prudente. Vous devriez passer me voir chez mon oncle.

Kaboré se redresse, interloqué. Il n'a pas l'habitude qu'une gamine lui indique comment mener ses affaires.

– Elle a raison, chuchote le secrétaire d'État.

– Bien. Donnez-moi l'adresse. Et surtout, ne parlez à personne de ce colis.

L'oncle de Mousi possède un lucratif commerce de pièces détachées. Cela lui permet d'entretenir six femmes, ainsi qu'une abondante progéniture.

Cet après-midi, la cour est presque déserte. La famille, accablée par la chaleur, fait la sieste. A l'ombre du manguier, Mousi tresse les cheveux de sa cousine Korotimi, qui piaille de douleur.

– Regarde ! s'exclame soudain Korotimi.

Une Mercedes noire se gare devant le portail. Le petit singe enchaîné à la grille glapit d'excitation.

Mousi se lève.

– C'est pour moi.

– Ton amoureux a fait fortune ?

– Mais non, bête.

Nonchalante, elle attrape son panier et s'avance vers la voiture.

Kaboré s'incline légèrement pour la saluer, tandis que les deux aides hésitent à quitter le confort climatisé de la Mercedes.

– Je suis Kaboré, le directeur de la mine de Mekanga.

– Je ne vous connais pas, vous savez. Vous pourriez peut-être me montrer une carte d'identité ?

Il retient un coup de sang. Patience... Il tend son permis de conduire à la jeune fille.

– Kaboré, lit-elle en scrutant la photo. Vous avez un peu grossi.

– Cela suffit. Maintenant, remettez-nous le colis de Pietro.

– Devant tout le monde ?

Il soupire et ouvre la portière de la Mercedes. Mousi se glisse sur les coussins de cuir, face aux deux acolytes soudain très souriants.

– J'ai dû cacher les diamants.

Ouf ! Elle parle de diamants : Pietro a donc pu sauver la mise.

– Je suis venue de Mekanga en bus, cela prend trois jours et deux nuits. On aurait pu me fouiller pour me voler, mais j'ai fait très attention.

Elle fourrage dans sa trousse de toilette.

– Voilà! dit-elle triomphante, en tendant à Kaboré un pot de vaseline.

« Si elle se paie ma tête, je la fais mettre au trou. »

Sans un mot, il passe le pot au chauffeur.

Les doigts disparaissent dans la vaseline, avec un bruit de succion. Enfin, le chauffeur extirpe deux cailloux graisseux.

– Je sens d'autres pierres.

– Il y en a dix. Tout au fond.

– Félicitations, Mousi Traoré. Une vraie Mata Hari africaine!

– Mata qui?

– Peu importe. Pietro serait fier de vous.

Le joli visage de Mousi devient grave.

– Savez-vous où il est?

– Euh... Non. Enfin...

– Il doit être en danger. Sinon, il ne m'aurait pas demandé quelque chose d'aussi important. Il ne fait pas confiance aux filles, d'habitude.

– Selon la police de Kindu, il a eu un accident. Il faudrait que vous les contactiez.

– Il est mort, n'est-ce pas? Je le devine, maintenant.

Kaboré contemple la petite personne qui lui fait face, en hochant la tête.

– Passez au bureau cette semaine. Nous verrons ce que l'on peut faire pour vous.

Mousi ferme les yeux pour contenir ses larmes. Sans un mot, elle sort de la voiture.

Kaboré fixe la silhouette qui traverse la cour, bien droite, sous le soleil blanc. Il a la gorge serrée, sans trop savoir pourquoi.

– Allez, on démarre!

Troisième partie

Fleurs de feu

1

Anvers

Le train ralentit. Au-delà de la vitre embuée, la plaine flamande s'efface et la banlieue anversoise gagne du terrain.

Paula retient un large sourire. Après une expertise de quelques jours, le G.I.A. a authentifié les diamants roses. La télécopie est tombée hier soir : des certificats dactylographiés, portant le rarissime label : « Fancy ».

C'est ainsi qu'on appelle les véritables diamants de couleur : des « Fancy », coquetteries de la nature, bonbons de star.

Et le premier échantillon certifié est là, sur ses genoux, dans son attaché-case.

Voilà qui devrait rassurer JLW, Pierre Laffaillère et tous ceux qui doutaient du projet Aurore. Paula a une pensée émue pour cette Mousi Traoré, sans qui les gemmes n'auraient pu parvenir à Paris. La jeune Africaine a su déjouer les plans d'adversaires acharnés. Paula a proposé qu'on lui offre une bourse d'études de son choix, et Kaboré a acquiescé.

L'air a des effluves marins. De chaque côté des rails, les immeubles en brique ferment la vue. Le train ne semble pas décidé à entrer en gare : il ralentit, s'ébranle, freine à nouveau.

Sur la banquette de gauche, un vieil homme ferme les yeux. Parfois, le poids des années se fait plus lourd. Par exemple lorsqu'on voyage à côté d'une Française ravissante. Qui laisse éclater ses sourires sur ses lèvres, comme des bulles de bonheur. Un amant l'attend à la gare, c'est certain. Probablement un homme d'affaires, carrure large, BMW coupé sport. Soupir. Mais Paula ne pense qu'à Abenthal. Une superbe réputation. Un tailleur de pierres intransigeant, droit en affaires. Une entreprise aux reins solides, qui rassemble certains des meilleurs talents d'Anvers. Bref, un mariage idéal. Avec les diamants Aurore, bien sûr.

Impatiente, elle saute du train avant l'arrêt, se tord la cheville, repousse l'aide d'un contrôleur empressé. Puis s'immobilise. Elle s'attendait à débarquer dans une gare provinciale. Mais elle est impressionnée par la coupole monumentale, la profusion de pilastres, de colonnes et de marbre sale.

Anvers est plus qu'une vieille ville flamande. C'est l'un des plus grands ports du monde. Et, surtout, la capitale mondiale du diamant.

Agrippant ses sacs – l'un d'eux vaut plus d'un million de francs –, elle se hâte vers la rue.

Pour sa première rencontre avec le milieu des diamantaires, elle a choisi un tailleur prince-de-galles, et un tee-shirt de soie noire. Des lunettes façon écaille – inutiles d'un point de vue ophtamologique – l'aident à dissimuler son jeune âge.

A droite de la gare se trouve la Pelikaanstraat. La rue du Pélican. Le cœur du commerce mondial de pierres précieuses.

Paula s'arrête au sommet des marches, respire profondément. Face à elle, un quartier d'un kilomètre carré, classé « Top Sécurité ». La moitié de la production mondiale de diamant passe par ces rues.

Il y a dans l'air un sentiment de puissance qu'on ne trouve que dans quelques endroits du monde. Wall Street par exemple. Mais, dans cette rue anversoise, l'argent-papier est remplacé par des montagnes de pierres précieuses. Ici sont concentrées plusieurs milliers de compagnies travaillant autour du diamant : centres de taille, bourses du diamant, banques spécialisées...

Cette communauté rassemble Israéliens, Indiens, Australiens, Russes et Américains. On dit qu'elle a la main haute sur toute la région.

Et pourtant, la Pelikaanstraat n'a aucune prétention architecturale. A gauche se dressent les hautes arcades d'acier de la gare, noires de crasse. En face, une rangée de maisons étroites et d'immeubles qui ne paient pas de mine. Des échafaudages dissimulent quelques échoppes aux vitrines poussiéreuses, dans lesquelles s'entassent des bijoux de qualité médiocre.

Mais une succession d'enseignes et de néons trahit la véritable nature de l'endroit : Diamandzetters, Diamond Import Export, Diam 2000, Edelstein Diamanten, International Jewellery, Diamond Bank, Diamond Corporation...

Paula marche d'un pas vif vers son rendez-vous. Un groupe de juifs orthodoxes, leurs papillotes tombant sur de lourds manteaux noirs, la dépasse et s'engouffre dans une boutique. Juste après s'ouvre la Schupstraat. C'est là que travaille Abenthal.

La rue est barrée. Les vigiles ne laissent passer que les véhicules des diamantaires.

Le numéro vingt est un building de verre et d'acier d'une dizaine d'étages. Elle doit échanger son passeport contre un badge magnétique, et passer par un tourniquet, sous le regard des vigiles armés.

Le décor blanc rappelle celui d'un hôpital. Dans les couloirs, dans l'ascenseur, des caméras-vidéo surveillent la jeune femme.

Un homme la croise sans la saluer. Il est coiffé d'une calotte de velours. Une chaîne relie son attaché-case à sa taille. Comme un cordon ombilical. En acier.

Le fait de franchir ces barrières haute sécurité provoque une sorte de fièvre chez Paula. Un peu comme si elle se promenait à Fort Knox. Une atmosphère à réveiller les instincts de kleptomanie les plus enfouis. Paula rêve déjà au cambriolage du siècle. Un incendie pourrait affoler le système de sécurité. Il suffirait alors d'un ou deux hélicoptères, et... Stop, elle est là pour affaires.

Face aux bureaux d'Abenthal, elle patiente une minute dans un sas de sécurité, en se retenant de faire la grimace à la caméra fixée sous son nez.

David Abenthal lui-même vient l'arracher à ce face-à-face.

– Mademoiselle Desprelles ? Nous avons tellement entendu parler de vous. Je suis ravi de vous rencontrer en personne.

Abenthal était réellement curieux de voir de près l'auteur du dernier crime de lèse-majesté envers la D.I.C. Il a cinquante-quatre ans. Grand, maigre, une barbe poivre et sel, il pourrait être séduisant s'il n'avait choisi d'être austère. Il jauge la jeune femme d'un coup d'œil, et lui sourit : elle et lui font partie de la même race.

Paula est jeune, mais les signes ne trompent pas : regard direct, qui brûle d'une lueur froide, sourire exigeant, autorité un peu nerveuse...

Malheureusement, ils ne jouent pas dans le même camp.

Contrairement à la plupart de ses collègues, David n'a pas hérité de l'entreprise qu'il dirige. Fasciné par la « pierre de lumière », il a débuté à seize ans comme apprenti tailleur. Bientôt, il devenait courtier et s'imposait à l'une des bourses de diamants d'Anvers. Un mariage de raison lui permettait d'asseoir sa position parmi l'aristocratie diamantaire belge et, à trente-cinq ans, il fondait sa propre affaire.

Aujourd'hui, malgré son excellente réputation, il ne fait toujours pas partie des diamantaires sélectionnés par la D.I.C. Indépendant, il peut prendre le risque de recevoir quelqu'un d'aussi perturbateur que Mlle Desprelles. Celle-ci attaque franchement :

– Avez-vous reçu le dossier que nous vous avons envoyé sur le diamant Aurore ?

– Je l'ai reçu. Mais ne parlons pas affaires si vite. Voulez-vous du café ?

– Je préférerais du thé.

Elle se mord les lèvres : elle a été trop directe. Mais s'il faut palabrer, elle a tout son temps.

Le bureau, petit et gris, ressemble à celui d'un fonctionnaire subalterne. Quelques différences, pourtant : un coffre-fort grand ouvert, une balance électronique, un microscope et une série de loupes. Une boîte noire, rectangulaire, est posée sur la table. David en extrait des rectangles de papier de soie, pliés avec soin. Les *briefke.*

– Voici notre toute dernière production.

Soudain, une cascade rutilante s'éparpille sur le bureau.

– Ici, des brillants ronds : c'est la taille la plus répandue, celle qui donne le plus d'éclat. Là, des tailles plus fantaisistes : une marquise, une poire, une émeraude... Dans ce papier, une centaine de diamants à deux points, qu'on appelle des *melee.* Vous pouvez à peine les discerner et, pourtant, chacune de ces toutes petites pierres comporte cinquante-huit facettes.

Elle caresse du doigt la poudre scintillante, composée de minuscules diamants.

– Attention aux échardes! L'écharde de diamant est redoutable.

David déplie avec lenteur un nouveau rectangle de papier.

– Et enfin, une pierre remarquable : cinq carats, pure à la loupe, exempte d'inclusions. Blanc Exceptionnel. Classée D. Autrefois, on l'aurait appelée RiverWhite. Une pierre aussi pure, aussi blanche, ne se rencontre que très rarement.

Le cœur de Paula bat plus vite. « Restons calme... Cette pierre est fantastique! »

Une touche de convoitise lui chatouille le creux du ventre. Le diamant d'Abenthal est gros comme l'ongle du majeur. Le cœur de la pierre est un puits de profondeur vertigineuse. Le regard se noie, ricoche sur les facettes miroirs. Sculpture géométrique, cinquante-huit angles de lumière qui jouent avec le soleil. Une abstraction transparente, d'une pureté extrême.

Paula fait rouler le diamant sur la table. La gemme chatoie, reflète les couleurs les plus flamboyantes du spectre solaire. Plus intense que le cristal, plus profond que la glace, plus lumineux que n'importe quelle pierre précieuse.

Elle n'a jamais rien vu de semblable.

Un très beau diamant est une expérience exceptionnelle.

– Quelle merveille, admet-elle, presque à regret.

– Les Arabes l'achèteront probablement. Les pierres les

plus belles sont pour eux. Les Français préfèrent de petites choses moins chères, mais de jolie couleur. Quant aux Américains, ils achètent n'importe quel caillou, même piqué, du moment qu'il tape à l'œil. Mais veuillez m'excuser, je vais chercher votre thé.

Curieuse expérience que de rester seule face à une table jonchée de diamants. Paula frissonne encore quand Abenthal revient. Elle pose sur la table une épaisse chemise. Le dossier du diamant Aurore.

– Parlons de ceci, voulez-vous ? Comme vous savez, nous avons choisi de faire passer les diamants Aurore par un seul tailleur de pierres, qui en aura l'exclusivité. Nous avons besoin d'une société d'excellente réputation, prête à consacrer au moins deux ateliers aux diamants roses.

– Pourquoi nous avoir sélectionnés ? D'autres tailleurs anversois ont une réputation similaire à la nôtre.

– Modérez votre empressement !

– Comprenez-moi : j'ai déjà réfléchi à votre proposition. Je crois qu'il est préférable pour nous de rester spécialisés dans le diamant classique.

– Je sais ce qui vous froisse. Cela tient en trois initiales : la D.I.C. Mais vous traitez déjà sur le marché libre zaïrois. Alors, pourquoi ne pas négocier avec nous ?

David garde le silence. Il ne peut s'empêcher d'admirer la détermination de la jeune femme qui lui fait face. Mais il n'a pas le choix.

– Vous avez déclenché une grosse affaire, dans un milieu où l'on n'aime ni les changements, ni les interventions extérieures. Vous aurez du mal à trouver des partenaires. Laissez-moi vous raconter une anecdote, un cas assez similaire au vôtre.

Abenthal joint les mains, se concentre une seconde.

– Dans les années cinquante, un géologue canadien sans le sou a découvert ce qui était à l'époque la plus grande mine de diamant au monde. Il s'appelait John Thornburn Williamson, sa mine s'étendait dans les savanes du Tanganyka. La D.I.C. tenait évidemment à racheter la mine. Son objectif était déjà de contrôler toutes les ressources diamantifères, dans le monde entier. Elle a offert à Williamson des sommes phénoménales, exercé sur lui toutes sortes de pressions. Mais John Williamson a refusé de vendre. C'était un homme têtu – un point commun avec vous, je crois... Il s'est retranché dans son camp, a formé une milice armée pour défendre sa mine. Et puis il a commencé à produire des diamants. Le Syndicat a alors exigé des tailleurs de pierres qu'ils refusent les gemmes de Williamson. Lorsqu'un tailleur achetait une pierre au Canadien, il risquait d'être expulsé des vues de la D.I.C. Le chantage a fonctionné : Williamson était assis sur un tas de diamants qu'il ne pouvait écouler. Sa dette a pris des proportions faramineuses. Étranglé, il a fini par traiter avec la Compagnie.

– Les années cinquante sont loin. La D.I.C. représente maintenant le dernier monopole du monde capitaliste. David, il est peut-être temps pour vous de faire preuve d'indépendance.

– Sans le monopole de la D.I.C., le diamant ne serait qu'un vulgaire caillou. Et vous le savez très bien.

– Pas le diamant Aurore!

Abenthal prend l'air las d'un homme qui n'a plus envie de discuter.

– Les tailleurs qui ont l'honneur de participer aux vues de la D.I.C. paient leurs diamants bruts vingt-cinq pour cent de moins que le prix de gros. Il n'y a pas besoin d'être un puissant économiste pour comprendre où réside notre intérêt. Depuis vingt ans, je cherche à faire partie des diamantaires sélectionnés par elle. Je ne prendrai pas le risque d'échouer si près du but.

Paula sourit, pour dissimuler sa déception.

– Je vous remercie d'avoir été franc.

– Vous affrontez un des lobbies les plus puissants du monde. C'est un beau pari. Mais je regrette de ne pouvoir vous suivre, dit-il en se levant et en l'accompagnant jusqu'à la porte.

Lorsque la jeune femme franchit le seuil, il demande :

– Restez-vous à Anvers ce soir ?

– Oui.

– Avez-vous déjà réservé une chambre ?

– Oui, cela a dû être fait. Au *Switel*, je crois.

Abenthal semble sur le point d'ouvrir la bouche, mais se ravise. Les sourcils froncés, il la regarde s'éloigner.

Une fois dans la rue, Paula prend conscience de l'ampleur de ce premier échec. Ne s'est-elle pas surestimée en espérant pénétrer si vite le milieu diamantaire ? John l'avait prévenue : ce ne sera pas facile.

Elle décide de s'épuiser par une longue marche, et s'égare le long des avenues balayées par le vent marin. Elle reste un moment face à la cathédrale, mutilée par la guerre, mais toujours imposante.

Sur le port, le drapeau d'un cargo soviétique claque dans le vent, seule couleur vive dans un ciel gris. Les joues rosies par le froid, Paula se réfugie dans un bistrot. Hésitant un moment entre un cognac et un chocolat chaud, elle opte pour le chocolat.

Au centre de la pièce, trois hommes jouent au billard. Seul le choc mat des boules rompt leur silence. Que faire maintenant ? Si elle était issue de générations de diamantaires aux mains usées par la taille, les choses seraient plus simples. Mais pas question de s'apitoyer sur son sort. Il est beaucoup trop tôt pour baisser les bras. Il y a des dizaines d'autres bons tailleurs en Belgique. Et, si Anvers la boude, elle ira convaincre les centres de taille de Tel-Aviv ou de New York.

Après avoir erré pendant des heures dans les rues de cette ville qu'elle ne connaît pas, Paula retourne au Switel. Le réceptionniste lui glisse un message téléphonique avec les clefs de la chambre.

« Votre soirée est-elle disponible ? Pour affaires, bien entendu. Signé : David Abenthal. »

Instantanément, le moral de la jeune femme remonte au beau fixe. Dans sa chambre, elle s'assied en tailleur sur le couvre-lit et saisit le téléphone.

– David ? Je ne pensais pas vous reparler si tôt !

– J'ai réfléchi. Deux de mes amis pourraient vous être utiles. Stupide de ne pas y avoir pensé avant, n'est-ce pas ?

– Mais...

– Il s'agit des Kentzel, père et fils. Ils sont tailleurs depuis plusieurs générations. Ils pourraient envisager de travailler avec vous. Surtout si je vous recommandais.

– Pourquoi m'aider ?

– Comme vous êtes directe ! A dire vrai, les Kentzel ont peut-être besoin des diamants Aurore. Le fils a inventé une nouvelle taille, pour donner encore plus d'éclat au diamant. Il l'appelle *Fire Bloom*... Fleur de feu. C'est un chef-d'œuvre. Kentzel junior désire la diffuser dans le monde entier, mais la D.I.C. ne l'aide pas. Il n'est pas impossible que vous puissiez vous mettre d'accord.

Abenthal ne précise pas qu'il trouve la jeune femme éminemment sympathique. Cela fait des années que personne n'est venu défier ainsi l'ordre établi. S'il l'avait rencontrée quelques années plus tôt... Oui, ils auraient formé un couple redoutable.

Il aidera Paula à franchir ce premier obstacle, mais en restant dans l'ombre. Juste un coup de pouce à quelqu'un qui lui ressemble. Pour saluer un partenariat qui n'aura jamais lieu.

– Ma femme et moi dînons avec les Kentzel, dans quelques heures. Vous pourriez vous joindre à nous ?

Elle hoche la tête. Voilà une soirée qu'elle ne ratera pas.

Le restaurant est installé au premier étage d'une ancienne maison anversoise, adossée à la cathédrale. L'endroit respire une opulence confortable, patinée par les siècles. Des tapis persans couvrent le sol, et des toiles intimistes de l'école flamande décorent les murs, entre les poutres.

L'épouse d'Abenthal paraît timide.

– Je suis si ennuyée, chuchote-t-elle. La baby-sitter ne pourra pas rester tard et je devrai m'éclipser bientôt.

Paula jette un coup d'œil aux parures de la dame : un rang de perles, une alliance. Aucun des magnifiques diamants que l'on serait en droit d'attendre. Sur le parking, elle a entrevu une Volvo et une Audi gris métallisé. A l'évidence, les diamantaires préfèrent conserver des apparences discrètes, voire ternes, en évitant tout luxe ostentatoire.

Kentzel, le père, paraît plus âgé que ses soixante-cinq ans. Il lève à peine la tête de son verre d'eau minérale pour saluer Paula. Sa longue barbe, ses habits noirs et sa kippah parlent pour lui : l'arrivée d'une femme goy dans les affaires ne le réjouit pas. L'ambiance paraît si peu folâtre qu'elle referme deux boutons de son décolleté.

Kentzel junior est nettement plus chaleureux. Il serre la main de la jeune femme entre les siennes, en l'observant de ses yeux noirs, vifs et perçants. La trentaine, il porte un costume gris et joue avec des lunettes cerclées d'or. Perpétuellement en mouvement, il paraît très sûr de lui. Pinas Kentzel ne correspond pas à l'image qu'elle se faisait d'un diamantaire : elle l'aurait plutôt vu publicitaire, ou journaliste.

Au désespoir de la Française – la patience n'est pas sa plus grande qualité – les convives se satisfont d'une conversation très anodine.

– Il faut absolument visiter le palais de Rubens pendant votre séjour à Anvers, lui dit-on.

– Vin blanc ou rouge, avec la cassolette de moules?

– Oui, l'air est plutôt vif pour la saison.

Elle se force à sourire, écoute les considérations météorologiques de Kentzel le vieux, tout en déchiquetant son pain d'une main nerveuse.

C'est son fils qui aborde – enfin – le seul sujet qui les intéresse tous.

Tous, sauf Mme Abenthal, qui se demande avec angoisse si les petits sont déjà couchés.

– Malgré le bruit qu'ils ont fait dans nos milieux, je ne sais pas vraiment à quoi ressemblent les diamants Aurore.

Silence.

Paula réprime un soupir de soulagement. Enfin, les dés sont jetés.

– Jugez par vous-même..., répond-elle, en sortant un écrin de son sac.

Elle fait couler les diamants dans sa paume. Les trois hommes se penchent vers elle d'un même mouvement.

– Je les croyais sombres. Mais c'est un rose léger, subtil.

– A vue d'œil, la pureté est sans reproche. Il faudrait une loupe.

– Ah, c'est vraiment un « Fancy »! Je n'en ai pas vu passer plus de trois dans ma carrière.

– Difficile d'admettre qu'ils ont tous cette jolie teinte si régulière. Avez-vous remarqué comme ils luisent dans la pénombre ? La phosphorescence est très marquée.

Les trois hommes manipulent les cristaux avec dextérité, les plaçant sous différents angles de lumière.

Paula sourit : les gemmes Aurore ont réussi leur travail de séduction.

– Me permettez-vous de les examiner à mon bureau, avec la lumière et le matériel adéquats ?

– Mais certainement. Gardez-les avec vous.

La confiance est une des règles de base de ce milieu. Elle s'y plie donc. Mais elle ne peut s'empêcher de ressentir un pincement au cœur, en laissant Kentzel empocher une dizaine de carats Aurore.

– Vous cherchez un tailleur de pierres exclusif ?

– Oui. Notre idée est de construire un réseau aussi simple que possible : de la mine au tailleur de pierres, puis au bijoutier et enfin aux amoureux. Ainsi, nous limitons les intermédiaires et les coûts. Il y a tant de négociants, de bourses et de *middle men* dans le parcours du diamant classique...

– Vous imposez un gros risque au tailleur de pierres.

– Absolument pas. Sur le plan commercial nous lancerons une campagne publicitaire pour imposer le diamant Aurore comme le symbole amoureux de la société moderne.

Kentzel junior ôte ses lunettes et se penche vers elle.

– Il y a autre chose, dit-il. Nous avons un projet : répandre une nouvelle taille de diamant, dont nous sommes les créateurs, la *Fire Bloom.*

Il déplie un rectangle de papier et pose une gemme sur la table, près de la bougie.

Même Mme Abenthal semble admirative. La *Fire Bloom* est une rose captivante, qui scintille sur le bois sombre. Un chef-d'œuvre de soixante-douze facettes symétriques. Un centre légèrement concave, pour mieux capter la lumière... Une merveille.

Paula retient son souffle : il lui faut cette taille. Les diamants roses, après être passés entre les mains de Pinas Kentzel deviendront les plus magnifiques pierres jamais portées par une femme.

Elle lève les yeux, croise le regard d'Abenthal. Il sourit, comme s'il avait prévu ses pensées.

Elle tempère son enthousiasme et concède :

– C'est intéressant.

– Et cher ! prévient Kentzel le vieux. Nous ne travaillerons avec vous que si la moitié des pierres sont taillées en *Fire Bloom.*

– Le prix devra être très compétitif, puisque je vous cède l'exclusivité des diamants Aurore. Ensuite, il me semble raisonnable de se limiter, pour commencer, à vingt pour cent de taille *Fire Bloom.*

– Quarante pour cent minimum.

– Vingt-cinq.

– Trente-cinq.

– Trente pour cent. C'est ma dernière offre. Et nous reparlerons du prix.

Le vieux Kentzel lève les yeux, pour prendre le ciel à témoin de l'impudence de la Française.

Elle lève son verre et, d'un ton enjoué, lance :

– A la santé de John Thornburn Williamson !

Abenthal reçoit cette pique sans broncher. La jeune femme lui plaît de plus en plus.

– Il est temps de rentrer..., murmure l'épouse du diamantaire.

Kentzel le vieux enfile son manteau noir et prend la main de Paula.

– Venez donc nous voir, dans les semaines prochaines. Amenez votre frère : nous apprécions les entreprises familiales. Nous pourrons discuter de tout cela.

Paris

La clef est cachée sous une tomette descellée, au dernier étage. Paula l'introduit dans la serrure. Son frère habite ici, dans cette chambre sous les toits. Il n'est pas encore là.

Elle s'assied sur le lit, intimidée. C'est la première fois qu'elle vient chez lui. Depuis la découverte des diamants Aurore, leur complicité d'antan s'est relâchée. Elle s'est souvent demandé comment vieillirait leur relation, ce lien fraternel particulier, tissé au cours d'une enfance étrange et solitaire.

La famille n'avait pas résisté à la mort de Patrick Desprelles. L'affaire paternelle avait été mise en liquidation. Leur mère, qui avait toujours vacillé au bord de la dépression, errait comme un bateau à la dérive. Luc et Paula la virent longtemps flotter d'une cure de sommeil à l'autre, jusqu'à ce qu'elle se marie une seconde fois et s'éloigne définitivement d'eux.

Mais le frère et la sœur restèrent unis, une petite cellule autonome du monde des adultes, et qui fonctionnait plutôt mieux. Luc suivait Paula comme une ombre. Toujours dans la lune, il lui faisait confiance pour le protéger de la réalité. Ils s'en étaient bien tirés. Débrouillards, maigrichons et pas très propres.

Une fois adultes, à Paris, ils se sont insensiblement éloignés l'un de l'autre. Mais la brèche s'est élargie avec la mine zaïroise. Luc ne comprend pas qu'elle puisse investir toute son énergie dans ce projet. Il lui en veut de troubler l'équilibre de la forêt équatoriale. De drôles d'idées, certes... Mais Luc a toujours de drôles d'idées. Paula soupire. Son frère n'est pas passé la voir depuis dix jours, et c'est plus qu'elle ne peut en supporter.

Des pas rapides font craquer l'escalier. Luc surgit, tout essoufflé.

– Paula ! Tu aurais dû me prévenir, j'aurais rangé un peu.

– Ne t'inquiète pas, c'est pire chez moi.

– As-tu admiré mon poêle en fonte, sorti tout droit d'un roman de Dickens ?

– J'ai surtout remarqué la température... Tropicale.

– N'est-ce pas ? Le charbon, ça salit mais ça chauffe. Veux-tu un thé à la menthe ?

La chambre de Luc est un fascinant bric-à-brac. Il a récupéré dans les caves et les poubelles une collection d'objets saugrenus. Une lampe art déco est placée en équilibre sur une pile de partitions, au chevet du lit. Un fauteuil en cuir, écorché par un chat anonyme, accueille les visiteurs. Des photographies abstraites sont fixées à même le mur. Elle promène son regard à travers la pièce.

– Je ne sais pourquoi je ne l'ai pas remarqué auparavant... mais il me semble que tu as une sensibilité très artistique. Ces photographies, par exemple. C'est toi qui les as prises?

– Oui, mais ne me cherche pas de vocation, petite sœur. Ces photos ne sont pas géniales.

– Ah bon? As-tu essayé autre chose? La sculpture, peut-être?

– On verra.

Luc rigole, en observant la mine dépitée de sa sœur.

– Pour l'instant, je vis au jour le jour. Je n'ai pas besoin, comme toi, d'un but au bout du chemin. Je comprends mal ce sentiment d'urgence, d'accomplissement, qui te fait courir comme un lapin.

– Ne renverse pas les rôles. C'est à moi de me faire de la bile pour ton avenir.

– L'avenir ne justifie rien du tout. J'ai assez d'amis et de passions pour remplir mes journées. Ne crois-tu pas que le bonheur doit se construire pierre à pierre, comme un mur : un moment heureux, plus un moment heureux, plus...

Elle éclate de rire.

– Ou bien un jour de travail, plus un jour de travail... Pour atteindre les objectifs qu'on s'est fixés.

– Nous ne vivons pas selon la même philosophie.

– Quelle surprise!

Il se renverse dans le fauteuil, retire ses bottes, agite le contenu d'une bouilloire.

La conversation roule vers des sujets plus intimes. Cachant un sourire coquin derrière sa tasse, Paula tente de satisfaire sa curiosité.

– J'avais peur de rencontrer une blonde dénudée, en entrant chez toi à l'improviste.

– Dénudée, d'accord. Mais une blonde? Pourquoi une blonde?

– Je n'en sais rien. Préfères-tu les rousses? Avoue que ta vie privée demeure assez confidentielle.

– Paula Desprelles, vous êtes une vraie commère.

– Hélas! je l'admets.

– Il n'y a pas grand-chose à dire. La dernière personne qui a dormi ici – il y a déjà quelque temps – voulait me visser un gyrophare sur la tête. Pour prévenir ses consœurs du danger que je représente.

– Inconstant ?

– Plutôt inconsistant. Je noue de belles et chastes amitiés, mais ça finit toujours mal.

Elle n'est pas étonnée. Plus les hommes sont distants, un peu fous, plus les femmes décident de se les attacher. Et se retrouvent avec la ficelle, mais sans le cerf-volant.

En se penchant pour attraper une petite cuiller – dans un bol au pied du lit – elle aperçoit un livre à la couverture pourpre.

– Qu'est-ce que c'est ?

– Le dernier La Guerthy. Je viens de le finir.

– Tu lis ce genre d'horreur ? s'exclame-t-elle.

Mais peu après, elle empoche le bouquin, sans vergogne.

– Je te l'emprunte. Je n'ai rien à lire ce soir.

Elle se lève, enfile sa veste.

– Tu n'aimes pas les polars... Je peux te prêter autre chose, si tu préfères.

– Non, non. Ça me détendra. J'en ai besoin, en ce moment.

Elle embrasse son frère avec vigueur, pour lui couper la parole.

– A bientôt, Luc.

– A bientôt, petite sœur. Je suis heureux que tu sois venue.

« Quel salaud ! » Furieuse, Paula arpente la pièce, de long en large. Elle en pleurerait presque ! Elle vient de lire le dixième chapitre du dernier La Guerthy. Un chapitre sexuellement torride, où elle s'est reconnue trait pour trait... Et Luc a vu ça ! Tout le monde va lire ça !

Elle replonge dans le bouquin, encore incrédule.

« Un sourire plissa le visage buriné de Flanagan. Adossée à la cloison, elle le regardait. Entièrement nue. A cinq mille mètres d'altitude. Il la souleva et, sans un mot, la plaqua contre son large torse. Les tendres rondeurs de Katia épousèrent les muscles de l'ancien soldat. La pointe d'un sein effleura la cicatrice encore fraîche de son dernier combat. Tout vibrait autour d'eux, alors que le bon vieux zinc traçait son chemin dans le ciel d'Afrique. Katia, à moitié évanouie de désir, le visage caché par ses boucles châtain, haletait doucement. Elle agrippa sa nuque, y enfonça ses ongles. Alors, et alors seulement, il la pénétra... »

La description exacte du trajet Kinshasa-Paris. Ses boucles châtain, son évanouissement...

Max décrit même les dessous qu'elle portait ce jour-là! Cela continue ainsi pendant deux pages.

Elle enfile son manteau et, abandonnant son petit déjeuner, se précipite dehors.

Les rues de Paris sont encore désertes. La Mustang fonce à travers les carrefours et les avenues. Comment a-t-il pu faire ça? Raconter à la terre entière leur première étreinte! Faire du fric en trahissant leur intimité!

Quelques minutes plus tard, Paula dévale l'escalier qui mène aux berges de la Seine. La péniche de Max est à quai. Elle serre les poings, s'avance sur la passerelle.

Une femme en blouse rose, deux seaux à la main, traverse le pont.

– Vous cherchez Max Verensen?

– Oui.

– Il est en voyage...

– Pour combien de temps?

– Ah! je ne sais pas. Je ne fais que passer pour mettre un peu d'ordre. Mais vous pouvez laisser un message à l'intérieur, si vous voulez.

La femme de ménage n'est pas méfiante. Sans doute habituée à voir défiler les multiples conquêtes de Monsieur. Si chacune des scènes érotiques de ses trente-quatre romans est fondée sur une expérience vécue, Max doit faire une importante consommation de femmes.

Paula claque la porte de sa voiture et pénètre dans l'antre du lion. Ses yeux jettent des éclairs de colère. Fracasser la vaisselle? Étrangler le siamois qui la contemple, surpris?

Elle s'approche lentement de la table de travail : pas de papier, mais un IBM PC; et trois disquettes bien en évidence, datées de la semaine passée.

A cent contre un, l'ébauche d'un nouveau roman. Max produit à une cadence qui frise la diarrhée rédactionnelle.

Ces disquettes renferment probablement toute une collection de scènes licencieuses. Dont elle est peut-être l'héroïne. Elle, ou une autre.

Paula allume l'ordinateur, introduit la première disquette dans l'appareil.

Ses doigts frappent quelques touches.

L'ordinateur hésite, demande confirmation.

Elle confirme.

Le système grince, la disquette s'efface.

Un bref sentiment de honte apparaît quand elle introduit la deuxième disquette. Mais la colère lui tient le ventre : cet homme l'a utilisée. Il n'a que ce qu'il mérite.

La troisième disquette retrouve, à son tour, sa virginité en quelques secondes.

Paula griffonne un mot rageur, qu'elle plaque sur l'écran, puis remonte sur le pont.

Elle regrette seulement que Max n'ait pas été là : une grande gifle l'aurait mieux soulagée.

Ou peut-être deux grandes gifles.

Genève

Les terrasses de l'hôtel, inondées de luxe et de lumière, surplombent le lac Léman. Il est minuit passé, mais la conférence internationale de la Diamond International Company occupe les lieux pour plusieurs heures encore. Doug glisse d'un groupe à l'autre. Chacun en est à son cinquième ou sixième cognac, et les visages sont rubiconds.

– Alors, Derek... La jeune chargée de mission n'aurait pas résisté à votre charme ?

– Malheureusement, ce n'est qu'une rumeur. Intéressez-vous plutôt à notre nouvelle chef de pub, à Londres : un morceau de choix.

– Bon conseil, mon ami.

Mais Doug a repéré l'homme qu'il cherchait. Dave Jenkins. Le prototype du poulain « made in D.I.C. » : Oxford, puis trois ans à Johannesburg, pour se former au terrain. Mâchoire carrée, regard ferme, costume sombre, le teint déjà couperosé, malgré son jeune âge.

– Alors mon petit, content de votre nouvelle affectation ?

Jenkins, qui travaillait pour la D.I.C. au Japon, vient d'être nommé directeur pour la France.

– Pas ravi. La France est le seul grand pays occidental où le marché du diamant stagne : un vrai cadeau !

– Eh bien, c'est un défi, n'est-ce pas ? Je voulais vous parler des diamants Aurore.

Dave Jenkins maudit intérieurement le vieil homme. Qu'a-t-il besoin de discuter de choses sérieuses si tard dans la nuit ? Dave doit faire un effort de volonté pour disperser les vapeurs d'alcool qui freinent sa concentration.

Doug berce son cognac dans le creux de sa paume.

– Les nouvelles ne sont pas très bonnes. Nous restons en contact permanent avec le gouvernement zaïrois, mais je crains que, malgré toutes ses promesses, Bosoké ne fasse que gagner du temps.

– Je ne comprends pas comment ce petit bureau parisien a pu nous souffler sous le nez l'exclusivité de la mine.

– Ils ont bénéficié d'un effet de surprise. Nous avons appris l'existence de ce gisement après eux. Et nous avons été trop conservateurs : il a fallu du temps pour admettre cette découverte. Nos experts affirmaient que ces diamants roses ne pouvaient pas être authentiques.

– Hmmm... Cette Desprelles agit vite, et elle paraît redoutablement efficace.

– L'avez-vous rencontrée ? Non ? C'est peut-être un tort.

– Que pourrais-je bien lui dire ?

– J'en ai parlé avec Jonathan Van Groot.

Ce simple nom a des échos magiques : la dynastie Van Groot règne sur la D.I.C. depuis trois générations et Jonathan est le président de la W.S.O., « World Selling Organisation », la filiale qui organise le commerce mondial du diamant.

Jenkins se raidit, attentif.

– Quelle est l'opinion de Jonathan ?

– Il pense que vous devriez traiter avec Desprelles. Sans elle, les Français seront en position de faiblesse et ne nous résisteront pas longtemps. Proposons-lui un dédommagement, une responsabilité dans le lancement du diamant rose. Nous pourrions même lui offrir un poste honorifique chez nous.

– Chez nous ?

– Pourquoi pas ? Ou un safari au Zimbabwe. Ou un yacht aux Seychelles. A vous de négocier. L'important, c'est que nous récupérions le contrôle des diamants Aurore. Je n'ai pas besoin de vous rappeler à quel point cela est crucial.

– Bien compris. Et quel âge a-t-elle, cette empêcheuse de tourner en rond ?

– Ah ah ! Vous le découvrirez bien assez tôt !

Doug éclate de rire et gratifie le jeune homme d'une puissante tape dans le dos.

Anvers

Luc lève le nez vers la coupole qui domine la gare d'Anvers, tandis que sa sœur le presse d'avancer.

– Dépêche-toi !

– Je te rappelle que je suis alourdi par deux valises, lesquelles t'appartiennent toutes les deux.

– Ça n'est pas une raison pour traîner.

– Facile à dire lorsqu'on ne porte qu'un sac à main.

En se chamaillant avec vigueur, ils descendent la Pelikanstraat, vers la demeure des Kentzel.

Paula a tenu à ce que son frère l'accompagne. Les Kentzel parleront plus facilement à une famille qu'à la directrice du B.C.D.A., et elle espère bien créer des liens d'amitié qui favoriseront son projet. Mais elle ne peut se défaire d'une inquiétude sournoise : Luc est imprévisible, il ne se tiendra peut-être pas au rôle qu'elle lui a confié.

– Promets-moi que tu sauras te comporter convenablement...

– Je n'ai jamais demandé à venir.

– Tu as découvert les diamants Aurore, et le terrain a appartenu à notre famille pendant plusieurs décennies. Les Kentzel ont besoin de comprendre pourquoi nous nous intéressons à cette mine.

– J'aurais volontiers laissé ce coin de forêt tranquille.

– Je ne risque pas de l'oublier : tu me le répètes trois fois par jour. Pouvons-nous faire une trêve, le temps du week-end ?

– J'y penserai.

Paula menace son frère du poing, ce qui l'impressionne assez peu.

– Faisons la paix, tu veux ? Nous sommes arrivés.

Les Kentzel possèdent une belle maison ancienne, non loin du palais qu'a habité Rubens. Pinas Kentzel, le jeune, les accueille sur le pas de la porte.

– Vous arrivez en même temps que moi : je sors du taxi.

– Vous étiez en voyage ?

– Oui, chez mon oncle, qui est diamantaire à New York.

– Voici mon frère Luc. J'espère que vous n'êtes pas trop abattu par le décalage horaire ?

– J'y suis habitué. Et je n'aurais manqué cette soirée pour rien au monde. Puis-je vous offrir un verre de vin ?

Luc n'est pas très à l'aise parmi ce concert de politesses. Il sait mal jouer des rapports humains. Surtout lorsque ceux-ci engagent plusieurs millions de dollars.

Simon Kentzel, le père, les rejoint bientôt. On s'assied autour de l'imposante cheminée, carrelée de faïence bleue. La grande pièce sent le bois ciré. Les fenêtres en losanges de verre teinté filtrent le soleil couchant.

Lorsque Rachel paraît dans ce décor ancien, elle semble sortir d'un tableau. Elle porte une robe de velours. Sa chevelure acajou couvre ses épaules comme une fourrure.

Luc se sent envahi par une poignante douceur. Il ne peut détacher son regard de cette bouche tendre, de ces yeux soulignés par de longs cils.

– Ma fille..., présente Kentzel le vieux, avec fierté.

Luc ouvre la bouche, mais il ne parvient pas à articuler.

Rachel a des petits seins haut placés, une taille fine, encore juvénile. Il la détaille, la dévore du regard.

Dire qu'il a failli ne jamais la connaître ! S'il s'était écouté, il n'aurait jamais mis les pieds à Anvers et Paula a pratiquement dû le kidnapper pour l'emmener en Belgique.

Pinas ouvre les bras pour embrasser sa sœur.

– Rachel est en rupture avec la tradition familiale, plaisante-t-il. Les diamants ne l'intéressent pas du tout! Elle veut être styliste.

Paula adoucit sa voix pour cette jeune fille qui semble timide comme une biche.

– La mode vous intéresse ?

– J'aime surtout les habits pour enfants. Il y a beaucoup à créer dans ce domaine.

– Vraiment ?

– La mode pour enfants existe depuis peu. Avant, on habillait les garçons et les filles comme de petits adultes. Je voudrais les vêtir comme ils le rêvent.

Luc n'avait jamais pensé à cela et en reste comme ébloui.

Lorsque le dîner est prêt, Rachel guide les invités dans la salle à manger. Le rôle de maîtresse de maison lui revient : sa mère est morte il y a quelques années, la laissant sous la protection – étroite – de son père et de son frère.

Luc tente de dissimuler le regard dont il enveloppe la jeune fille. Il ne peut plus penser. Des images folles lui traversent l'esprit. Rachel lui rappelle ce cacao velouté et chaud dont l'odeur l'enchantait, enfant. Il voudrait noyer son visage dans cette chevelure lumineuse, se lover contre ce corps envoûtant. Il est soudain tiré de sa contemplation par le regard de sa sœur qui semble lui dire : « Ce dîner est important : tiens-toi bien ! »

Rachel le regarde à la dérobée et murmure :

– Vous n'avez pas faim ?

Malice et innocence ! Égaré, il cherche à répondre, ne trouve rien à dire, pique du nez dans son assiette. Sa sœur secoue la tête. « Il ne manquait plus que ça ! »

Après la *Sachertorte* au chocolat, Paula et les Kentzel s'isolent dans un bureau, à l'étage.

La discussion concerne la marge que les Kentzel obtiendront sur le prix de vente des diamants taillés.

Paula, aidée par JLW, a construit un dossier solide. Mais le père et le fils forment un adversaire bifide infatigable. Tout au long de la négociation, ils se relaient habilement et ce n'est qu'à deux heures du matin que les mains se joignent pour un accord solennel. Kentzel le vieux lance la formule traditionnelle, qui clôt depuis des siècles les négociations des diamantaires juifs.

«*Mazel und Broche*» : Bonheur et bénédiction.

Puis, ils redescendent vers la grande salle et, surpris, s'immobilisent sur la dernière marche. Luc et Rachel, assis à même le tapis, discutent avec animation.

Embarrassé, le petit groupe les observe un instant. Les pommettes de la jeune fille sont d'un rose soutenu, et les prunelles de Luc luisent comme celles d'un grand chat. Pinas tousse pour annoncer leur présence. Le couple sursaute. En un instant, ils sont debout. Rachel chuchote quelques bonsoirs et s'enfuit dans sa chambre. Luc s'excuse d'avoir fait veiller la jeune fille et file à son tour.

Kentzel le vieux ronchonne à voix haute et, ses dossiers sous le bras, emboîte le pas à sa fille. Pinas réprime un sourire, tout en servant un armagnac à sa nouvelle associée.

– Quel âge a votre frère ?

– Vingt-trois ans.

– Rachel a fêté ses dix-huit ans la semaine dernière. Je crois qu'ils s'entendent bien.

– C'est un euphémisme !

– Une amourette ne ferait pas de mal à ma sœur. Je crains souvent qu'elle ne mène une vie trop morne pour son âge, bloquée ici entre son père et moi. Mais je dois vous prévenir : notre famille est assez traditionaliste. Lorsque le temps sera venu, Rachel recherchera un homme appartenant au même contexte culturel et religieux que ses parents.

– Je comprends.

Paula trouve ce discours un peu déplacé : six heures après s'être rencontrés pour la première fois, Luc et Rachel n'en sont quand même pas à élaborer des projets matrimoniaux. Ce en quoi elle n'a pas tout à fait raison...

Pinas conduit à toute allure, contrôlant d'une main le volant de l'Audi familiale. La campagne flamande s'étire, plate, de chaque côté de la route.

– Notre atelier principal est à six kilomètres d'Anvers. Je crois que cette visite vous intéressera. Votre frère n'a pas pu venir ?

– Il est parti se promener avec Rachel.

– Hmmm... Je vois.

Le ton de Pinas est préoccupé.

– Luc est passionné par l'architecture flamande, continue Paula. Il n'aurait manqué pour rien au monde cette visite de la vieille ville.

Elle ment avec sang-froid, certaine que son frère ne jettera pas un regard aux façades médiévales, et se retient d'ajouter : « Ne craignez rien, il ne la violera pas au premier coin de rue sombre. »

La voiture s'arrête bientôt devant un bâtiment assez récent qui surgit au milieu des champs.

– C'est ici, dit Pinas. Nous employons près de quatre-vingts personnes. Dont nous avons connu les pères et grands-pères. Ils travaillaient eux aussi dans nos ateliers.

– Un tel système peut encore fonctionner, en plein XXe siècle ?

– C'est nécessaire : la confiance doit régner à tout prix. Ces hommes voient passer entre leurs mains plusieurs millions de dollars de gemmes chaque année. Et il n'y a aucune fouille, aucun vol. Parfois, nous embauchons quelqu'un de l'extérieur. Dans ce cas, nous passons son histoire et sa famille au crible.

Ils traversent les vestiaires qui mènent aux ateliers. Une odeur acide, déplaisante, la fait grimacer.

– Les produits chimiques, la poussière de diamants..., explique Pinas. C'est un métier sale.

L'atelier ne reçoit pas la lumière du jour. Les murs sont verdâtres, le sol est couvert de linoléum. Quelques calendriers déshabillés constituent toute la décoration. Surprenant de voir les *pin-up* de Penthouse veiller sur les bijoux qui pareront les plus belles femmes du monde... Au-dessus de chaque homme, un néon éclaire violemment l'ouvrage.

Pinas passe entre les rangées de tailleurs, expliquant les différentes étapes parcourues par le diamant brut.

– Dans ce bureau, au fond, le premier tailleur examine le diamant, ses impuretés, sa forme, et décide de la façon dont il sera taillé. Il trace les lignes de taille à l'encre de Chine, à même la pierre brute. Ici, les cliveurs fendent certains diamants en deux.

Pinas esquisse le geste d'abattre un maillet sur un minuscule cristal.

– C'est un métier qui demande des tripes, une maîtrise de soi exceptionnelle. Je connaissais le petit-fils Asscher, le rejeton d'une famille de cliveurs célébrissime. Son grand-père a clivé le Cullinan, le plus gros diamant du monde. La pierre brute a été découverte en Afrique du Sud, au début du siècle. Elle pesait trois mille cent six carats! Après moult délibérations, il fut décidé de séparer ce caillou en neuf pierres principales. On se rassembla donc autour de Joseph Asscher, le cliveur le plus fameux de son époque. Il avait étudié le Cullinan pendant de longs mois, pour décider comment tailler cette pierre fabuleuse. A l'heure fatidique, il posa la lame sur le diamant brut, à l'endroit précis où le cristal pourrait se fendre. L'assemblée retint son souffle. Il leva son maillet, frappa d'un coup sec... Et la lame explosa en morceaux! Asscher tomba raide, évanoui : la tension avait été trop forte.

Paula se demande à quoi peut bien ressembler un diamant de trois mille cent six carats. Un carat correspond à deux dixièmes de gramme, donc le Cullinan pesait, voyons, six cent vingt et un grammes. Difficile à porter à l'annulaire.

Pinas poursuit le tour de l'atelier.

– Le brutage consiste à donner à la gemme une forme arrondie. Comme le diamant ne peut être taillé que par un autre diamant, on frotte la première gemme à une autre pierre, fixée sur un tour.

Paula contemple l'artisan qui, absorbé, lui tourne le dos. Il a fixé le diamant sur une sorte de manche en bois, calé sous son aisselle. Avec des précautions infinies, il approche la pierre du tour. Pendant quelques secondes, les deux cristaux entrent en contact. L'homme vérifie à la loupe la progression du travail, puis recommence, sous un angle différent.

– A la moindre erreur, le diamant est rayé, brisé, asymétrique... Et il perd toute sa valeur. Ce doit être le métier où la micro-seconde d'inattention coûte le plus cher.

Elle frissonne : elle ne pourrait jamais supporter une telle tension physique. Une envie d'éternuer, un début de rêverie, une bavure d'un quart de millimètre, et des centaines de milliers de dollars s'envolent en fumée!

– Enfin, on polit les cinquante-huit facettes de chaque

pierre sur une meule enduite de poussière de diamant. Chaque homme est spécialisé dans un type de facettes : la « table », sur le dessus du diamant, la « couronne », autour du centre, ou le « pavillon », la partie inférieure...

– Certaines de ces pierres sont si petites qu'on peut à peine les tenir entre deux doigts, observe Paula. Comment peuvent-ils tailler cinquante-huit facettes parfaitement symétriques sur un cristal si minuscule ?

– Je l'ai fait longtemps. Regardez mes mains : déformées. Qui plus est, la poussière de diamant et la tension abîment les yeux. Mais pensez aux « petites mains » de Bombay, qui taillent les diamants, entassées par vingtaine, dans des pièces sans lumière ni aération, assises à même le sol.

Ils débouchent enfin à l'extérieur et respirent avec plaisir l'air vivifiant de la plaine.

– Il ne reste plus qu'à faire bouillir les gemmes dans du vitriol, pour bien les nettoyer. Elles sont enfin prêtes à être vendues.

La jeune femme s'aventure dans le champ qui borde l'atelier. Songeuse, elle casse du doigt quelques tiges de graminées.

– Et la *Fire Bloom* ? lance-t-elle, en observant Pinas du coin de l'œil.

Celui-ci contemple l'horizon, très plat, baigné de cette douce lumière qui inspira bien des peintres.

– Savez-vous pourquoi le diamant est si recherché, plutôt que le saphir ou le rubis ? Parce que cette pierre a les qualités optiques les plus exceptionnelles : c'est un accumulateur de lumière. Ce qui explique pourquoi la NASA l'utilise dans plusieurs programmes, comme celui de la sonde sur Vénus. Ces propriétés optiques sont plus ou moins mises en valeur par la taille du diamant. En 1919, Marcel Tolkowsky a défini la taille du brillant rond, après avoir étudié les lois de propagation de la lumière. Jusqu'à l'année dernière, c'était la taille qui donnait le plus d'éclat au diamant. Mais, après mes études de physique, j'ai travaillé sur les théories optiques les plus récentes. Et j'ai pu élaborer la *Fire Bloom.*

Cette taille est une perfection : elle permet à un diamant de chatoyer de tous ses feux, comme s'il rayonnait d'une lumière intérieure. Son coefficient de dispersion est supérieur...

– Je vous en prie ! Ne rentrez pas dans les termes techniques, je ne pourrais plus vous suivre. J'ai vu votre *Fire Bloom* et je n'ai pas besoin d'autres explications : vous avez su apprivoiser la lumière. Mais pourquoi désirez-vous répandre cette taille dans le monde entier ?

Ils sont engagés sur un chemin de terre battue, et elle a du mal à suivre les foulées nerveuses de Pinas.

– Ma famille fait partie du monde diamantaire depuis des siècles. Je crois que nous portons dans nos gènes la fascination pour cette pierre un peu magique. Je voudrais inscrire notre nom dans l'histoire du diamant. La *Fire Bloom* nous le permettra.

Le visage de Paula reste neutre. La légende du diamant est jalonnée de noms prestigieux. Cecil Rhodes, Oppenheimer, Tolkowsky, Asscher... Et tant d'autres. Serviteurs de la pierre de lumière depuis plus de cent ans, les Kentzel voudraient ajouter leur nom à la liste. Oui. Elle comprend.

Pinas reprend, d'une voix vibrante.

– Les traditions sont lourdes, difficiles à bouger. Et les acheteurs sont habitués au brillant rond. Il sera difficile d'imposer une nouvelle taille. La D.I.C. ne souhaite pas promouvoir notre *Fire Bloom*, pour des raisons prétendument stratégiques. Mais les diamants Aurore nous aideront, je crois. Il est logique qu'un nouveau type de diamant s'associe à une nouvelle taille, n'est-ce pas ?

Il se tourne vers Paula, la regarde droit dans les yeux. Elle sourit.

Cet homme est d'une intelligence remarquable, mais il court après un rêve. Sous son apparence d'homme d'affaires moderne, Pinas est un idéaliste. Dont l'ambition pourrait se révéler redoutable.

2

La sonnette se fait insistante. Paula rince son visage à l'eau glacée et sort de la douche en maugréant. On frappe à grands coups, maintenant. Un peu inquiète devant cette insistance, elle se drape dans une serviette-éponge, traverse l'appartement et entrebâille la porte.

Max la repousse, entre en trombe et se campe au milieu du salon. Jambes écartées, poings sur les hanches, il n'a pas l'air content du tout.

– Tu as effacé un mois de travail! Un mois! J'attends tes justifications et tes excuses. Vite, ou je démolis l'appartement.

– Me justifier... ?

Elle lève la tête, affronte Max du regard.

– Alors que tu décris en long et en large notre première relation sexuelle...

– C'était donc ça! Mais c'est ridicule! Une simple plaisanterie entre toi et moi.

– Je te rappelle que tu tires à quatre cent mille exemplaires. Je n'appelle pas ça une « plaisanterie » confidentielle.

– Bon Dieu, mais personne ne te reconnaîtra!

– Qu'en sais-tu? Je n'apprécie pas d'être utilisée sans mon consentement. Tu m'aurais dit dans l'avion que tu manquais d'idées pour ton prochain livre...

– Tu crois que je t'ai fait l'amour pour pouvoir écrire ce chapitre?

– Ce n'est pas ainsi que tu trouves l'inspiration pour tes scènes les plus croustillantes ?

– Mais pour qui te prends-tu ? Tu m'as jugé coupable, sans même te donner la peine de venir me parler. Et toi, la Justice faite femme, tu as décidé de sévir !

– Ça suffit !

– Tu crois vraiment que je collectionne les maîtresses, et que chacune a droit à son petit chapitre commémoratif ?

– Ce n'est ni le temps, ni le lieu d'en discuter. J'étais en train de prendre une douche, j'ai dormi quatre heures cette nuit... Ce genre de scène matinale m'amuse assez peu.

– Cela t'amuse beaucoup plus de pénétrer chez les gens pour saccager leur travail !

– La porte est derrière toi.

– Je ne m'incruste pas une minute de plus. Les personnes incapables de confiance me dégoûtent profondément.

Ils se font face un instant.

Max paraît immense. D'une chiquenaude, il pourrait l'envoyer valser à travers la pièce. Elle sent qu'il en meurt d'envie.

Elle ne reculera pas d'un pas.

Il claque la porte derrière lui.

Paula maîtrise un léger tremblement. Elle retourne se sécher, frottant sa peau jusqu'à la rendre rouge. Puis se sert un bol de café noir.

Elle a peut-être eu tort.

Elle était terriblement en colère.

Mais il est trop tard pour revenir en arrière.

Qu'il aille se faire voir.

Elle respire un grand coup, s'assoit derrière son bureau et s'attelle au courrier de la semaine.

Le château se dresse sur la plaine normande, imposant de blancheur. Les pneus de la Mustang crissent sur le gravier de l'allée. Dave Jenkins, directeur de la D.I.C. pour la France, a donné rendez-vous à Paula dans cette monumentale demeure du XVIIIe siècle, du plus pur rococo.

Le ciel humide est balayé de traînées nuageuses. Paula

retient autour d'elle l'imperméable qui s'envole. Fouille dans son sac à la recherche de ses lunettes, nécessaires pour dissimuler la trop grande jeunesse de ses traits. Puis elle avance face au vent, vers le château.

Un domestique anglais l'accueille et la précède le long des couloirs ornés de tapisseries. Jenkins l'attend dans une pièce d'angle, dont la verrière s'ouvre sur une rocaille.

– Monsieur Jenkins ? Enchantée.

Poignée de main. Rapide, mais franche.

Bien sûr, le directeur de la D.I.C. est surpris. Il s'attendait à rencontrer une femme mûre, indéfrisable laquée, tailleur Chanel et menton agressif : une Mrs. Thatcher version française. La jeunesse de son interlocutrice est un choc. C'est cette petite chose qui pose tant de problèmes au Syndicat ? Une jolie femme qui n'a pas trente ans ?

Une brassée de bois flambe dans la cheminée. Des bougies ornent les chandeliers. Sur un bureau d'époque trône un filofax tout à fait anachronique.

Une bouteille de Château d'Yquem, couverte de buée fraîche, a été placée avec deux verres sur une table basse. Jenkins n'a rien laissé au hasard.

– Quel endroit magnifique !

– N'est-ce pas ? Le château appartient à l'ancien bras droit de Jonathan Van Groot. Il nous le prête lorsqu'il s'absente. C'est pour moi un lieu de travail idéal : loin de l'agitation parisienne, avec tout le confort nécessaire pour recevoir des visiteurs.

Elle s'assoit dans une bergère, croise les jambes, accepte un verre de l'excellent sauternes.

Parfaitement à l'aise, mais calme, froide, intense, elle a revêtu l'armure mentale qui lui permet de s'imposer dans des milieux *a priori* peu ouverts aux femmes de vingt-huit ans.

Jenkins est un homme fin, un diplomate. Ce n'est pas l'argent qui intéresse Desprelles, pense-t-il. Mais le pouvoir. Il entame la discussion en conséquence.

– Connaissez-vous bien la puissance de notre groupe ? A la base, un principe simple : l'Anglo-American pour l'or, et la D.I.C. pour les diamants. Deux sociétés étroitements liées. Crise économique : les gens ont peur, ils investissent dans l'or. Prospérité : vive l'amour, les fiançailles et les diamants. Dans les deux cas, nos affaires profitent.

Oui, elle connaît l'importance de ce groupe, et c'est cela même qui la fascine. Premier producteur d'or, de diamants, de métaux stratégiques, mais aussi puissant dans les transports, l'agriculture, la finance.

Jenkins semble soudain changer de sujet.

– Nous avons trouvé votre offensive admirable. A Londres, on a le plus grand respect pour vos compétences. C'est pour cela que j'ai voulu vous rencontrer.

Elle sourit et ne dit mot.

– Une guerre entre nous serait fratricide et peu rentable. Pourquoi ne pas travailler ensemble? Croyez-moi, dans un groupe comme le nôtre, vous pourriez faire votre chemin.

Diable! Paula n'avait pas prévu cet angle d'attaque.

La complexité des ramifications internationales de la D.I.C. dissimule un pouvoir politique très réel, de niveau mondial. Un bouillon de culture pour toutes les ambitions. Johannesburg, Londres, Zurich, New York... Aurait-elle sa place au sein d'une telle structure?

Elle n'a pas réfléchi à cette possibilité et hésite, comme face à une bifurcation inattendue. Mais le nouveau chemin paraît bourbeux.

– Vous pourriez conserver une part de responsabilités dans le projet Aurore.

– Une part seulement, monsieur Jenkins?

– Vous savez pertinemment que le projet sera mieux géré par nous. Nous disposons des meilleurs experts mondiaux.

– Je n'en suis pas si sûre.

Elle pense aux Kentzel. Elle a l'exclusivité de la *Fire Bloom*, et Jenkins ne le sait pas encore.

Un maître d'hôtel traverse la pièce, précédé par les craquements du parquet, et pose une corbeille de vermeil entre Jenkins et Paula. Dave ôte la serviette damassée et propose un toast au foie gras de canard.

– Allons, vous n'avez pas besoin de songer à votre ligne..., encourage-t-il galamment.

Elle a horreur de ces coquetteries entre professionnels.

– Je n'ai pas faim, répond-elle, en maîtrisant son agacement.

« Difficile à manier, pense-t-il avec colère. Butée. Une Française, évidemment. »

– Vous me proposez donc de rejoindre votre groupe. Voilà qui est intéressant...

– Notre travail est passionnant. Grâce à nous, des nations, des cultures différentes travaillent ensemble. La D.I.C. organise une coopération internationale très utile aux pays du tiers monde. Pensez! Pendant la crise du diamant, au début des années quatre-vingt, la valeur au carat a chuté de soixante-dix pour cent! Mais notre W.S.O. a maintenu les prix malgré tout. Sans notre organisation, des pays comme le Botswana, la Namibie ou le Zaïre auraient été ruinés. A vrai dire, sans la D.I.C., le diamant serait une matière première aussi fluctuante et précaire que le cacao ou le coton.

– Les Noirs d'Afrique du Sud pensent-ils autant de bien de votre compagnie?

La pomme d'Adam de Jenkins fait deux ou trois aller-retour précipités. L'ironie de la jeune femme est difficile à supporter. Mais elle parle à un Britannique, dont le sang-froid est proverbial. Ce n'est pas lui qui haussera le ton le premier.

– L'apartheid fut un énorme problème pour la D.I.C. La famille Van Groot a milité pour des réformes libérales depuis plusieurs décennies. Laissez-moi vous dire par exemple que nous ne sommes pas étrangers à la libération de Mandela.

– Libéraux, oui... Mais jusqu'à un certain point. Lorsque l'A.N.C. a parlé de nationaliser les mines, vous avez transféré quatre-vingts pour cent de vos activités à une filiale Suisse, la D.I.C. Centenary Ltd. Officiellement, vous n'êtes donc plus une société sud-africaine, n'est-ce pas?

– Permettez-moi de vous reprendre. La Centenary Ltd n'a pas été créée pour éloigner le groupe de Johannesburg, mais pour signer un accord avec l'U.R.S.S. Pour la première fois depuis 1962, nous commercialiserons les diamants russes. Et le gouvernement soviétique ne pouvait pas signer un contrat avec une société sud-africaine, pour d'évidentes raisons politiques.

– Je ne suis peut-être pas diamantaire, mais, croyez-moi, je connais la question comme si j'étais née dans la Pelikaanstrasse. L'U.R.S.S. a rompu son contrat avec la D.I.C. après les massacres de Sharpeville. Officiellement. Officieusement, vous n'avez jamais cessé de travailler ensemble. La D.I.C. écoule la majeure partie des diamants sibériens depuis plus de vingt ans. Alors, ce contrat dont toute la presse a fait grand bruit... je le vois différemment.

Jenkins paraît soudain intéressé.

– Comment analysez-vous la nouvelle donne internationale ?

– A mon avis, l'ex-U.R.S.S. vous a fait du chantage. Le pays avait, et a toujours, désespérément besoin de cash. Deuxième producteur de diamants-gemmes au monde, ils ont pu constituer un stock. Et menacer de vendre d'un coup ces réserves de pierres, sur le marché mondial. Pour obtenir des liquidités. Votre monopole ne s'en serait pas remis. Les diamants auraient cessé d'être rares, les prix se seraient effondrés. Afin d'éviter cette catastrophe vous avez signé ce contrat. Pour vous, une réassurance de votre contrôle sur les diamants sibériens. Pour Moscou, un milliard de dollars tout de suite, plus quatre à venir.

– Votre analyse n'est pas tout à fait correcte. Une hypothèse intéressante, cependant...

– Je ne m'attendais pas à ce que vous la confirmiez.

Paula se lève et, face à la fenêtre, contemple le crachin qui fouette la campagne. Les fleurs qui tapissent la rocaille frissonnent.

– Savez-vous ce qui me fascine le plus dans ce groupe que vous décrivez ? Sa capacité de maintenir son pouvoir pendant plus d'un siècle, et de manière si discrète.

Il avait raison. Le pouvoir. Voilà ce qui motive la jeune femme. Un hameçon doré.

– Quelqu'un de votre trempe doit comprendre que ce monopole est indispensable. Sans lui, nos pierres de lumière ne seraient que des cailloux un peu bizarres.

– Je sais. Sans vous, les prix du diamant s'effondreraient. Vous avez mis en place un formidable mécanisme. Si vous l'aviez voulu, vous auriez pu faire d'un simple coquillage l'objet le plus précieux, le plus recherché du monde.

Mais vous avez choisi le diamant. Je me demande combien de gemmes vous stockez dans vos coffres-forts de Londres.

Mal à l'aise, Jenkins souhaite changer de sujet. La valeur réelle des diamants est un sujet tabou que l'on n'aborde quasiment jamais... Même à la D.I.C.

Les spécialistes plaisantent parfois sur le fait que le même diamant, évalué par dix experts indépendants, recevra dix prix différents. Mais ces prix – même s'ils varient – restent assez élevés. Que deviendraient-ils sans le soutien constant du monopole ? Il vaut mieux ne pas y penser. Paula est en position de force : les diamants Aurore sont rarissimes.

Encore faudra-t-il le faire savoir.

– Mademoiselle Desprelles, réfléchissez à ma proposition. Vos ambitions pourraient être satisfaites au sein de la D.I.C. Mais vous prendriez des risques considérables en vous obstinant. Croyez-moi : vous ne sortiriez pas vainqueur d'une guerre avec nous. Imaginez que nous noyions le lancement du diamant Aurore par une campagne publicitaire surpuissante. Imaginez que nous boycottions les bijoutiers qui acceptent les diamants roses. Imaginez que vos tailleurs de pierres vous abandonnent...

Jenkins a perdu. Il s'est laissé aller à des menaces à peine voilées. Paula ne l'écoute plus. Elle refuse un second verre de Sauternes et, au premier prétexte, conclut l'entretien.

Dehors, elle marche d'un pas vif pour rejoindre sa voiture. Ah, cet Anglais vêtu comme un banquier septuagénaire, ces jeux de pouvoir, cette diplomatie doucereuse! Rageusement, elle démarre. Comment a-t-il pu croire qu'elle se laisserait prendre à ce piège ? Elle sait pertinemment que la quasi-totalité des cadres de la D.I.C. sont des hommes, et la plupart d'entre eux juifs et anglo-saxons. Comment une jeune Française pourrait-elle accéder au pouvoir et en pénétrer les arcanes dans de telles conditions ? C'est une cage dorée qu'on lui ouvre. Rien de plus.

La route sinueuse borde une falaise. Paula en souligne à vive allure les courbes et les virages, à quelques mètres du vide. Soudain, elle freine, claque la portière et s'avance au bord d'un plateau rocheux, pour contempler la mer. En bas, les vagues, d'un gris plombé, se fracassent contre des récifs.

Leur tumulte impressionnant n'est brisé que par le cri d'une mouette qui plane au-dessus de la falaise. Elle retire ses escarpins, qui s'enfoncent trop dans l'herbe, et continue sa promenade pieds nus, le vent et la pluie fouettant son visage.

Cela fait des mois qu'elle n'a pas eu un moment à elle. « Étrange comme je peux négliger mon état physique, ou mes sentiments », pense-t-elle.

Et ceux-là tournent autour d'un seul nom : Max.

« Je l'ai fait exprès. Exprès de le rendre furieux, de faire quelque chose qu'il ne me pardonnerait pas. Mais pourquoi ? Pour l'éloigner de moi ? J'avais donc si peur de m'attacher à lui ? »

Elle masse ses bras, engourdis par le froid. La gorge serrée, elle pense à tous ces sentiments non exprimés, qu'elle a mis de côté pour avancer plus vite. Parce qu'elle n'avait pas le temps.

« Max est comme mort pour toi, à présent. Tu l'as chassé de ta vie. Ce n'est plus la peine de penser à lui. »

Elle respire profondément et jette un dernier regard vers l'écume qui éclate à ses pieds, une centaine de mètres plus bas.

Puis elle retourne à sa voiture et fonce vers Paris.

Quand elle arrive au cœur de la capitale, il n'est que dix-sept heures. Aucun rendez-vous ne l'attend et elle se sent libre d'un coup. Pourtant, elle ne peut s'empêcher de rêver à Max. Une nostalgie imbécile : après tout, elle le connaît à peine, et il s'est conduit d'une manière révoltante.

Bien décidée à contenir sa déprime, elle choisit de s'offrir cette fin d'après-midi. Et tout le contenu des vitrines de Saint-Germain, si cela la tente.

Elle pousse la porte d'une boutique luxueuse. Quatre ou cinq paires de chaussures sont exposées sur des socles de granit, dans un décor qui évoque plus une galerie d'art qu'un marchand de souliers.

La vendeuse est quelque peu surprise par l'apparition de la jeune femme : sa chevelure et ses vêtements sont encore humides de pluie, et ses pieds laissent des marques boueuses sur les dalles de marbre.

Visiblement, le carnet de chèques de Paula, lui, n'est pas tombé à l'eau. En moins de dix minutes, elle achète une paire de salomé cloutées d'or, des sandales à lanières, et des escarpins mandarine.

Dans la boutique voisine, elle craque pour des draps grand-mère bien épais, qui râpent un peu. Et des caleçons en soie peau de pêche. Un quart d'heure à la librairie, dont elle sort les bras chargés d'une pile de romans, et un passage à la Maison du Chocolat, pour un sac de macarons, croustillants dehors et fondants au cœur.

De retour chez elle, Paula lâche les paquets à même le sol, éparpille les papiers de soie, un peu, pour apercevoir les contenus. Ce genre de shopping frénétique ne lui ressemble pas.

Elle pense encore à Max, et cela ne lui ressemble pas non plus.

Elle hausse les épaules, s'étend sur sa couette et s'endort tout habillée.

Brooklyn Heights, USA

La cuisine est typiquement américaine. Un frigidaire monumental, qui se ferme avec le bruit mou d'une portière de Cadillac, une table ronde autour de laquelle la famille se rassemble, une porte qui donne sur le jardin.

Kitty, la femme d'Alex, débarrasse le plat de dinde et de brocolis, branche la cafetière électrique et s'éclipse.

Alex Kentzel contemple Pinas avec gravité. Il est toujours heureux de recevoir la partie belge de la famille, et il voue une affection particulière au jeune homme. Mais cette fois-ci, la visite de son neveu prend une dimension différente. Car il s'agit de se prononcer sur le sort des diamants Aurore. Et, contrairement à Pinas, Alex préférerait que l'atelier d'Anvers se contente des diamants traditionnels.

Pour l'instant, le jeune homme raconte des histoires belges en croquant des cookies faits maison. Face à lui, Irving, le fils d'Alex, lit *Portnoy et son complexe*, de Roth.

« Petit con provocateur », pense Pinas. Bien sûr, lui aussi a lu ce bouquin et l'a trouvé drôle. Mais il l'a laissé chez une maîtresse, pas chez son père.

Pinas a peu de respect pour les jeunes Américains en général, et pour Irving en particulier. L'éducation très libérale de son cousin est aux antipodes de celle qu'a reçue Rachel.

Il détourne son regard, et s'adresse à son oncle.

– Tu as l'air soucieux...

– Un peu. Le jeune Berlin a été viré du Syndicat.

– Il ne pourra plus assister aux vues de la D.I.C. ?

– Non. On l'a entendu critiquer l'organisation de manière très acerbe, et cela s'est reproduit plusieurs fois. La semaine dernière, à Londres, sa boîte contenait deux fois moins de diamants que d'ordinaire. Des pierres sans valeur, que le Syndicat lui a facturées trois fois le prix habituel, soit près de quatre millions de dollars. Il n'a pas pu payer, évidemment. Sa société est en liquidation.

– Pauvre Harry. Saborder l'affaire familiale d'une telle manière...

Irving, peu intéressé par le tour que prend la conversation, quitte la pièce. Son cousin en est soulagé.

– Pinas, te rends-tu compte que, en traitant avec les diamants Aurore, tu nous mets aussi en péril ?

– Crois-tu que le Syndicat te rayerait de ses listes, après trente ans d'amitié ?

– Ils n'hésiteraient pas une minute.

Le jeune homme se renverse sur son siège, fixe son oncle du regard. Il a prévu le problème. Autrement il ne serait pas là.

– Je ne conclurai rien de définitif sans ton accord. Je veux que tu le saches. Mais réfléchis : ni mon père, ni moi n'avons jamais été sélectionnés par la D.I.C. Donc nous risquons peu. Ils peuvent faire pression sur toi, c'est vrai. Tu as la chance d'être fourni directement en diamants bruts par la W.S.O., et ils pourraient couper l'approvisionnement de ton atelier. Mais tu es à quelques années de la retraite, et il est douteux qu'Irving reprenne ton affaire. Alors ? Tes vues à Londres sont comptées. Tu as peut-être intérêt à t'associer à nous, pour lancer la *Fire Bloom*, et le diamant Aurore.

Alex se lève pour fermer la fenêtre. Le courant d'air menace d'éteindre les deux bougies allumées par sa femme. Vendredi soir, deux bougies posées sur un coin du buffet, pour se souvenir de ses frères, emportés par le carnage des années 40. Il se recueille un instant.

Depuis le salon parvient la voix excitée du commentateur d'un match de base-ball.

– Laisse-moi réfléchir à tout cela. Et puisque tu parles de l'avenir de mon atelier, j'aimerais te soumettre une idée. Irving ne sera jamais diamantaire, c'est exact. Et toi, tu hériteras de l'atelier d'Anvers. J'aimerais léguer mon affaire à Rachel.

– Rachel ?

– Oui, à elle... Et à son mari. Le fils cadet des Grossman a vingt-sept ans, c'est déjà un bon cliveur, et il vient de finir son M.B.A. à l'université de New York. Ses parents ont un atelier, à l'angle de la Quarante-septième Rue et de la Cinquième Avenue.

Alex place les assiettes dans la machine à laver, sort deux Budweiser du frigidaire.

Pour Pinas, l'idée du mariage de Rachel est déplaisante. De toute façon, elle est beaucoup trop jeune.

– On verra.

– Tu ne trouves pas que c'est une bonne idée ? Devoir vendre l'atelier que j'ai fondé, cela m'achèverait, je crois.

– Ne dis pas de bêtises. Rachel n'est encore qu'une enfant.

– Mais puisqu'elle vient étudier à New York, vous m'autorisez à la présenter à la famille Grossman ?

– J'en parlerai à mon père. Je suis sûr qu'il n'y verra pas d'inconvénients. Au contraire. Et de ton côté, pense à ce que je t'ai dit à propos de la D.I.C.

– Oui. Mais je suis fier de toi. La *Fire Bloom* est un chef-d'œuvre. Et ton ambition pour notre famille me réchauffe le cœur.

Pinas sourit, attrape un sachet de pop-corn et passe dans la pièce voisine pour assister à une victoire des Mets.

Alex reste seul dans la cuisine, face aux deux bougies qui tremblent dans l'air du soir.

Ses plans pour le futur risquent d'être bouleversés. Son atelier de taille, en plein Manhattan, jouit d'une excellente réputation. La D.I.C. lui vend des gemmes de qualité. Il comptait léguer cela à Irving ou, si l'allergie de celui-ci pour les pierres précieuses se confirmait, à Rachel et son mari. L'accord de son frère et de son neveu avec Paula Desprelles tombe comme un pavé dans la mare. C'est l'œuvre de sa vie que Pinas lui demande de mettre en danger.

Mais Alex Kentzel est tout à fait capable de changer en vingt-quatre heures des plans auxquels il travaille depuis des décennies. Il a bien compris la situation : l'ambition de Pinas, la taille *Fire Bloom* et l'exclusivité des diamants Aurore forment un cocktail redoutable. Qui pourrait se révéler, à long terme, plus intéressant pour la famille.

Ironique que ce soit lui, Alex Kentzel, qui ait mis en contact la D.I.C. et Salzdji, pour discréditer les diamants Aurore. Voilà quelque chose qu'il ne mentionnera pas à son neveu. D'autant plus que l'affaire a mal tourné, d'après ce qu'il a compris. On a parlé d'un mort à la mine zaïroise. Il regrette d'avoir été impliqué dans cette histoire, qui l'oblige à garder un secret vis-à-vis de sa famille.

Mécaniquement, il compte les vitamines et le magnésium que sa femme lui ordonne de prendre. Dispose les pilules en ligne sur la table.

A vrai dire, ses sentiments vis-à-vis de la D.I.C. sont mitigés... Pendant la guerre, Alex travaillait au War Production Board. L'O.S.S., l'ancêtre de la C.I.A., enquêtait alors sur la compagnie, et il avait prêté une oreille attentive aux rumeurs qui circulaient à son propos.

Le problème était simple : l'Allemagne avait désespérément besoin de diamants industriels pour soutenir son effort de guerre. Radars, circuits électroniques et production massive d'armes sophistiquées ne pouvaient se concevoir sans les gemmes les plus dures du monde.

L'ensemble de la production mondiale était sous le contrôle étroit de la D.I.C. Mais Hitler disposait de tous les diamants dont son industrie avait besoin.

Alors ? Hypothèse logique : la D.I.C. aurait fourni les puissances de l'Axe en diamants industriels. Selon l'O.S.S., une filière remarquablement organisée faisait passer les pierres, des mines du Congo à Berlin, en transitant par Tanger. Les diamants voyageaient dans des colis de la Croix-Rouge. L'Allemagne payait vingt-six dollars le carat, soit trente fois le prix normal. Une bonne affaire pour la D.I.C., qui manquait de liquidités après la crise des années 30. Pour une société dirigée par des juifs, ce trafic était troublant.

L'enquête ne fut jamais conclue. Les soupçons de l'O.S.S. furent conservés à l'abri des regards, dans des dossiers top secret enfouis dans les archives... Malgré ses doutes, Alex a travaillé pendant trois décennies avec la D.I.C. Mais ce soir, face aux bougies, ces souvenirs pèsent d'un poids certain dans la balance.

Le visage entre les mains, Alex soupire.

Il a beau tenter de louvoyer, la route à prendre est claire. Il faut laisser le champ libre à Pinas.

Il acceptera l'accord qui lie sa famille aux diamants roses.

Le siège du B.C.D.A. résonne d'une activité fébrile. Louis et Hélène ont quitté les parfums Moras pour venir travailler avec Paula. Ils errent dans les couloirs, chargés de dossiers qu'ils ne savent où poser. Les secrétaires enjambent en gloussant des ouvriers qui posent la moquette. Deux vigiles examinent la salle des coffres, guidés par JLW, quelque peu impressionné par les Dobermans tenus en laisse courte. Le nouveau directeur financier appelle le Zaïre, tout en expliquant par signes aux déménageurs, chargés de palmiers en pot, qu'il est allergique aux plantes vertes.

Au second étage, Paula domine toute cette agitation. Pinas Kentzel, en visite, admire la vue plongeante sur les jardins du Luxembourg.

– Ne vous inquiétez pas, Pinas. Rachel sera ici chez elle.

– Elle a tellement insisté pour venir à Paris. Je suis heureux que vous acceptiez de la recevoir. Elle a besoin de vacances avant de commencer ses études de stylisme.

– A New York, c'est cela ?

– Oui. Elle étudiera à la Parson School of Design. Ce qui se fait de mieux, d'après ce que j'ai compris. Notre oncle est diamantaire à Manhattan. Il prendra soin d'elle.

– Vous êtes une vraie mère poule !

– Ah ! je sais. Mais je n'ai qu'une sœur...

Paula lui tend les derniers papiers à signer, puis se

dirige vers le petit percolateur en acier qu'elle a fait venir d'Italie.

– Je crois que nous avons assez travaillé pour aujourd'hui. Un café ?

– Volontiers.

Il paraphe chaque page de leur accord, puis replace son Mont Blanc dans la poche de sa veste. Le bureau comprend un petit salon, pour les réunions plus informelles. Assise sur le canapé, Paula prépare les tasses.

– Il y a un point qui chatouille ma curiosité depuis quelque temps, dit-elle. Je me demandais si vous pourriez me renseigner.

– Lequel ?

– Il me semble que les personnes de religion juive disposent d'un quasi-monopole sur l'industrie diamantaire. Y a-t-il une raison précise à cela ?

– C'est une question intéressante, qui mérite plusieurs réponses.

– Nous avons tout notre temps. Cette machine a besoin d'un quart d'heure pour distiller trois gouttes de café.

– Dans ce cas, je commence mon récit au Moyen Age. A l'époque, les Guildes bannissaient les juifs de la plupart des corps de métiers. La taille des diamants était l'une des rares activités autorisées. L'autre métier permis aux juifs était celui de prêteur. Souvent, des pierres précieuses étaient laissées en gage. La plupart des juifs de l'époque n'avaient donc pas le choix : tailleurs de gemmes ou usuriers, ils s'occupaient dans les deux cas de diamants.

– Passionnant.

– Il existe une seconde raison – essentielle – à l'intérêt des juifs pour le diamant : c'est une industrie éminemment transportable. Elle ne nécessite que quelques outils et du talent. Les gemmes sont un bien qu'il est facile de dissimuler sur le corps. Elles s'échangent contre argent comptant dans tous les pays d'Europe. Pour un peuple habitué aux fuites précipitées, c'est l'activité idéale : une mallette, une poignée de pierres brutes, et voici tout un atelier prêt à passer les frontières.

Kentzel junior est trop nerveux pour rester assis bien longtemps. Paula le suit du regard, alors qu'il arpente la pièce à grands pas.

– Pendant l'Inquisition, cet aspect de l'industrie se révéla crucial : tous les tailleurs d'Espagne émigrèrent et transformèrent Amsterdam en nouvelle capitale européenne du diamant. Ils se déplacèrent ensuite plusieurs fois : Londres, puis maintenant Anvers. Et, lorsque récemment le gouvernement belge a voulu mettre son nez dans les petits trafics des diamantaires, ceux-ci ont menacé de déménager pour New York ou Tel-Aviv. Il suffirait d'une semaine pour qu'un secteur économique qui représente un chiffre d'affaires de cinquante milliards de francs ait quitté le pays. Autant vous dire que Bruxelles fiche maintenant une paix royale à notre industrie qui, de plus, est exonérée de T.V.A. et paie un impôt forfaitaire sur le revenu.

– Vous allez me faire changer de métier...

– Je crains que cela ne soit difficile, si vos père et grand-père ne faisaient pas déjà partie de la « confrérie ».

– Vous-même, Pinas, savez-vous depuis combien de temps votre famille travaille le diamant ?

– Depuis toujours ! J'imagine mes ancêtres achetant les pierres brutes qui arrivaient des Indes, par les caravanes d'Arabie, au XVe siècle. Et puis à Venise, où les marchands juifs revendaient les pierres aux cours royales européennes.

Elle éclate de rire.

– Sérieusement ?

– Pourquoi pas ? En toute honnêteté, notre arbre généalogique est un peu confus. On trouve des Kentzel en Belgique à partir du XVIIIe siècle. Ils achetaient des diamants brésiliens pour les revendre à la famille Oppenheimer, experts diamantaires de la cour royale de Vienne.

– Un sucre ?

– Non, merci. En 39-45, deux frères de mon père ne sont pas revenus de déportation, et l'atelier a pratiquement fait faillite. Après la guerre, mon père a connu quelques rudes années. Grâce à sa réputation d'expert, il a pu rassembler une excellente équipe de tailleurs et cliveurs. La tradition familiale a pu se poursuivre. Dans le diamant.

Pinas paraît ému par l'histoire de sa famille : il vit profondément ses racines. Pour Paula, qui se sent comme une bulle posée par hasard sur le XXe siècle, cette lignée est fascinante.

Le soir tombe et les bureaux autour d'eux deviennent soudain plus calmes. Pinas s'apprête à partir, mais Paula le retient d'un geste. Elle ne va pas laisser son nouvel associé passer une soirée solitaire, à l'hôtel.

– J'ai oublié de vous prévenir. J'ai déjà disposé de votre temps. Dîner chez *Le Doyen*, puis Schnitzler à la Comédie-Française. J'espère que vous ne m'en voudrez pas ?

– Je comptais profiter de la soirée pour m'encanailler à Pigalle..., fait-il avec un regard malicieux.

– Pas de problème, jeune homme. Nous visiterons les quartiers chauds après le théâtre, voilà tout.

Et c'est Kentzel junior qui rougit.

Paula a enfin réussi à attraper JLW au vol. Il a été très pris, du Japon à la Chine en passant évidemment par Zurich. A voir son visage congestionné, on pourrait croire pourtant qu'il regrette d'avoir fait escale à Paris.

– Vous n'y pensez pas ! s'écrie-t-il. C'est un budget énorme !

– Énorme n'est pas le mot juste. C'est un budget, disons, important.

– Je ne pourrai jamais négocier une telle somme avec nos banques ! Sans même parler du Zaïre...

– Mais si. Votre talent et votre habileté convaincront ces messieurs de signer un gros chèque. Comme d'habitude.

– C'est tout à fait déraisonnable.

Paula vient de soumettre au financier le prix de la campagne publicitaire qui lancera les diamants Aurore. L'emportement de John dépasse toutes ses prévisions. Pourtant, le Chinois est habitué à voir défiler des budgets de dimensions planétaires. Elle est convaincue que quelques zéros après une malheureuse unité ne l'effarouchent pas réellement. L'homme en a vu d'autres. En vérité, JLW comprend mal que l'on puisse investir de telles sommes en publicité.

Après tout, ce budget est inférieur à la plupart des comptes qu'il gère en Suisse... Il tapote avec indignation sur son ordinateur de poche. Sereine, Paula range ses dossiers : rose pour les classeurs financiers, bleu pour le juridique, gris souris pour les affaires diplomatiques.

– Croyez-moi, John. J'ai étudié le rôle de la publicité dans le lancement du diamant. C'est grâce à la pub que cette pierre-là, et pas une autre, est considérée comme le symbole de l'amour.

– Eh bien justement ! Cela fait des siècles que le diamant est connu du monde entier. Qu'avez-vous besoin de faire de la publicité ? Quelques pages dans les magazines de mode, et le tour est joué !

– Vous êtes un financier remarquable, mais un piètre homme de marketing. Cela tombe bien : vous avez eu la chance de me rencontrer, et nos talents se complètent à ravir.

Elle réprime un fou rire : le Chinois est furieux d'être traité si légèrement. Mais elle n'a pas l'intention de se mettre à genoux pour quémander quelques millions. Après tout, John est aussi intéressé qu'elle à la réussite du projet. Et cette réussite passe par une publicité massive, dans toute l'Europe, elle en est convaincue.

– Faites-moi confiance. Et sachez qu'on ne parle pas du diamant depuis des siècles, comme vous dites. En fait, au début du XXe siècle, le diamant était une pierre précieuse comme toutes les autres, et ne valait pas mieux qu'un saphir ou qu'une perle.

– J'ai toujours cru que les diamants faisaient partie de l'histoire des fiançailles.

– Ce n'est pas exact. Les femmes préféraient souvent recevoir une étole en fourrure, une broche en corail, ou un collier de perles... Les ventes de diamants dépendaient des caprices de la mode. Ce que la D.I.C. jugea bientôt inadmissible. Le Syndicat s'était engagé à écouler l'ensemble de la production mondiale. Il décida d'agir. La D.I.C. confia à l'agence de publicité N.W. Ayer le soin de manipuler la psychologie collective, pour placer le diamant au-delà des modes. Comment ? En faisant de ce caillou le symbole obligatoire de l'amour. Ce fut une réussite totale. En quelques années, il devint inconcevable d'épouser une femme sans lui avoir préalablement offert un diamant. Aussi petit soit-il.

– La ruine pour les hommes...

– N.W. Ayer reste aujourd'hui l'agence de publicité américaine de la D.I.C. En dehors des États-Unis, c'est l'agence J. Walter Thomson qui gère le mythe du diamant « éternel ».

– Et à qui désirez-vous confier notre budget ?

– A personne.

– Vous ne comptez quand même pas tout faire vous-même ?

– Non, pas tout à fait. Mais je crains la réaction de la D.I.C. Quelle que soit la somme que vous m'accorderez, leur budget publicitaire sera toujours dix fois plus puissant. La plus grande confidentialité est donc de rigueur. Pour garder le lancement aussi secret que possible, nous ne ferons pas appel à une agence de pub. Tout se fera dans nos bureaux, par une équipe que nous aurons recrutée.

– Vous avez tout planifié, comme d'habitude. Il ne vous manque plus que quelques centaines de millions.

– A peine le prix d'un petit jet privé.

– Seigneur !

– Faites-moi confiance. Chaque centime que je vous demande est indispensable.

Elle lui jette un regard sincère, compétent, irrésistible.

– Cessez de me regarder ainsi. Vous auriez dû être actrice !

JWL empoche le devis en grimaçant. Les diamants Aurore sont un investissement plus coûteux qu'il ne pensait. Mais une fois le doigt mis dans l'engrenage...

QUATRIÈME PARTIE

Sous le signe d'une star

1

Après enquête, Paula a choisi de débaucher l'un des meilleurs créatifs de la place de Paris, Felix Dobert. C'est un familier du budget de la D.I.C. Il travaille à la J. Walter Thomson. Lui seul saura imaginer la publicité du diamant Aurore.

Elle a choisi de rencontrer Felix pour la première fois au cœur même de la concurrence, chez la Walter Thomson.

Au dernier étage d'un immeuble de la rue Daru, la réceptionniste secoue ses boucles d'oreilles en forme de sphinx.

– Felix Dobert ? Je crois qu'il est à l'extérieur.

– J'ai rendez-vous, il devrait être ici.

– Veuillez patienter quelques instants.

Elle reste debout, contemple les allées et venues des coursiers chargés de plis sur lesquels le mot « URGENT » est souligné trois fois. Des créatifs en jeans et catogans traversent la pièce d'un air préoccupé. Les murs sont couverts de miroirs qui reflètent l'activité ambiante.

Un petit homme rond s'approche d'elle, presque dissimulé par son carton à dessins. Une étincelle de malice semble flotter en permanence dans les yeux de Felix Dobert.

– Mademoiselle Desprelles ?

– Enchantée de vous rencontrer.

– Pas autant que moi ! Je rêve de travailler sur le parfum Bulle depuis que vous l'avez lancé.

– A vrai dire, il ne s'agit pas de Bulle. Pourrions-nous parler en privé quelques minutes ?

Elle l'entraîne au-dehors. Près de l'église russe aux bulbes dorés, elle a repéré un restaurant qui lui semble idéal pour une discussion tranquille.

Elle observe le publicitaire : une boule d'énergie sympathique et pétillante. Elle laisse son plus joli sourire monter à la surface.

A cette heure de la matinée, *A la ville de Petrograd* est désert. Ils prennent place près de la vitrine encombrée de plateaux et de boîtes à thé ukrainiennes. Une femme en tablier leur sert deux verres de vodka, et une assiette de cornichons.

Felix, dont le café au lait-croissant n'est pas très loin, tente de faire bonne figure. Il est de plus en plus interloqué. Que lui veut cette jolie femme ?

– Avez-vous entendu parler de ceci ? demande Paula en posant sur la table le dossier de présentation des diamants Aurore.

– Cette nouvelle pierre trouvée au Zaïre ? Un peu...

– Ce diamant est rose. Il est exploité depuis Paris, indépendamment de la D.I.C., par un organisme zaïrois dont je suis la directrice.

Le cruchon de vodka est pris dans un bloc de glace, et l'alcool est épais comme une crème. Felix se laisse tenter.

– Nous voulons faire de cette pierre un symbole amoureux plus moderne que le diamant classique.

– « Un diamant est éternel »... Croyez-vous que l'on puisse créer un meilleur slogan ?

– J'en suis certaine. Dans les grandes villes, le taux des divorces atteint cinquante pour cent. Alors, l'éternité, je ne sais pas si les jeunes y pensent beaucoup. Aujourd'hui, l'amour doit être authentique, intense. Le mariage, les rites officiels, tout cela fait peur. Avec le diamant rose, nous voulons créer une nouvelle preuve d'amour. Une preuve de passion.

– Une bague que l'on pourrait offrir pour dire « Je t'aime vraiment », et non « Je veux bâtir un foyer avec toi, et tu seras la mère de mes enfants » ? Une bague de concubinage en quelque sorte ?

– C'est tout à fait cela, répond Paula, étonnée de la rapidité avec laquelle Felix a deviné le message qu'elle veut faire passer. Elle s'interrompt pour porter le verre à ses lèvres. Ses yeux argent sont posés sur le petit homme.

– Soyez notre directeur artistique : votre prix sera le nôtre. Croyez-moi, la création de cette campagne sera une expérience unique.

Felix réfléchit à toute allure. Il ne s'attendait pas à cela. Il a une femme, un bébé, il vient d'acheter une maison. La perspective d'ajouter quelques zéros à son salaire annuel n'est pas pour lui déplaire. Mais les risques ne sont pas négligeables.

Intuitivement, Paula suit les pensées du créatif. Il faut le rassurer.

– Passez donc nous voir au siège, propose-t-elle. Vous vous ferez une meilleure idée de notre société. Nous en reparlerons au calme.

Les bulbes dorés de l'église orthodoxe luisent sous le soleil parisien. Felix a la tête qui tourne, et se demande s'il ne rêve pas. Une bague de concubinage. Un diamant pour la nouvelle génération... Insensé !

– D'accord. Je passerai vous voir, finit-il par dire, en levant son verre pour saluer la jeune femme.

Paula jure entre ses dents, en contemplant l'intérieur désespérément vide de ses placards. Rachel retient un sourire. Cette cuisine semble sortie d'un magazine : pas la moindre miette de pain, pas la plus petite tache de sauce pour témoigner qu'un jour on a préparé ici quelque chose de comestible. L'impression se confirme lorsque Paula ouvre le frigidaire : vide blanc, polaire. Tout au fond trône un sachet de salade prénettoyée, accompagné de l'inévitable bouteille de vinaigrette toute prête.

Pas vraiment de quoi festoyer pour la première soirée parisienne de la jeune Kentzel.

– J'aurais dû y penser. Je suis désolée, je n'ai pas mis les pieds dans un supermarché depuis des décades.

– Es-tu sûre de manger quelquefois ?

– Cela m'arrive, effectivement. Mais rarement ici. Que

dirais-tu d'aller dîner dehors ? Je connais un endroit charmant près d'ici. On passera prendre Luc au passage.

Le cœur de Rachel fait un bond, mais Paula ne remarque pas la rougeur soudaine de la jeune fille.

Neuf ans séparent les deux femmes. C'est peu : elles sont habillées de manière semblable – jeans, large veste noire pour Paula, pull sombre pour Rachel – et se sentent déjà très proches.

Paula gare sa Mustang contre le trottoir.

– C'est ici. Luc habite un cinquième sans ascenseur : je vais le chercher, mais tu peux m'attendre en bas.

La portière claque derrière la jeune femme qui s'engouffre sous une porte cochère. Rachel ferme les yeux. Une boule d'angoisse, au fond du ventre, l'empêche de sourire. Vite, elle fait bouffer sa chevelure. Raté : maintenant, elle est toute décoiffée. Elle se repeigne, jette un coup d'œil dans le rétroviseur pour vérifier le résultat et s'efforce de retrouver son calme en respirant lentement. Et si Luc descendait accompagné d'une autre fille ? Une ravissante comédienne suédoise, par exemple. Nerveusement, Rachel se mordille les lèvres quand elle voit la porte cochère s'ouvrir.

Paula sort en riant. Luc approche, sourit. Pas de Suédoise à l'horizon.

– On y va à pied ? suggère Paula.

Luc comptait embrasser Rachel mais la jeune fille lui semble froide, lointaine. Surpris, il garde ses distances.

Le restaurant *Chez Marianne*, à l'angle de la rue des Hospitalières-Saint-Gervais, fait aussi fonction d'épicerie. On y trouve du saumon fumé, des bocaux d'olives à la grecque, des cornichons russes et des paniers de noix de cajous.

La table est éclairée par un photophore. Luc, ses deux larges mains posées sur le bois, observe Rachel. Elle semble perdue dans la contemplation de sa fourchette. La lueur des flammes fait étinceler ses yeux de velours.

Ils commandent des blinis et de grandes assiettes de tarama, *tadziky, falafel*... Paula, tout en feuilletant le menu, tente de ranimer une conversation moribonde.

– Luc a dû te raconter comment il a découvert la mine Aurore. Non ? Il est parti se balader cinq mois dans la forêt équatoriale. Un vrai film d'aventures! A propos de films, il faut songer à occuper tes soirées. Il y a un cinéma au coin de ma rue, mais si tu préfères le théâtre...

Brusquement, elle s'interrompt.

Silence autour de la table.

– Que se passe-t-il ici? interroge Paula. Vous êtes muets, tous les deux. J'ai dit une bêtise?

Rachel rougit.

– Je suis désolée, dit-elle. Je ne suis pas habituée à parler français. Chez moi, on parle surtout le flamand.

Luc l'interrompt.

– Mais ton français est parfait! C'est moi qui suis un peu morne ce soir.

– Bon! Vodka pour tout le monde, cela déliera les langues.

Dans la salle de réunion du B.C.D.A., la tension monte, alors que JLW, l'air pincé, jette un énième coup d'œil à sa montre.

– Dans les affaires, la ponctualité est un principe sacro-saint.

– La ponctualité, chez un créatif de pub! Et pourquoi pas le sens de l'humour chez un banquier?

John hausse les épaules, vexé. Créatif ou pas, ce Felix a vingt minutes de retard. Sa Bretling ne ment pas.

Felix a passé trois semaines enfermé chez lui, à travailler jour et nuit. Pendant trois semaines, sa femme lui a servi le dîner dans son studio. Au début, salade au foie gras avec un sourire. A la fin, croque-monsieur surgelé et mine boudeuse. Au téléphone, il a confié : « Il est temps que le *brain storming* s'arrête. Ma famille n'en aurait pas supporté davantage. »

Enfin, le petit homme pénètre dans la pièce. Son complet noir est égayé par une cravate de soie mauve, brodée de chevaux de courses à la Degas. John retient un hoquet devant cette audace vestimentaire. Insensible à la tension créée par son retard, Felix prend le temps de disposer autour de lui crayons, papier et tasse de café, puis ouvre lentement son carton à dessins.

– Il y a un mois, Paula m'a demandé de résoudre un problème, commence-t-il. Celui de la publicité pour un nouveau type de diamants. Je suis venu vous soumettre une solution, ou – plutôt – une idée.

– Pas trop tôt, murmure le Chinois en croisant ses petites mains manucurées.

– Vous m'avez demandé d'exprimer l'amour moderne, en évitant l'aspect « croqueuse de diamants » de certaines pubs D.I.C. Un diamant qui ne parle pas de compte en banque ni de mariage, mais de sentiment intense. J'en suis arrivé à cette conclusion : il ne faut pas montrer un couple. Dès qu'un couple apparaît à l'écran, on tombe dans la caricature amoureuse : soleil couchant, violons vénitiens, publicité pour préservatifs. Non. Il faut mettre en scène une femme, seule. Au moment où la passion la traverse, comme une révélation fulgurante. L'homme n'est pas loin : il vient d'appeler, d'écrire, il va arriver... Et ils ont décidé, tous deux, de donner une chance à leur amour.

Incorrigible romantique, Hélène, la collaboratrice de Paula, laisse échapper un long soupir.

– Mais nous avons un problème crucial à résoudre, continue Felix. En trois mois, toute l'Europe doit connaître le diamant Aurore : une pierre très différente du diamant classique. Une révolution dans les pierres précieuses pour exprimer la révolution des rapports amoureux.

Le visage entre les mains, Paula ne quitte pas le publicitaire du regard.

– Nous devons frapper très, très fort. Sinon, le public confondra tous ces diamants. Il nous faut donc un coup d'éclat...

Felix laisse ses paroles en suspens, puis reprend.

– Une star... C'est une star dont nous avons besoin. Une star qui symbolise le romantisme d'aujourd'hui. Il y a cinquante ans, la D.I.C. n'a pas procédé différemment : elle a noyauté Hollywood. De Claudette Colbert à Marilyn, en passant par Liz Taylor, les plus grandes actrices ont prouvé au public que le diamant était une pierre magique, désirable. Plus gros le diamant, plus profonde la passion : Richard Burton connaît cette dialectique sur le bout des doigts.

« *Diamonds are a girl's best friend,* comme chantait

notre blonde préférée. Au-delà du cinéma, la D.I.C. sponsorise les mariages princiers, comme ceux de la famille royale d'Angleterre. Et distribue aux journalistes toutes les informations croustillantes sur les bijoux des célébrités. Nous devons faire mieux ! Toute la presse européenne doit se faire l'écho de notre découverte : en plein XXe siècle apparaît un nouveau diamant qui exprime la passion moderne. Voilà pourquoi nous avons besoin d'une star : pour apprivoiser la presse et faire rêver les midinettes.

JLW jette un coup d'œil à Paula. La pub n'est pas son métier, mais l'argumentation du petit homme paraît convaincante. Elle prend quelques notes, sans parler, et fait signe à Felix de poursuivre.

Celui-ci dispose une quinzaine de portraits sur la table.

– J'ai sélectionné des femmes jeunes, modernes, dont l'image est restée pure. Des danseuses, des chanteuses de renommée internationale, une princesse, des actrices... Et elle.

La main de Felix se pose sur une photo.

– Elle incarnerait le diamant Aurore à la perfection.

« Elle », c'est Johanna Millicent Kale, vingt-six ans, un oscar, un grand prix d'interprétation au festival de Venise. Un visage royal, des yeux d'or uniques au monde.

Les journalistes disent d'elle : « Johanna Kale renoue avec la tradition des superstars d'autrefois : après Ava Gardner, Vivien Leigh, Grace Kelly, cette fin de XXe siècle paraissait morose. Mais maintenant, nous sommes comblés. » « Johanna joue comme elle vit : baignée de mystère, de sensualité, fragile, somptueuse. » « Une femme de rêve, doublée d'une bête de scène : nous assistons à la naissance d'un mythe. »

Paula se sert un café noir.

– Que sait-on d'elle ?

C'est Hélène – spécialiste des commérages mondains – qui répond :

– Elle a été veuve très jeune. Une histoire affreuse dont je ne me rappelle plus les détails. Son mari est mort dans un accident, elle n'avait pas vingt ans. Depuis, une vie privée sans tache : elle se fait escorter par de vieux lions grisonnants, têtes couronnées ou acteurs de la génération précédente. Pas d'amants, pas de scandale. Une travailleuse acharnée.

Felix hausse les épaules.

– Je me rends bien compte que nous n'obtiendrons jamais Johanna Kale. Mais c'est le modèle de femme vers lequel il nous faut tendre.

Paula feuillette les photos et les coupures de presse. A l'heure actuelle, Kale est probablement la plus belle femme du monde. Elle ne porte aucun bijou : juste une chaîne d'or à son cou, à laquelle est suspendue une alliance. Un corps de danseuse. Un style résolument moderne, empruntant aux meilleurs créateurs japonais. Une vie menée à la force du poignet, avec du caractère et de l'éclat.

– Et pourquoi pas..., murmure-t-elle.

– Pardon ?

– Pourquoi pas ? Elle est parfaite.

– Ne rêve pas : elle ne fait pas de publicité. Et même si elle en faisait, nous ne pourrions jamais la payer à son juste prix.

– Je sais bien. Il faut qu'elle travaille pour le diamant Aurore... Parce qu'elle en aura envie.

– Tu crois encore aux contes de fées.

– Mais non. Laissez-moi huit semaines. Dans huit semaines, Johanna Kale sera assise ici, à droite de Felix.

Tous lui lancent des regards éberlués. Mais elle n'a pas l'air de plaisanter.

Londres

Alex Kentzel, effondré, observe le contenu de sa boîte. Des pierres tachées, dont aucune ne dépasse les quatre carats. Les représailles de la D.I.C. n'ont pas tardé. Il se passe la main sur le front. Trente ans d'amabilités au Syndicat pour en arriver là ! Alex était pourtant conscient des risques que le contrat avec les diamants Aurore faisait courir à son atelier. Il en a discuté des heures durant avec son frère et son neveu.

Mais il a dû accepter de jouer le jeu de Pinas. La *Fire Bloom* est une splendeur. En tant que diamantaire, il est fier qu'un Kentzel ait conçu ce chef-d'œuvre. Le diamant Aurore permettra à la famille d'entrer de plain-pied dans l'histoire des pierres précieuses.

Et puis le monopole de la D.I.C. lui pèse après toutes ces années. Les prix imposés, la politique, la puissance de ce groupe lui ont donné des envies d'indépendance.

Alex Kentzel soupire et remballe les vilains cailloux dans leurs papiers de soie. Le néon jette une lumière blafarde sur la boîte qu'il s'apprête à payer huit cent mille dollars.

Il pleut encore sur Londres. Demain, il passera chez Harrod's acheter une écharpe et du thé pour sa femme. Mais maintenant, il lui faut affronter Doug.

Doug, les yeux plissés, présente Alex Kentzel à Jenkins.

– Dave, voici l'homme dont nous parlions. Alex, David Jenkins s'occupe de la France.

Doug laisse filer quelques secondes de silence, pour tendre l'atmosphère.

– Nous sommes très déçus par votre famille, Alex. Après une amitié de tant d'années, l'accord entre votre frère et le B.C.D.A. a le goût d'une trahison.

– Ne vous méprenez pas. Je vous ai moi-même indiqué Salzdji comme adversaire du diamant Aurore. Ma fidélité à la D.I.C. ne devrait plus faire de doute. Mon frère est âgé et son fils très ambitieux. Leur petite société a fait faillite après la guerre, pour de douloureuses raisons.

Il s'interrompt un instant, pour mieux se faire comprendre.

Doug sait très bien que deux Kentzel ont pris la direction de Dachau et n'en sont jamais revenus.

– Après la guerre, vous n'avez pas aidé mon frère à améliorer ses affaires, reprend Alex, une lourde nuance de reproche dans la voix.

– L'entreprise Kentzel d'Anvers était trop petite pour pouvoir se fournir chez nous. Vous en êtes parfaitement conscient.

– Je vous comprends bien. Mais mon frère en a conclu qu'il ne vous devait rien. Malgré mon soutien, ses affaires n'ont jamais bien repris. Mon neveu, dans une situation financière difficile, n'a pu refuser l'offre de Mlle Desprelles.

– Je croyais l'atelier de votre frère prospère et réputé.

– Réputé, oui. Mais croyez-moi, avec les tailles moins chères de Tel-Aviv et de Bombay, la concurrence est rude pour les petites sociétés. J'ai fait mon possible, mais je n'ai pu dissuader Pinas de son projet.

– La *Fire Bloom*, toujours...

– Il compte sur la *Fire Bloom* et le diamant Aurore pour remonter la pente. Que pouvais-je dire ?

Jenkins intervient :

– Connaissant l'importance des relations familiales dans vos milieux, j'ai du mal à croire que votre neveu ait pu prendre une telle décision sans votre accord...

Alex retient un sourire méprisant. Il déteste ces Anglais pur souche, trop sûrs d'eux.

– Les jeunes n'ont plus le respect de leurs aînés, répond-il d'une voix douce.

Doug, pensif, laisse son regard errer sur les dorures du sous-main de cuir. A qui se fier ? Jenkins semble avoir échoué dans sa tentative de débaucher Desprelles. Aucun moyen de pression n'est possible sur le gouvernement français, en ce moment très prudent « dans sa politique africaine ». Et les Kentzel transgressent les règles sacrées du monopole. Alex dit peut-être la vérité, mais peut-être pas...

– Mon ami, je ne peux pas vous garantir que vos boîtes retrouveront la qualité des années précédentes.

– Les pierres de ce mois vont de deuxième piqué à VS2. Avec ce piètre niveau de qualité, je vais être obligé de débaucher des employés.

– Essayez donc de parler à votre frère. Si jamais il revenait sur sa décision, nous saurions nous montrer reconnaissants...

Alex quitte Charterhouse street avec un certain soulagement. Les paris sont faits. Les temps risquent d'être durs. Mais il faut faire confiance à Pinas, à la nouvelle génération.

La pyramide du Louvre étincelle de transparence, comme un diamant taillé en pointe. Rachel tourne le dos à cette merveille de l'architecture moderne. Elle vient de parcourir le Louvre et ne se souvient que d'angelots joufflus souriant à des touristes japonais. Bref, elle n'a rien vu.

Depuis son arrivée, il y a déjà trois jours, Luc n'a pas appelé une seule fois. Oppressée, elle s'assied sur un bloc de marbre. Et s'il était malade ? S'il en aimait une autre ? Et s'il ne la trouvait pas attirante ? Toutes ces interrogations lui donnent la migraine. Elle secoue la tête et prend le chemin du retour.

Le vaste appartement de Paula est désert. En soupirant, elle retire son manteau, l'accroche à un cintre. Se lave les mains. Prend une aspirine. La vie semble une suite monotone d'actions sans intérêt.

Soudain, la sonnerie du téléphone crève le silence.

– Allô ?

La voix de Luc, chaude, grave, hésitante.

– Bonjour, Luc. Paula n'est pas là.

– Je sais.

Silence. Elle ne va pas lui faciliter la tâche : trois jours sans nouvelles !

– Je viens de finir l'installation d'une expo. Le vernissage a lieu ce soir. Est-ce que cela t'intéresserait de passer à la galerie ?

Paula retrouve une Rachel éplorée. Oui, il faut s'habiller pour un vernissage. Non, cette robe Laura Ashley n'est pas des plus sexy.

– Ne t'inquiète pas, je peux te prêter quelque chose.

Elle choisit dans son armoire une robe en faille de soie bleu nuit. Pas tout à fait à la taille de la jeune fille, mais un ourlet arrangera les choses.

La salle de bains prend vite l'aspect d'un champ de bataille : flacons, peignes et rubans jonchent le sol.

– Tu devrais ôter ce médaillon, cela brise la ligne du décolleté. Non, pas cette poudre-ci, l'autre, près de la houppette. N'abuse pas du parfum : une goutte derrière chaque oreille.

Enfin, Paula s'écarte de quelques pas pour contempler son œuvre. « Mon Dieu ! pense-t-elle, amusée, qu'ai-je fait ? »

Rachel est transformée. L'adolescente un peu gauche,

les seins écrasés par ses robes de gamine, est devenue une femme rayonnante.

Elle est toute rondeur et féminité. La soie rehausse la blancheur des épaules, la courbe de la nuque. La chevelure est tressée en torsade, et Rachel a retrouvé toute sa joie de vivre.

Presque mélancolique, Paula regarde partir la jeune fille.

Elle s'allonge à même le tapis, les mains sous la tête.

Cela fait bien longtemps qu'elle ne met plus ces robes de soirée. Les diamants Aurore dévorent tout son temps. Quand donc s'est-elle amusée pour la dernière fois ? S'amuser en lâchant toutes ses énergies, avec la tête qui tourne et un rire au bout des lèvres ?

La réponse est évidente. C'était au Zaïre, avec Max.

Éclatante de fraîcheur, Rachel traverse le loft en souriant. Elle fait sensation. Une rumeur d'admiration jalouse prévient Luc de son arrivée.

Vêtu d'une veste de smoking et d'un jean, il lui apporte une coupe de champagne. Et lui témoigne tout le bien qu'il pense d'elle par un regard ardent.

L'espace est décoré de bouquets japonais. La foule, amassée autour du buffet, chuchote et s'exclame. Luc et Rachel font le tour des œuvres exposées : des fresques photographiques par-dessus lesquelles on a peint à grands traits comme une caricature de la réalité.

Très absorbés chacun par la présence de l'autre, ils butent contre l'artiste qui les contemple d'un air ironique.

– Milàn, je te présente Rachel. Milàn est roumain, c'est son travail qui est exposé ce soir.

Trapu, le cheveu blanc, Milàn paraît la soixantaine. De ses yeux clairs, il dévisage la jeune fille.

– Vous n'êtes pas française, n'est-ce pas ?

– Non...

– Je le savais. On ne trouve plus votre style de beauté dans ce pays corrompu. Vous aimez ma peinture ?

Luc, la mort dans l'âme, voit Milàn accaparer la jeune fille. Celle-ci, peu habituée à tant d'attention, ne sait comment décourager le vieil homme. Et, parce que ses cheveux blancs commandent le respect, elle lui sourit et l'écoute.

– Mais, Rachel, vous devez savoir ce que vous pensez de ces tableaux! s'exclame-t-il. Aimez, ou détestez! Que diable, l'innocence est passée de mode.

– Mais...

– Mais vous n'êtes pas du tout à la mode. C'est très charmant.

Milàn sent l'alcool, il a l'air triste.

– Voici la journaliste de *Libération*. Ne partez pas, je vous en prie.

La journaliste porte un canotier sur lequel est crânement épinglé un gant de caoutchouc rose. Une amie artiste la rejoint, vêtue d'une veste à brandebourgs. Tout un groupe entoure bientôt le peintre : visages spirituels, animés.

Rachel se sent d'un classicisme terne. Où est Luc? Pourquoi la laisse-t-il avec ce vieil homme?

Ils n'ont pas parlé, ils ne se sont pas touchés, déjà elle est seule. Elle le savait : elle est trop sage pour retenir son attention, parmi cette foule cosmopolite. Toutes les femmes ici sont peintres, comédiennes, ou bien mannequins. Elle est sans doute la seule vierge. Cette pensée la fait rougir.

Debout de l'autre côté de la pièce, Luc boit avec quelques amis. Rachel lui a échappé. Il faut la laisser s'amuser, jouer de l'admiration de Milàn, profiter de la vie parisienne. Il sourit à la rouquine qui lui parle.

Milàn lève la main avec colère.

– Il n'y a rien à boire ici. Je propose un aller simple pour le *Shéhérazade*!

Les rires fusent, et le groupe entraîne Rachel vers la porte.

– Non, murmure-t-elle.

Les yeux bleus du peintre supplient la jeune fille. Il lui prend la main.

– Viens avec moi. J'ai besoin de quelqu'un d'aussi vrai que toi. Ton ami nous rejoindra.

Luc lève les yeux et la voit sortir, silhouette ronde et douce dont il rêve chaque nuit. Son corps se durcit, comme s'il recevait un coup.

La rouquine fronce les sourcils.

– Ça va bien ? Que se passe-t-il ?
– Rien.

– Mais tu es fou ! Il est fou !

Paula secoue la tête, hésitant entre l'incrédulité et la colère. Elle a bien fait d'appeler son frère.

– Enfin, je n'allais pas l'empêcher de sortir !

– Rachel est différente des Parisiennes que tu connais. Elle a reçu une éducation très stricte. A mon avis, elle est rarement dehors après onze heures du soir. Et elle n'a jamais rencontré un bonhomme comme ce Milàn. Tu es inconscient ! S'il lui arrive quoi que ce soit, son frère m'étripera. Et je te garantis qu'il garde la vertu de sa sœur sous haute surveillance !

Essoufflée, elle s'apprête à reprendre sa tirade. Mais Luc a déjà raccroché.

Lorsqu'il pénètre dans la boîte de nuit, Luc est d'abord aveuglé par la fumée qui étouffe l'éclat des spots. Une fois habitué à la pénombre, il repère le groupe du peintre. Mais Rachel n'est pas là.

– La petite Flamande ? C'est une oie blanche, mon cher. Elle s'est enfuie, je suis désespéré.

Luc a peu de temps pour les états d'âme éthyliques de Milàn. Sur le trottoir il n'y a personne. Quelques noctambules errent à la recherche d'improbables taxis. La brume efface le mauve des nuits citadines.

Il entre dans une cabine téléphonique. Tente d'appeler Paula, puis la galerie. Mais pas de traces de Rachel. Luc ferme les yeux.

Jamais il n'a parcouru tout Paris à la recherche d'une fille. Il est tenté d'abandonner, de retourner boire avec ses amis. Il n'est pas un ange gardien. Il est libre, solitaire. Gentil avec tous mais inquiet pour personne. Mais ce rôle si patiemment construit pendant tant d'années a volé en éclats.

Il veut savoir où elle est.

Deux heures après, fourbu, il escalade les marches qui mènent à sa chambre. Elle est là. Assise sur les marches, le regard ailleurs. Elle a pleuré. Ses cheveux, plaqués contre ses joues, forment des accroche-cœurs luisants. Il s'agenouille devant elle, essuie le petit visage.

– Oh, Luc, rien ne va bien, depuis le début!

– Je sais. Attends un peu, il nous faut du temps.

Elle lève vers lui des prunelles noisette où frémit déjà le début d'un sourire.

Il l'attire à l'intérieur. Une lampe de chevet repousse la pénombre. Le marronnier frissonne, dehors, sous le vent. C'est dans ce nid chaleureux, en dehors du monde, qu'ils esquissent les premiers gestes de leur relation. Ils parlent jusqu'à l'aube. Ensuite, ils dorment, enlacés dans le lit trop étroit, sans encore laisser parler leurs désirs.

Quand Paula a affirmé que Johanna Millicent Kale travaillerait pour les diamants Aurore, elle ne savait pas comment elle allait s'y prendre.

Après plusieurs heures de réflexion et une étude poussée du Tout-Hollywood, elle ne fut pas beaucoup plus inspirée. Puis elle eut l'idée qui devait appuyer son approche de la star : pour convaincre quelqu'un, il faut le connaître parfaitement. Pouvoir jouer de ses forces, de ses faiblesses, savoir ce qui l'enthousiasme ou l'indigne. Les commérages de la presse se révélant insuffisants, elle contacta l'agence d'investigation américaine Porter & Partners.

L'agence P & P est peu connue du grand public. Elle est basée à Washington D.C., et la liste de ses clients ressemble à un *Who's Who* international. P & P n'accepte qu'une trentaine d'enquêtes par an. Normal : l'agence est spécialisée dans la vie privée des personnalités de l'économie, de la politique et du show-business : divorces de stars, scandales de la Haute administration, affaires trop intimes pour le F.B.I...

P & P a effectué, pour le compte de Paula, une enquête sur la vie de Johanna Kale. Harry Porter lui-même s'est déplacé pour présenter le rapport. La soixantaine passée, Porter a l'apparence d'un croque-mort prospère. Sa tignasse blanche et ses costumes coupés sur mesure témoignent de sa respectabilité.

– Vous serez satisfaite, mademoiselle. Mes hommes ont rapporté du matériel de première qualité. Serons-nous seuls ?

– Absolument.

Elle est mal à l'aise. Jamais elle n'a fait appel à ce genre de fouines pour s'introduire dans la vie d'autrui.

Porter se frotte les mains et dispose devant lui quelques feuilles dactylographiées. Il adore ce moment. Il l'appelle la « révélation ». Mais le stade de la « découverte » est encore plus plaisant. Harry Porter a su utiliser très tôt ses dons d'observation exceptionnels. Quand les gosses de son âge tapaient dans un ballon, il fouillait parmi les affaires de sa mère. A l'université, la vie privée de ses professeurs n'avait aucun secret pour lui – une connaissance qui ne lui fut pas inutile, puisqu'il obtint son diplôme haut la main en ayant séché tous les cours. Il fut d'abord journaliste. Mais il se lassa vite de livrer des informations précieuses au grand public. C'était de la confiture donnée aux cochons. La valeur de ces mêmes informations pouvait décupler lorsqu'on s'adressait aux bonnes personnes. C'est alors qu'il fonda l'agence P & P. Malheureusement, Harry Porter ne travaille plus sur le terrain depuis longtemps. Il découvre les affaires dans les dossiers rédigés par ses enquêteurs, qui sont, bien sûr, les meilleurs au monde.

Il tousse pour s'éclaircir la voix. Ce rapport-ci est passionnant, et il entend en tirer toute la qualité dramatique.

– Johanna Millicent Thompson. De son nom de jeune fille. Née dans l'Iowa. Père responsable d'une banque rurale. Imaginez-vous l'Amérique profonde, un bourg appelé Fort Marshall, un horizon envahi par le blé. Fille unique, Johanna surprend très tôt par sa beauté, son intelligence. Son institutrice l'admire mais ne l'aime pas : elle est trop différente, on la trouve hautaine. Johanna semble isolée, elle a peu d'amis.

« Tout change à onze ans, lorsqu'elle rencontre Jeffery Kale, fils d'un fermier voisin. Décrit comme un gosse débrouillard qui n'a pas la langue dans sa poche. Ces deux-là grandissent ensemble. Proches comme les deux doigts de la main. Et puis les hormones s'en mêlent : il semblerait que Jeff et Johanna expérimentent très tôt dans les meules de foin. A dix-huit ans, elle s'inscrit à l'école de danse de Des Moines, et épouse son chéri d'enfance.

Porter extrait d'une enveloppe brune une demi-douzaine de photographies, qu'il fait glisser vers sa cliente.

Ce sont des instantanés du mariage. Une toute jeune fille pose devant la porte d'une chapelle. Elle est éclatante de rousseur, enveloppée de tulle. Sa beauté, déjà, est à couper le souffle. Le jaune mordoré des yeux est étrange : on ne rencontre ces prunelles que chez certains chats persans.

Sur d'autres clichés, un garçon la rejoint. Une impression de force physique concentrée, un regard intense : c'est Jeffery Kale. Étincelles au coin des yeux, mains qui se cherchent : cette relation-là n'a rien de virginal. On devine une complicité physique passionnée entre les deux jeunes gens.

– Ces photos sont une exclusivité. Trouvées chez le photographe du patelin, qui ne se rappelait même plus leur existence.

– La vente des négatifs pourrait vous rapporter une fortune.

– Ce serait tuer la poule aux œufs d'or. Si nous publiions le résultat de nos enquêtes, même en partie, il serait impossible de travailler. Vous-même ne pourrez avoir accès à ces documents, une fois ma présentation terminée. Nous devons éviter tout risque de chantage. Notre déontologie est des plus strictes! Mais poursuivons...

Porter ajuste ses lunettes, et replonge dans la lecture du dossier.

– Le bonheur conjugal de nos deux tourtereaux est sans faille, jusqu'à l'accident. Vous connaissez l'histoire : le tracteur conduit par Jeffery se retourne au sommet d'une colline. Les membres broyés, Jeffery survit une semaine en coma profond, mais il ne peut être sauvé. Ce que l'on sait moins, c'est que Johanna était enceinte. Elle s'est fait avorter trois semaines après la mort de son mari.

– Mais enfin, vous ne pouvez pas être sûr...

– Certain : vérification des archives comptables des cliniques environnantes.

– Quelle histoire épouvantable!

– La jeune femme sombre dans une profonde dépression. Avec beaucoup de bon sens, ses parents l'envoient poursuivre ses études de danse à New York. L'histoire devient classique. Johanna n'a aucun mal à se faire embaucher par une agence de mannequins, ce qui lui permet de financer ses études. New York étant la ville que l'on sait, elle abandonne la danse pour Broadway, puis la scène pour l'écran. Elle a du talent, mais aussi cette composante indispensable du succès : la chance. Son premier film, *Daughter of the Artist*, est une petite production qui bénéficie d'un mouvement de mode et d'un succès critique, sur la côte Est. La suite, vous la connaissez : la magie qui crée les stars. Johanna semble être née pour cela : elle glisse avec aisance de succès en succès. Elle incarne, puis casse ses images successives, tour à tour héroïne romantique, sorcière, ou fille de joie.

Porter s'interrompt et insère une cassette dans le magnétoscope.

– J'ai pensé que ce film vous permettrait de mieux saisir le personnage. Il s'agit de la cérémonie des Oscars, il y a un an. Consécration de Johanna, qui reçoit l'Oscar de la meilleure artiste.

Panoramique sur le public des Oscars, tonnerre d'applaudissements. Sur la scène, Redford ouvre une enveloppe. Froissement de papier... La foule retient son souffle.

Avec un sourire, Redford annonce « Oscar de la meilleure interprétation féminine : Johanna Millicent Kale ! »

Un roulement de percussions souligne cette minute solennelle, tandis que les caméras fouillent frénétiquement la salle. Johanna se lève. Mutante, sculptée dans une toge plissée signée Issey Miyake, elle traverse la salle. Les mèches rouges entremêlées de métal accrochent l'éclat des flashs. Quand elle pose l'Oscar près d'elle et fait face au micro, l'incroyable se produit.

Elle ne dit rien.

Pas de remerciements, pas de larmes, rien.

L'éclat jaune de ses prunelles est répercuté, par le satellite, dans le monde entier. La salle frémit, incrédule.

Johanna, immobile, ignore les gestes affolés du présentateur.

Les secondes s'étirent, la tension devient insupportable. Enfin, d'une voix rauque et basse, elle dit : « Je devais cette minute de silence à un ami très proche. Merci à tous. »

Le public en délire l'applaudit debout pendant deux minutes. Une de plus que prévu par le timing T.V.

– Elle faisait allusion à son mari, j'imagine ?

– Oui. Elle n'a jamais accepté la mort de Jeffery.

Paula tambourine du bout des doigts sur la table. Tout cela ne l'aide pas. Elle cherche à découvrir un moyen d'agir sur la star. Comment la convaincre de jouer dans une publicité ? Comment la persuader d'incarner, aux yeux du monde, les diamants Aurore ?

Grâce au charisme de cette fille, les gemmes zaïroises pourraient devenir les pierres les plus convoitées du XXe siècle. Voilà qui serait une réponse éclatante aux menaces de la D.I.C.

– Tout cela est très bien. Mais j'avais aussi demandé quels étaient les points faibles de cette femme ?

– Des points faibles ? Mais elle n'en a qu'un, il est là. La mort de son mari fut une expérience si douloureuse qu'elle n'a jamais pu l'assumer. Une série d'incidents vient confirmer ce point.

Porter se penche vers ses notes.

– Le 22 juillet 85, Jeffery Kale est renversé par le tracteur géant qu'il conduisait. Il meurt huit jours plus tard. Un an plus tard, le 21 juillet 86, Johanna est trouvée inconsciente, dans sa chambre. Abus de somnifères. Elle doit rester en observation au Brooklyn's hospital pendant une semaine. En juillet 87, Johanna s'évanouit sur le tournage de *Passions*. Elle ne se nourrit plus depuis plusieurs jours et souffre d'une forte fièvre.

« Fin juillet 88. La star, en tournage à Rome, loue une Vespa pour explorer les environs. Elle percute une automobile à deux heures du matin, et doit à sa bonne étoile de s'en tirer vivante. Ses amis croient à une volonté suicidaire inconsciente, qui se manifesterait à l'anniversaire de l'accident. De retour à New York, Johan consulte un psychiatre, le docteur Baum. Celui-ci lui conseille d'abandonner toute activité professionnelle en juillet.

« Depuis, les dépressions de l'actrice se font moins violentes. Mais elle refuse tout tournage à cette période, au risque de freiner sa carrière. Le Dr Baum lui conseille de voyager, de s'investir dans des activités nouvelles. Bref, de se distraire.

– En juillet ? Tiens donc...

Paula plisse le front, se concentre sur l'ébauche d'une idée.

– Lorsqu'elle acceptera un nouvel homme dans sa vie, ces dépressions récurrentes disparaîtront sans doute. C'est en tout cas l'information que mes hommes ont obtenue du docteur Baum.

– Même son psychiatre vous a parlé ? Vous êtes effrayant !

– Nous avons des relations bien placées, c'est tout.

Porter jette un regard à sa Rolex. Le Concorde pour New York décolle dans deux heures.

– Pour conclure, vous m'aviez demandé quels étaient les centres d'intérêt de Miss Kale. Ce dossier ne présentant pas de caractère confidentiel, je vous le laisse. Mais vous ne trouverez pas grand-chose : cette fille supporte mal l'inactivité. Son seul loisir est sans doute la décoration d'intérieur. En juillet dernier, elle a consacré quinze jours à l'aménagement de sa maison des Hamptons.

– Merci, monsieur Porter. Votre travail est à la hauteur de vos honoraires. Ce qui n'est pas peu dire.

Hélène feuillette les pages d'*Architectural Digest*. Le magazine présente un reportage-photo exclusif sur la maison de Johanna Kale. Le journaliste, avec ce ton complaisant particulier à la presse de luxe, précise que la star a assuré elle-même la décoration intérieure : « Miss Kale, avec le professionnalisme qui la caractérise, n'a pas hésité à suivre des cours d'aménagement avec les plus grands *designers* contemporains, avant de s'attaquer, en juillet dernier, à sa splendide maison des Hamptons. La star avoue que la décoration est la seule activité qui puisse la distraire de son métier d'actrice. »

Hélène lève les yeux vers Paula.

– Cette fois-ci j'en suis sûre : tu es folle.

– Pas du tout, pas du tout. Les salles de réception du B.C.D.A. ont besoin d'un aménagement luxueux.

– Jusque-là, je suis d'accord.

– Et Johanna Kale me paraît être la décoratrice idéale.

– Mais pourquoi ? Tu n'as pas pu avoir le coup de foudre pour son style : c'est une décoration intime et féminine, qui n'a rien à faire ici. A moins que tu ne veuilles recevoir les diamantaires dans un boudoir rose fuchsia ?

Louis est aussi furieux qu'Hélène est perplexe. Paula Desprelles commence à l'énerver. Le personnel du B.C.D.A. travaille douze heures par jour en ce moment, et les idées fantasques de la directrice sont vraiment mal venues.

– J'ai cru comprendre que tu voulais commencer les travaux d'aménagement en juillet. C'est absurde : tous les fournisseurs seront fermés.

– Mais c'est la seule époque à laquelle nous avons une chance de faire venir Johanna.

– Tu sais bien qu'elle n'acceptera jamais, mais alors jamais, de venir à Paris pour ce travail. Pourquoi ne pas demander à Benazir Bhutto, ou à Élisabeth d'Angleterre, d'aménager le B.C.D.A. ? Ce serait tout aussi réaliste !

– Mon plan n'est pas aussi fou qu'il y paraît. Mais je ne peux pas vous expliquer pourquoi. Statistiquement, la probabilité pour que Johanna vous ferme la porte au nez est élevée. Mais vous avez une chance. Maintenant, voici deux aller-retour Paris-New York. Je vous ai réservé un séjour d'une semaine à l'Astoria. Si vous préférez la pluie parisienne...

Louis hausse les épaules. Après tout, elle a raison : huit jours à Manhattan, ça ne se refuse pas.

– O.K. On se pointe chez la star, on lui demande si elle peut se rendre libre en juillet pour aménager le salon d'une société dont elle n'a jamais entendu parler. Tu n'as rien d'autre à nous dire ?

– Non. Soyez aussi convaincants que possible. Je vous assure que vous pouvez réussir.

– Si tu sais quelque chose...

– J'ai une idée derrière la tête. Mais cette fois-ci, vous me pardonnerez un brin de mystère.

Long Island (U.S.A.)

Le jour s'insinue à travers les volets, glisse sur le tapis... Puis lance une pointe audacieuse sur le lit de Johanna.

– Saleté de soleil, grogne-t-elle, en plongeant son visage dans l'oreiller.

Déjà dix heures. Un rai de lumière illumine la chevelure de bronze rouge. D'une main tâtonnante, Johanna cherche le répondeur automatique, enclenche la cassette.

Dès son réveil, elle écoute ses messages. Un rite très new-yorkais.

« Johan chérie... C'est Doris. Ma jolie, je sais que tu n'as rien prévu en juillet. Tu ne pourras pas me refuser ce séjour en Californie. Mark et moi attendons ta visite depuis des mois ! »

Johanna gémit, et se dresse parmi les coussins.

– Gloria ? Il y a du café frais ?

Gloria est la femme de chambre de la star. C'est une Mexicaine qui finit son PhD. de Théologie. Vu le prix des études, elle est ravie de s'occuper de la maison au bord de l'océan, et du café de Johanna tous les matins.

– Dans cinq minutes : j'ai mis de l'eau à chauffer. Doris a appelé.

– J'ai entendu. Quelle horreur...

– Pourquoi ? Elle est adorable, elle t'invite dans une villa de rêve, peuplée de riches bohémiens.

– J'ai senti un brin de pitié dans sa voix. J'ai un flair pour ces choses-là.

– Tu te fais des idées.

– Tiens donc ! Elle est la cinquième à m'inviter en juillet. Pure coïncidence, je suppose.

Gloria abandonne la discussion et descend dans la cuisine.

L'actrice replonge dans son lit avec un soupir. Il est hors de question de rester seule à New York cet été. Elle n'est pas superstitieuse pourtant... mais, en juillet, la mort la frôle comme une vieille copine. La mort. Jeffery.

Elle griffe légèrement son ventre et ses cuisses. Une douleur lourde, érotique, la transperce. Elle ne se rappelle plus la voix de Jeffery, mais son corps a gardé le souvenir des explosions qu'il savait provoquer.

Sous le lit, parmi les journaux, les boucles d'oreilles et les lettres inachevées, elle repère son agenda. Elle l'ouvre : Frank l'invite à déjeuner avec ce scénariste qu'il chouchoute. Prévoir la robe indienne en voile turquoise. Tiens, qui sont ces Français à dix heures trente ?

– Gloria...

– Oui, le café arrive. Croissants ? Œufs brouillés ?

– Et mon régime, tu n'y penses pas ? Qui sont les deux Français...

– Tu devrais t'en souvenir. Ils ont envoyé le petit diamant rose, la semaine dernière.

– Une pierre ravissante. Probablement des admirateurs un peu fous. Mais je suis ravie : personne ne m'a offert de bijoux depuis au moins six mois. Nous les recevrons dans le jardin d'hiver. Tu pourras les faire patienter ? Je prends une douche.

Hélène et Louis ont garé la Buick de location à l'entrée de la propriété de Johanna Kale. Ils se dévisagent, un peu inquiets. Louis plaisante.

– Haut les cœurs ! Ce n'est quand même pas la cage aux lions.

– C'est pire.

Hélène est très pâle. Hier soir, à l'Astoria, elle a mis deux heures à choisir une tenue pour rencontrer la star. Et passé le reste de la nuit à réviser les verbes irréguliers de la langue anglaise.

– Je suis morte de peur. Rencontrer Johanna Kale, en personne ! Et pour faire cette demande ridicule sur la décoration du B.C.D.A. ! Parfois, je me demande comment fonctionne l'esprit de notre aimable patronne.

Louis la réconforte d'une tape sur l'épaule.

– As-tu vu cette baraque ? C'est encore mieux que dans le magazine !

La route s'engage sur une langue de sable. De chaque côté, l'océan ronge ce passage fragile. Tout au bout se dresse une maison de bois, montée sur pilotis, dont les baies vitrées font face à l'océan. Quelques marches polies par le vent mènent à la terrasse, d'où s'échappe une musique, le *Boléro* de Ravel. A l'intérieur, l'impression se confirme : ce n'est pas la demeure du commun des mortels. Des châles de cachemire couvrent le mobilier en bois de rose. Derrière les vitres du jardin d'hiver se presse un fouillis de fleurs et d'arbustes. Des flammes crépitent dans la cheminée, tandis que, de l'extérieur, parvient le grondement de l'océan.

Bientôt, Johanna apparaît. Le choc que ressentent les deux jeunes gens est à la hauteur de ce qu'ils avaient imaginé.

Lorsqu'une personne est connue de millions d'individus, elle semble nimbée d'une sorte d'aura. Un halo où se mêlent l'aisance due au succès, le charisme, mais aussi une sensation de familiarité. Car enfin, ils connaissent chaque trait du visage de Johanna. C'est une actrice. Elle a livré une partie d'elle-même, à eux comme à tant d'autres, dans le monde entier.

Pourtant, ce n'est plus une image qui leur fait face, mais un être humain en chair et en os. Les cheveux noués sur la nuque, encore humides, Johanna pose ses yeux d'or sur les visiteurs.

– J'ai été très touchée par le bijou que vous m'avez envoyé. Un diamant comme je n'en n'avais jamais vu. Puis-je vous offrir quelque chose à boire ?

La voix est ferme, sans coquetterie.

Hélène et Louis acceptent un mimosa (champagne et jus d'orange). Ils ne se regardent même pas. Habitués à affronter des personnalités difficiles, les deux attachés de presse savent établir un diagnostic immédiat.

La stratégie s'impose d'elle-même.

Face à une telle femme, tourner autour du pot serait suicidaire.

Louis fonce tête baissée et dévoile l'objet de leur visite. Ils appartiennent à une prestigieuse société parisienne. Ils ont besoin d'une décoratrice pour les salons du siège. Ni plus ni moins. Les deux Français forment un tandem aguerri par des années de travail en commun. Ils parlent à tour de rôle : le diamant Aurore, nouveau symbole de l'amour. Un splendide hôtel particulier, qui recevra diamantaires et bijoutiers internationaux. Des mois de recherches pour trouver le décorateur qui saura rendre précieux ces lieux magiques. Et, Miss Kale, le coup de foudre pour votre touche unique...

Incrédule, elle les écoute avec attention. Puis, d'une voix ironique :

– Vous n'imaginez tout de même pas que je puisse vous servir de décoratrice ?

Louis et Hélène échangent un regard. Ils le savaient : l'entreprise est désespérée.

La star tortille une mèche entre ses doigts et observe avec amusement la mine déconfite des Français.

– Avez-vous apporté vos maillots de bain ? La mer est superbe. Au moins, vous ne serez pas venus pour rien.

Au large, Louis affronte à la brasse la houle des Hamptons. Johan et Hélène, ruisselantes d'eau salée, s'allongent à même le sable.

Johanna trempe ses lèvres dans le mimosa, rajuste son bikini noir, puis se penche avec curiosité vers la Française.

– Dites-moi tout. Comment votre société a-t-elle pu me faire une offre pareille ? Votre patron est tombé sur la tête ?

Hélène est tentée de répondre par l'affirmative. Mais son professionnalisme l'emporte.

– Cela paraît extravagant, mais en fait c'est tout simple : nous avons aimé votre style. Et ce projet pourrait vous amuser. Il suffirait de quinze jours à Paris, pour terminer les salons de réception. Vous seriez aidée par une équipe de stylistes, dont le seul travail serait d'exécuter vos plans. Ils pourront vous montrer les plus beaux magasins d'antiquités du faubourg Saint-Germain, vous présenter les dernières collections de tissus. Nous vous réserverions une suite au *Crillon*, et une autre au *Normandy* de Deauville, pour les week-ends.

– Hmmm... Une décoration signée par moi aurait aussi un rôle publicitaire, n'est-ce pas ?

– Par la force des choses. Mais il ne s'agit pas de promouvoir de la lessive. Le monde des pierres précieuses est passionnant.

– Vous vous occupez exclusivement de diamants roses ?

– Oui.

– La pierre que vous m'avez envoyée est d'une couleur délicieuse. Elle a la nuance d'un pétale. Je pense la faire monter sur une chaîne platine, avec des saphirs.

– Je suis heureuse qu'elle vous plaise.

– J'espère qu'elle me portera chance. Le seul diamant de couleur que j'aie jamais vu est maudit, paraît-il. Vous avez entendu parler du Hope ?

– Non.

– Un diamant bleu. Il est exposé au Smithsonian Institute, à Washington. Son histoire est si rocambolesque qu'elle m'a frappée. La pierre a été portée par la Du Barry et Marie-Antoinette, qui ont fini comme on sait. Vers 1830, on la retrouve chez les Hope, une famille anglaise qui aurait mieux fait de laisser ses sous à la caisse d'épargne. A peine achètent-ils le diamant qu'une série de cataclysmes s'abat sur eux. Suicides, naufrages, dépressions, puis faillite complète : les Hope finissent par abandonner le caillou. Le propriétaire suivant – un courtier français, je crois – devient fou et se suicide après avoir vendu le Hope à un prince russe, qui tue sa dulcinée, puis est exécuté par des révolutionnaires. La dernière propriétaire est une Américaine qui adore les bijoux. Son jeune fils meurt dans un accident, son mari fait faillite, sa fille aînée se suicide, et l'Américaine succombe à une pneumonie. Il y a de quoi écrire un scénario, non ?

– Seigneur ! Quelle histoire abominable !

– Vous trouvez ? J'ai un faible pour les légendes dramatiques. J'aurais bien acheté la pierre, mais il paraît que je ne suis pas encore assez riche.

Johanna se tourne, pour offrir son flanc gauche au soleil. Elle garde le silence quelques instants. La Française a du cran. Diamants roses ou pas, il faut un certain aplomb pour proposer à une actrice payée plusieurs millions de dollars par film de décorer son salon.

Et pourtant, aussi absurde que cela paraisse, cette offre tombe à pic.

Justement en juillet. A l'anniversaire de la mort de son mari. Époque qu'elle ne peut contempler sans frémir. En juillet, elle ne peut pas travailler. Ni rester aux U.S.A. Et elle a horreur de l'oisiveté, des cocktails chics, des voyages dans des contrées tropicales où elle se sent déplacée.

D'une manière générale, les vacances lui donnent de l'urticaire.

En revanche, se plonger dans un travail comme celui que propose la Française n'est pas rédhibitoire. Elle adore Paris, et la décoration est l'un des rares loisirs qui ne l'ennuient pas trop.

Enfin une activité que son psy, le docteur Baum, approuverait.

– On reparlera de votre histoire de déco. Passez donc demain soir. Aimez-vous les langoustes fraîches ? Je connais un restaurant de pêcheurs, à deux miles d'ici, qui devrait vous plaire.

Hélène acquiesce, retenant son souffle. Peut-être que les diamants Aurore portent chance, après tout.

Paris

Les stores filtrent le soleil matinal. Sur la table, une pile d'enveloppes décachetées côtoie une bouteille de lait et plusieurs tasses vides.

Paula lève les yeux de son courrier et observe son frère. Il paraît calme, détendu. Heureux.

– Rachel va donc habiter chez toi ?

– Dès ce soir, si tu veux bien.

Elle soupire.

– En vingt-trois ans, tu ne t'es attaché à personne. Et il a fallu que ce soit Rachel Kentzel.

– Tu devrais trouver cela fantastique.

– Oui et non. Cela ne m'arrange pas.

– Tu as peur de la réaction des Kentzel ? Qu'as-tu besoin de leur raconter la vérité ? Rachel serait ravie, si tu acceptais de garder le silence.

– Tu veux que je mente à mes principales relations d'affaires, pour protéger votre idylle ?

– Je ne te demande rien. J'espère que c'est ce que tu feras. J'aime Rachel, et cela me paraît plus important que tes histoires de diamants.

La voix de Luc reflète son étonnement. Sa sœur l'a toujours protégé. Il comprend mal qu'elle hésite aujourd'hui. Elle se penche, prend sa main dans les siennes, avec l'affection brusque qui la caractérise.

– Bien sûr je ne dirai rien. Tu as l'air si heureux, Luc... Je n'avais rien remarqué entre Rachel et toi, ce qui n'est pas flatteur pour mon sens de l'observation. Mes nuits ne durent que quelques heures, et je n'ai plus tout à fait les yeux en face des trous.

Elle se sert le cinquième café noir de la matinée. Luc, compatissant, lui tend une tartine.

– Tu travailles beaucoup trop.

– Je sais. Mais il y a tant de choses à faire, à prévoir, à vérifier... Revenons à tes affaires. Je suis inquiète pour vous deux. Rachel ne reste qu'un mois à Paris. Ensuite elle part à New York. Et je crains fort que Pinas n'ait des projets matrimoniaux pour sa sœur.

– Comment le sais-tu ?

– Pinas me téléphone tous les jours. Et parfois, nous parlons d'autre chose que du diamant Aurore. Ils ont l'intention de présenter la petite à un ami de la famille. Un diamantaire, évidemment. J'ai peur pour vous deux. Vous avez décidé bien vite d'habiter ensemble. Cela ne sera pas facile.

Luc balaie la remarque d'un geste de la main. New York, c'est demain. Aujourd'hui, Rachel dort chez lui.

– Ne t'inquiète pas. Tout s'arrangera.

– Quel optimisme !

– Je m'apprête à vivre quatre semaines de rêve. Le mois d'août m'apparaît aussi éloigné que la planète Mars.

Elle soupire. Luc a bien raison. Rachel est adorable. Elle-même dort seule, ce qui n'est pas bien agréable lorsqu'on a les pieds froids.

– Ouste petit frère ! Va roucouler ailleurs, j'ai un rapport à écrire.

Luc rentre chez lui, épuisé. La journée à l'hôpital fut rude. Il a, paraît-il, un don inné pour communiquer avec les enfants malades. Aujourd'hui, cela ne l'a pas empêché de recevoir une tartine de Nutella en pleine figure, suite à une conversation avec un charmant bambin.

Il a les nerfs à fleur de peau, et les gosses doivent le sentir. Depuis quinze jours, Rachel et lui partagent un lit minuscule, sans aller au-delà de tendres caresses. Bien sûr, il ne faut pas bousculer la virginité de la jeune fille. Mais il ne dort plus, des cernes creusent son visage, et certaine partie de son corps réclame des soins de plus en plus impératifs.

Durant la journée, Rachel flâne, lèche les vitrines et fait des croquis. Le soir, il l'emmène dans tous les coins que la capitale dissimule pour ses amoureux. Rachel découvre le monde, découvre Paris, se découvre elle-même. Elle ne pensait pas que la vie pût avoir tant de goût.

Parallèlement, Luc n'imaginait pas que la frustration pourrait le transformer en obsédé sexuel. Au restaurant, le saumon lové dans son assiette lui semble lubrique, tandis que la serveuse pose l'addition sur la table avec une sensualité torride. A l'hôpital, il ne voit que des rangées de lits qui lui tendent les bras, l'odeur chaude des aides-soignantes le saoule, et des rêves de fornication l'empêchent de compter jusqu'à trois.

Rachel bondit à son cou dès qu'il passe le seuil de la porte. Il prolonge le câlin quelques secondes de plus que d'habitude. Puis, sans un mot, l'attire vers le lit. Déterminé, il prend les mains de la jeune fille : ce soir sera le soir.

Le point de départ pourrait être ce bouton de nacre, sur la nuque. Une défense si fragile que Luc a des scrupules. Mais la peau duveteuse, la douceur du dos qui disparaît sous le coton balaient ses derniers doutes. Avec tendresse, il entreprend le chemin qui mène à la nudité de Rachel. Toute la violence de son désir s'est apprivoisée, pour mieux ressentir la délicieuse angoisse des formes nues qui se révèlent.

Rachel est magique, soyeuse. Il veut la découvrir, la goûter centimètre par centimètre. Les formes rondes et souples glissent entre ses doigts. Ses seins sont veloutés, comme dans ses rêves. Le ventre a la couleur de la cannelle, et sa toison est douce comme de la soie.

Il la devine, prévient ses fuites, calme ses peurs. Le souffle rapide, elle hésite entre panique et désir. Il l'embrasse de tout son corps pour l'isoler du monde. Dans son regard brûle la blessure incertaine des hommes vraiment amoureux. Son désir est maintenant trop puissant pour pouvoir être contenu. Ses mouvements deviennent brusques. Rachel ferme les yeux.

Derrière le rideau frissonnant des paupières, la douleur éclate sans retenue. Elle cherche son souffle, transpercée par un cri muet.

Les mains de Luc encadrent son visage affolé. Elle se noie dans son regard, s'hypnotise volontairement pour le suivre. Le rythme de leurs corps devient fiévreux. Puis s'apaise comme un ressac. Déposée sur la berge, de l'autre côté de la féminité, Rachel trace du doigt des dessins humides sur leurs deux corps.

Ils demeurent silencieux, les membres enchevêtrés, dans un tourbillon de draps. Rachel tremble encore. Le liquide sombre, sur ses cuisses, donne à ce moment un caractère rituel. Luc s'agenouille près d'elle et la lave à l'eau tiède. Bientôt, chatouillée par les gouttes qui roulent sur sa peau, elle se tord et rit. Luc admire les fesses rondes, fermes comme un fruit. Il sourit. La nuit n'a pas encore commencé.

Hélène pose la main sur l'épaule de Paula qui, plongée dans un dossier, ne l'a pas entendue venir.

– As-tu une minute ? J'aimerais te montrer les bijoux du joaillier que nous avons sélectionnés. Il va créer des bagues exclusives pour le diamant Aurore. Une gamme superbe et très jeune, qui sera commercialisée dans toute l'Europe.

Avec un soupir, Paula se tourne vers la jeune femme. Elle ne peut pas lui reprocher de l'interrompre : ces temps-ci, ils travaillent tous contre la montre.

Hélène lui tend quelques écrins et tout un carton de croquis. Des bagues classiques, solitaires, « Toi et Moi ». Et puis d'autres bijoux plus créatifs, mélange d'or et d'émail bleu de Sèvres, platine et résine noire, or rose pavé de brillants. Tous, à l'intérieur, sont marqués d'un poinçon de maître, qui différencie le travail d'un joaillier de la bijouterie industrielle. Le poinçon est en forme d'orchidée.

Elle replace les bagues sur le velours des écrins, eux aussi frappés du signe de l'orchidée.

– Le créateur, Alexis Saint Vaux, a reçu le prix de la D.I.C. pour le plus beau bijou-diamant : la « Diamond International Award », la récompense la plus prestigieuse qu'un joaillier puisse recevoir. Il possède des ateliers en France et en Italie.

– Il est vraiment bon ?

– C'est un des meilleurs.

– Est-il d'accord pour créer une gamme qui soit l'exclusivité du B.C.D.A. ?

– Tu plaisantes ? L'idée enthousiasme tous les joailliers d'Europe. Nous avons l'embarras du choix.

– Très bien. Il ne me reste plus qu'à le rencontrer. Je

suis libre vendredi prochain à neuf heures du soir, ou mardi avant huit heures du matin.

– Super, grogne Hélène, dont la vie privée souffre des horaires élastiques exigés par le lancement des diamants Aurore.

Alors qu'elles ouvrent leurs agendas, Felix entre dans la pièce. Un sourire fend son visage, d'une oreille à l'autre. Il tient entre le pouce et l'index un morceau de papier blanc.

– Devinez quoi ?

– Écoute Felix, nous ne sommes pas trop d'humeur à jouer aux devinettes.

– Un petit effort... A votre avis, qui nous envoie ce télégramme ?

– Le pape. Le président des États-Unis. Imelda Marcos. Caro...

– Johanna. Johanna Kale.

– Quoi ?

Les deux filles bondissent de leur siège et lui arrachent le télex des mains. Le message est clair : « Accepte proposition. Disponible trois dernières semaines juillet. Prière garder arrivée confidentielle. Courrier suit. J. Kale. »

Felix est euphorique. Il n'y croit pas. Il va travailler avec Johanna Millicent Kale. Lui qui a dirigé les Top Models les mieux payés du monde n'imaginait pas avoir un jour cette chance.

– C'est incroyable, s'exclame Hélène. Elle a dit oui! Trois semaines! Ce sera juste suffisant pour décorer les salons du bas. Je vais immédiatement embaucher une équipe de stylistes pour l'aider.

– Mais de quoi parles-tu ?

– Du rez-de-chaussée. Nous commencerons par la pièce d'angle, je crois.

Felix se tourne vers Paula, ébahi.

– Elle est tombée sur la tête ?

– Non. Johanna a accepté de décorer nos salons de réception.

– Elle ne vient pas tourner la publicité du diamant Aurore ?

– Ne t'inquiète pas. Je n'ai pas eu le temps de t'expliquer. Il s'agit d'un stratagème pour la faire venir. Nous avons attiré la mouche en montrant le miel et pas le vinaigre. Autrement dit, en jouant sur son loisir favori plutôt que sur la perspective d'un tournage publicitaire.

– Notre pub se déroule en Irlande. Tu comptes l'embarquer de force ?

– Mais non. Lorsque nous la connaîtrons mieux, il sera plus facile de la convaincre.

– Un tournage, cela ne s'improvise pas. Il faut prendre des assurances, préparer une équipe, envisager toutes les éventualités... C'est un travail de Romain, qui engage plusieurs millions de francs. J'ai l'impression que tu traites cela avec légèreté.

– Fais-moi confiance. Si nous lui avions proposé de tourner dans une pub, fût-elle dirigée par toi, Johanna aurait refusé tout net.

– Je ne comprends pas à quoi tu joues. Mais si tu as de l'argent à gaspiller sur tes salles de réception...

Le ton de Paula se fait sec.

– Et que me proposes-tu de faire ? Qui pourrait remplacer Johanna Kale ?

– Personne, et tu le sais. Si elle refuse, notre campagne publicitaire perdra les trois quarts de son efficacité. Et les diamants roses risquent fort de ne pas quitter les coffres des bijoutiers.

– Alors, nous n'avons pas le choix. Il faudra persuader la célébrissime Miss Kale de travailler avec nous.

– Je vais de ce pas mettre cinquante cierges à Notre-Dame.

Ils sont interrompus par Louis, qui arrive en brandissant deux bouteilles de champagne pour fêter la nouvelle. L'atmosphère se détend, alors que la vingtaine de personnes qui travaille au B.C.D.A. se rassemble pour un cocktail improvisé.

Mais Paula a du mal à se joindre à la bonne humeur générale. Elle se demande soudain si tout cela n'est pas pure folie. Après tout, les cierges à Notre-Dame ne sont pas une si mauvaise idée...

Paula soulève l'ourlet de sa robe pour gravir plus vite les marches de pierre. Le livreur en casquette paraît surpris, lorsqu'elle surgit sur le trottoir. Il faut dire que sa tenue – une petite robe noire – dévoile généreusement ses épaules.

L'homme retient un sifflement appréciateur.

– C'est bien ici la soirée privée ?

– Oui, dans le caveau.

– J'ai trois tonneaux à livrer.

– Parfait. Pouvez-vous les apporter au bas de l'escalier ?

Elle signe un chèque, appuyée sur le toit de la camionnette, le tend au livreur, puis s'esquive à nouveau.

Hélène et Paula ont souhaité offrir à Johanna Kale un accueil très particulier et ont organisé une soirée dans un caveau de la Rive Gauche, conçue pour répondre aux fantasmes parisiens de tout Américain normalement constitué.

La condensation et la fumée de cigarette filtrent l'éclat des projecteurs. La foule est déjà dense. Un buffet a été dressé dans un angle : miches de pain Poilâne, chèvres aux fines herbes, charcuterie auvergnate... Hélène a insisté pour remplacer le pâté par des blocs de foie gras, au mépris de toute authenticité.

Paula et Johanna papotent avec animation. La star est éblouissante. Elle porte une paire de jeans délavés et, comme seul bijou, le bronze de sa chevelure.

Arrivée à Paris vingt-quatre heures plus tôt, Johanna paraît bien décidée à s'amuser. Elle prend Paula par le bras :

– Alors, c'est vraiment toi qui as tout organisé ?

– A vrai dire, Hélène s'est occupée des invitations et des musiciens.

– Je veux parler des diamants Aurore. C'est toi le boss, non ?

– J'ai fondé le B.C.D.A., oui.

– Bravo. Je suis heureuse de rencontrer une fille aussi jeune qui réussisse avec autre chose que son postérieur. Tu es mariée ?

– Non.

– Tant mieux. Les couples m'ennuient. Et puis ça ne m'étonne pas...

– Quoi donc ?

– Que tu sois célibataire. C'est difficile pour un homme de conter fleurette à une P.D.G...

– Pas plus qu'à une star de cinéma, j'imagine ?

– Ça dépend.

– Ton hôtel te plaît ?

– Il est douillet. J'y suis très bien.

Johanna a refusé une suite au *Crillon*, et choisi un hôtel plus discret, rue des Beaux-Arts. Elle craint les paparazzis. Et puis ses dépressions de juillet peuvent se manifester à nouveau. Elle préfère éviter le confort obséquieux des hôtels de luxe.

Elle vide un verre de saint-émilion. La vie est belle : elle a échappé aux mondanités d'Hollywood avec les félicitations du docteur Baum. Et ce séjour à Paris démarre sur les chapeaux de roue.

Chancelant un peu – elle boit rarement – l'actrice quitte Paula pour s'approcher des musiciens. Le pianiste exécute un morceau de Miles Davis avec beaucoup de décontraction, mais il se ressaisit lorsque cette fille sublime se penche vers lui. Le rythme s'accélère jusqu'à frôler la virtuosité. La star éclate de rire et entreprend une conversation en argot new-yorkais.

Paula l'observe avec un sourire. A force d'étudier la vie de l'actrice, elle pense avoir compris sa véritable personnalité. Une fonceuse que l'aventure du diamant Aurore séduira. Un caractère bien trempé, avec qui elle devrait s'entendre. Mais cela suffira-t-il à la convaincre de jouer dans une vulgaire pub ?

Un mur d'invités la sépare du buffet. Il y a là toute l'équipe du B.C.D.A., les décorateurs qui travailleront avec Johanna, quelques journalistes triés sur le volet. Elle tente de se frayer un chemin, ondulant à travers la foule. Soudain, elle se fige. Comme un coup au cœur. Là, à quelques mètres, Max se tourne vers elle.

Paula reconnaîtrait entre toutes cette toison blonde, cette dégaine nonchalante qu'il promène à travers le monde. Elle ne devrait pas être surprise : c'est elle qui l'a invité. Hélène a suggéré de convier quelques amis à la soirée, afin de rendre l'ambiance moins professionnelle. Paula a glissé ce carton d'invitation parmi des dizaines d'autres, comme un brin d'olivier, un signe de réconciliation. Elle ne pensait pas qu'il viendrait. Mais il est là. Près d'elle en un instant.

– Ravi de te revoir, demoiselle.

– Je suis heureuse que tu aies pu venir.

– Ton invitation m'a surpris.

– Cette soirée était une bonne occasion de faire la paix.

– Elle me permet aussi de te connaître mieux.

– Que veux-tu dire ?

– Il y avait un titre, sur le petit carton. « Paula Desprelles, directrice générale du B.C.D.A. ». Une société au nom énigmatique... Un coup de fil à un copain journaliste m'en a appris un peu plus.

– Nous n'avions jamais discuté des diamants Aurore ?

– Non. Je te croyais diplomate.

Il est tout proche. Il doit pencher la tête pour la dévisager. Paula a maigri. Ses yeux argent lui mangent le visage. Bref, elle travaille beaucoup trop. Elle a presque réussi à tuer les paillettes de joie qui illuminaient ses prunelles, lorsqu'elle dansait au rythme de Kinshasa. Dommage.

– Tu veux un verre ?

– Volontiers.

– Et toi, où étais-tu ces derniers mois ?

– J'ai passé quelques semaines à Saint-Pétersbourg. Et je repars demain, pour conclure l'achat d'une nouvelle maison.

– Je ne t'imaginais pas féru d'immobilier.

– Ah bon ? C'est pourtant ma spécialité : je craque régulièrement pour des baraques perdues, aux quatre coins du monde. La quête du foyer, j'imagine. Malgré les gémissements de mon compte en banque, j'achète. Celle-ci est ma cinquième.

– Où se trouve-t-elle ?

– En France, sur l'île d'Ouessant. L'endroit idéal pour construire un nid. Et convier les amis...

Le regard que Max pose sur la jeune femme ressemble beaucoup à une invitation.

– Tu as l'air crevée. Une bouffée d'air marin te ferait du bien. Tu ne t'ennuierais pas : il y a des tonnes de bouquins, un bateau...

– Je ne m'ennuie pas si facilement, tu sais.

– Tu sembles toujours prise dans un tourbillon d'énergie. Je craignais qu'une île ne soit un territoire trop étroit pour tes talents.

– Je peux survivre sans stress, télex et fax.

– Et sans téléphone ?

– Ça sera dur. Tu as l'électricité, quand même ?

– A peine. Pourquoi ne viens-tu pas demain ? Nous ne serons que quatre ou cinq, et on prévoit une tempête magnifique.

– Demain ?

L'idée paraît surréaliste. Elle doit s'occuper de Johanna, embaucher un responsable de la promotion pour les bijouteries, faire un compte rendu pour le ministère zaïrois des Mines...

– Désolée. Demain, j'ai rendez-vous chez le coiffeur. Dans un ou deux mois, peut-être ?

– Je m'en doutais. Tu n'es pas le genre de femme qu'on peut enlever à l'impromptu.

– Qui sait ? Un jour, peut-être...

Max éclate de rire, passe son bras autour de ses épaules.

– Mais ce n'est pas Johanna Kale là-bas ? demande-t-il soudain.

– Elle-même. J'imagine qu'il faut te la présenter ?

Avant qu'il ait pu répondre, la star s'avance dans leur direction. Au passage, elle pince le bras de Paula, et lui chuchote à l'oreille :

– Moi qui croyais que tu n'avais pas de boyfriend... Celui-là est plutôt chou !

– Johan, je te présente Max.

Le regard de Paula se fait distant : elle a aperçu JLW, qui vient d'arriver. Elle ne peut laisser son principal financier en face à face solitaire avec le tonnelet de saint-émilion.

Elle s'excuse, laissant à Johanna et Max le soin d'engager une conversation.

Il la voit s'éloigner avec surprise. Pour une fois qu'ils ont cinq minutes, elle trouve encore le moyen de s'éclipser.

Étrange femme. Dès leur première rencontre, elle l'a intrigué, inquiété, séduit. Une classe un peu hautaine, derrière laquelle il perçoit un formidable appétit de vivre. Mal déguisé en ambition.

Il hausse les épaules et tente de sourire à l'actrice. Mais ses pensées sont ailleurs.

Cinquième partie

La fêlure

1

Il y a des journées qui commencent mal. Ce matin, par exemple. Paula se lève avec un rhume carabiné. Il fait chaud pourtant. La fatigue, sans doute, qui affaiblit sa résistance. Luc a emprunté la Mustang pour conduire Rachel à Giverny. Bien sûr, impossible de trouver un taxi. Paula arrive au B.C.D.A. avec une demi-heure de retard.

Dès qu'elle entre dans la salle de réunion, elle comprend que les choses ne vont pas s'arranger.

L'atmosphère est tendue. JLW et Felix sont assis à l'autre bout de la table ovale. John contemple sa montre avec ostentation lorsqu'elle ferme la porte derrière elle. Elle pourrait le gifler.

Mais celui qui l'inquiète vraiment, c'est Felix. Il a beaucoup changé ces derniers temps : sa bonne humeur fait place à des crises de doute ou de colère.

Paula se sent inhabituellement crispée, mais tente de se raisonner. Il ne s'agit après tout que d'une simple réunion de travail.

– Eh bien, commençons, propose-t-elle d'une voix gaie.

Felix étale de mauvaise grâce le *story board* sur la table.

– Cela fait la trentième fois que nous revoyons le scénario de cette publicité, dit-il, maussade.

– Il est excellent, et c'est toujours un plaisir de le lire. Reprenons : une jeune femme s'exile en Irlande – pour peindre, écrire, on ne sait pas. Elle apprend que son petit ami, qui devait la rejoindre, ne peut venir : ses affaires le retiennent à Paris. Elle pique une belle colère, jette des objets à travers la maison. On comprend qu'elle a un sacré caractère. Alors...

– Alors, je ne vois pas l'intérêt de peaufiner ce film, alors qu'on ne sait pas qui en sera l'interprète!

Paula n'a jamais vu Felix aussi bouleversé.

« Peut-être devrait-elle prêter l'oreille aux commérages d'Hélène? La femme de Felix aurait quitté le domicile conjugal. Une situation douloureuse, qui explique la vulnérabilité du petit homme. Paula décide d'être aussi patiente que possible.

– L'interprète, ce sera Johanna Kale, en personne.

– Mais le tournage commence dans une semaine, et tu ne lui as toujours rien demandé. Elle continue à prendre des mesures toute la journée, comme si nous l'avions appelée pour faire des rideaux!

– C'est vrai, je ne lui ai pas encore parlé du tournage. Mais je prépare le terrain, je tente de la mettre de notre côté. Elle a admiré nos plus belles pierres. Elle a compris dans quel combat nous nous étions engagés, face à la D.I.C. Je veux jouer la sympathie à notre cause.

JLW intervient, d'une voix sèche. Il est de plus en plus présent ces dernières semaines.

– C'est bien beau tout cela, mais je comprends Felix: vous prenez trop de risques!

– Des risques, nous n'avons pas cessé d'en prendre, depuis le début de ce projet.

– Mais il faut qu'il sache! Johanna participera-t-elle au tournage, ou pas? Toute la campagne de lancement – cinéma, T.V., magazine – dépend de son accord.

– Je ne vous demande qu'un peu de patience. Je sais bien que nous sommes tous à bout. Il nous a fallu travailler dans des délais incroyables. Et vous avez tous deux engagé votre réputation professionnelle dans l'opération...

– Justement! Le succès de lancement ne peut dépendre de la fantaisie d'une star. Felix part en Irlande pour préparer le tournage. Je suggère que, dès demain, vous demandiez à Miss Kale ce qu'elle pense faire.

– Vous me fatiguez, tous les deux! Précipiter les choses ne servira à rien!

Elle frappe la table avec colère. Elle a le sentiment que quelque chose lui échappe. Felix craque, c'est évident. Mais à quoi joue JLW ?

– Si cette situation ne se débloque pas, je serais réduit à donner ma démission, murmure le publicitaire.

– Felix !

– Oui. Si dans vingt-quatre heures je n'ai pas l'assurance que Johanna sera l'interprète de mon film, eh bien, j'abandonne.

Voilà, les grands mots sont lâchés.

Atterrée, elle contemple le petit homme qu'elle a débauché il y a deux mois. Il semble buté et rassemble son *story board* d'un air furieux.

Il a conçu une campagne publicitaire d'un romantisme ébouriffant. Sans lui, le lancement des diamants Aurore court à l'échec.

Debout, elle s'accroche au dossier du fauteuil.

– Pouvons-nous discuter de cela ?

– Non, pas maintenant.

La voix est tremblante, comme au bord des larmes. Felix n'est pas dans son état normal. Elle ne pourra pas lui faire entendre raison.

JLW leur tourne le dos, plongé dans l'examen d'une lithographie de Sonia Delaunay accrochée au mur. Paula respire profondément, s'oblige à garder le silence. La colère la tétanise. Mais il est inutile d'aggraver la situation. Elle quitte la pièce, sans un regard pour les deux hommes.

Une fois sortie, elle dévale l'escalier qui mène à son bureau. Soudain, un voile noir bloque sa vision. Les jambes tremblantes, elle s'immobilise, porte la main à ses tempes. Le malaise est d'une rare violence. Elle lutte de toutes ses forces contre l'évanouissement.

Appuyée contre une colonne, elle se laisse glisser jusqu'au sol. S'effondre sur une marche, chancelante. Le contact du marbre contre son visage la ramène à la réalité. Au bout d'une longue minute, combattant la faiblesse de ses membres, elle réussit à s'asseoir.

Ces malaises sont apparus il y a quinze jours. Elle travaille aux limites de ses capacités depuis plusieurs mois. Et son corps a du mal à suivre. Si Luc savait cela, il la ligoterait sur son lit et débrancherait ses trois téléphones.

Bientôt, elle peut se lever et descendre avec précaution. Personne ne l'a vue.

Au rez-de-chaussée, elle croise Johanna, accompagnée de deux fournisseurs.

– Alors c'est bien compris? Les colonnes devront reproduire exactement la même teinte de marbre. Paula, tu n'as pas l'air dans ton assiette?

– Ça va bien. As-tu le temps de déjeuner?

En moins de dix jours, les deux femmes ont noué une réelle complicité. Elles s'admirent mutuellement et reconnaissent dans leurs deux caractères le même type d'intensité. Elles se retrouvent souvent à l'heure du déjeuner, dans un bar à vin qui sert de délicieux sandwichs.

Johan change d'apparence comme un caméléon : étudiante, déesse hollywoodienne, ou jeune femme de grande famille, habillée par les grands couturiers. Si son style varie de manière imprévisible, son caractère reste constant : passionné, railleur et volontiers cynique.

Quelques journalistes à l'affût rôdent autour du B.C.D.A., mais l'éclat de leurs flashs ne semble pas importuner la star.

– Et si on allait faire la sieste à l'institut Guerlain pour se faire chouchouter un peu?

– Tu sais bien que je n'ai pas le temps.

– Pfff! Ridicule! Dois-je te rappeler nos âges? Avant trente ans, il faut faire la fête et prendre soin de sa mignonne jeunesse.

– Et après?

– De trente à quarante, c'est forcément l'horreur, les enfants, les rides. Mais après, divorce, lifting, et ça repart. Personnellement, je me vois réussir un *come-back* infernal, comme Bette Davis : ce sera très chic de me faire jouer les vieilles toquées ou les belles-mères abusives.

– Quelques siècles te séparent encore de ce type de rôles. A ta place, je ne m'inquiéterais pas.

– Autre chose : la maquette de tes salles de réception sera prête demain. Je te soumettrai tout : les plans, les tissus...

Le visage de Paula s'assombrit. Demain, il faudra lui parler de son rôle dans la publicité du diamant Aurore.

Comment l'actrice réagira-t-elle, en apprenant que la décoration n'était qu'un prétexte pour se servir d'elle ?

Johanna s'engouffre dans le bar, fait signe au patron et salue la compagnie d'un français teinté d'accent. L'endroit est minuscule : juste cinq tables de marbre, coincées entre les murs décorés de fresques égrillardes. Elles se glissent dans leur coin préféré. Deux vieillards lèvent le nez de leur jeu d'échec, pour jauger les nouvelles venues d'un œil plein d'expérience.

– Tu sais que ton géant blond nous a invitées à dîner demain soir, sur sa péniche ?

– Max ? Oui. Je ne suis pas sûre d'être d'humeur à venir.

A vrai dire, cette double invitation sent la manœuvre galante. Max souhaite sans doute revoir Johanna. S'il avait voulu rencontrer Paula, il l'aurait invitée seule, non ? La jeune Française préfère abandonner. Les laisser jouer aux tourtereaux. Et aller dormir, dormir, dormir.

– Tu as tort ! Avec ce temps superbe, ce sera une nuit de rêve. J'ai une petite robe-maillot d'Azzédine Alaïa qui conviendra très bien pour l'occasion.

Paula contemple la jeune femme avec amitié. Un teint rayonnant de fraîcheur, des lèvres couleur de mangue, des yeux fendus comme ceux d'une Eurasienne... Nul doute que, même vêtue d'un bleu de travail, Johanna ferait sensation. Elle répond avec une pointe de sarcasme :

– Je viendrai si tu as peur de te sentir seule. Mais, à mon avis, Max a l'intention de prendre soin de toi.

Les prunelles jaunes de l'actrice pâlissent, et sa voix devient dure.

– Je t'en prie. Le flirt ne fait pas partie de mes loisirs.

– Je ne te dis pas de le séduire. L'idée est même assez déplaisante. Mais l'idée a quand même dû t'effleurer ?

– Ces jeux entre sexes me fatiguent.

– Comment peux-tu dire cela, à vingt-six ans ?

– Pourquoi pas ? Crois-tu vraiment que Johanna Kale ait besoin de flirter ? Je n'ai qu'à lever le petit orteil pour déclencher une déclaration enflammée. C'est une histoire d'*ego*. Les hommes aiment se vanter d'avoir couché avec moi, comme ils se vantent de conduire une Ferrari. Cela les valorise, même auprès de leurs épouses.

Paula avait presque oublié que la vitalité de l'actrice cachait un drame. Pourtant, Kale est son nom de veuve.

– Tu ne comptes quand même pas rester éternellement célibataire ?

– Je sais quel type d'homme me conviendrait. Et c'est une race qui ne fréquente ni le jet set new-yorkais, ni les studios d'Hollywood.

– C'est-à-dire ?

– Un homme qui puisse survivre hors d'un bureau climatisé. Un homme solide, carré, qui sache comment créer son bonheur, et qui ne soit pas pressé. Quelqu'un que je n'impressionnerais pas.

– Cela ressemble assez à Max.

– Tu crois ? Peut-être bien.

Johanna fronce les sourcils, tentant de se remémorer les traits du grand blond. Paula repousse son sandwich au comté, qu'elle a à peine touché.

Elle observe le ravissant profil de l'actrice et ressent comme un pincement au cœur. Il lui faut quelques minutes pour analyser cette douleur : elle est jalouse.

Anvers

Pinas arpente nerveusement le bureau vitré quand un cliveur entre dans la pièce, une pierre à la main.

– Un problème, Gustav ?

– Regardez cette pierre, monsieur Pinas.

En apparence un morceau de sucre candi un peu sale. Une fenêtre a été polie sur la surface du cristal, pour pouvoir en observer l'intérieur.

– Il y a une impureté sur la droite. Mais je me demande si elle ne se prolonge pas jusqu'au cœur du diamant.

Pinas ajuste une loupe sous son sourcil et place le caillou près de la lampe.

– Difficile à dire. A mon avis, la tache s'arrête à la moitié de la pierre. Il faudra la cliver en deux, comme ceci.

Il trace une ligne à l'encre de Chine sur la gemme brute.

– Ce ne sera pas facile. Ces diamants Aurore sont très résistants.

– Je sais, Gustav. Mais l'atelier a fait du bon travail. La première production livrée à Paris était d'une qualité magnifique.

Dès qu'il se retrouve seul, Pinas sort la lettre de Rachel de sa poche. Il la pose sur le bureau, face à lui. Un sacré choc.

La lettre est arrivée ce matin, et il l'a déjà lue trois fois. Douze pages couvertes d'une écriture serrée, souvent raturée. L'angoisse de sa sœur est sensible : elle a dû passer des heures à construire ses arguments.

Il la déplie, parcourt les lignes une nouvelle fois. Il ne peut s'empêcher de marmonner tout haut.

– Heureusement, j'ai pu intercepter ce courrier avant Père. Il aurait explosé. J'ai besoin de réfléchir aux mesures à prendre.

« Cher Papa, cher Pinas. Cette lettre n'est pas facile à écrire, et j'espère que vous me comprendrez. J'aime Luc et j'ai confiance en lui.

– Les femmes sont incroyables ! Ma Rachel, si réservée, si sage. Évidemment, le Parisien n'en a fait qu'une bouchée ! Elle n'a pas d'expérience, elle s'est laissé entraîner. Mais Paula devait veiller sur elle. Comment a-t-elle pu laisser son propre frère séduire la petite ?

« Luc et moi habitons ensemble depuis bientôt cinq semaines. Cela vous paraîtra rapide. Mais je suis sûre de mon choix, de notre amour. Est-ce que Père n'a pas demandé Maman en mariage quinze jours après l'avoir rencontrée pour la première fois ? »

– Quelle gamine ! Maman provenait d'une famille juive que des liens d'amitié unissaient à la nôtre depuis plusieurs générations. Papa avait quarante-trois ans, et elle plus de trente. Comment peux-tu comparer avec ton escapade d'adolescente ?

« Je veux rester avec lui. Pourquoi m'exiler à New York, une ville lointaine, dont je maîtrise mal la langue, lorsque je suis heureuse ici ? Je pourrais étudier à Paris. Les écoles de mode ne manquent pas. De la sorte, je serais plus proche de vous. Nous pourrions même nous voir les week-ends. Croyez-moi, je comprends que cela soit difficile à accepter. Cela m'a torturée toutes ces semaines. Vous ne connaissez pas Luc, il n'est ni du même quartier, ni de la même culture que nous. Mais je voudrais tellement qu'il fasse partie de la famille! Notre amour est sérieux et, pour le prouver, nous sommes prêts à nous marier. Luc et moi en avons débattu des nuits entières – ce ne fut pas une décision prise rapidement. »

C'est cela qui met Pina hors de lui. Il est moderne, il peut comprendre que sa sœur ait une aventure avec ce Français. Après tout, il est loin d'être innocent lui-même. Mais vouloir l'épouser! A-t-elle donc oublié sa famille, sa religion ? Où sont passées toutes les bases que – maladroitement peut-être – le vieux Simon lui a inculquées?

Il aurait protégé une romance, mais il ne peut accepter un mariage.

L'audace de sa sœur ne s'arrête pas là. A ce stade, ce n'est plus de l'audace mais de l'inconscience. « Nous ne voulons pas être séparés, même pour quelques mois. Aussi, je vous supplie de bien vouloir nous inviter à Anvers. Tous les deux. Pour que vous puissiez le rencontrer à nouveau et me donner votre accord. »

La scène s'impose à Pinas, comme dans un film. Le jeune couple pénétrant dans le salon. Le père rigide, figé dans un silence de pierre. Quelques tantes accourues pour l'occasion, jetant vers Luc des regards haineux, le maudissant à voix basse. Rachel ne se rend-elle pas compte de la catastrophe qu'elle s'apprête à provoquer?

Père sera fou. C'est un homme âgé, qui n'a pas mérité cette épreuve. Et comment réagira l'oncle Alex? Il souhaite léguer à sa nièce tout son atelier, l'œuvre de sa vie.

Ce qui devient impensable dès lors qu'elle épouse un catholique sans emploi fixe, et qui ne connaît rien au monde du diamant.

Elle n'a même pas donné sa chance au fils Grossman.

Seigneur, il ne s'agit pas de la forcer à se marier! Pinas y veillera. Mais au moins, donner une chance à ce garçon, élevé dans la même culture qu'elle, qui s'intégrerait sans problème à la famille.

Il secoue la tête, exaspéré. Rachel n'est qu'une gamine irresponsable, qui va déclencher une tempête familiale. Il faudrait lui apprendre à vivre. Il quitte le bureau. Les hommes sont penchés sur leur ouvrage, parmi les grincements des meules. Aucun ne remarque le visage pâle, tendu, de leur patron.

Rachel devait partir à New York dans trois jours. Il y a urgence. Non, décidément, il ne pourra rien cacher à son père. Ni à l'oncle Alex. Un conseil familial s'impose.

Paris

Surprise, Paula s'arrête en haut des marches.

– Felix ?

Il est adossé à la porte de son appartement. Il semble l'avoir attendue une bonne partie de la soirée. Plus que jamais, il ressemble à un ourson mal léché.

Il est vingt-deux heures passées. Cette visite est incongrue, mais elle tente de dissimuler son étonnement.

– Puis-je te parler un instant ?

– Entre, je t'en prie. Veux-tu boire quelque chose ?

– Non.

Il est pâle, l'air défait.

– Je vais te décevoir. Mais ne compte pas sur moi pour réaliser cette pub.

Felix part à huit heures demain matin, en Irlande, pour préparer le tournage. Il est irremplaçable.

– Tu sais bien que, sans toi, nous courons à la catastrophe.

– Je ne tiens plus debout, je ne peux plus faire du travail correct. Il vaut mieux que tu me remplaces.

Elle ne dit rien. Elle ôte sa veste et ses chaussures, puis s'assied face au petit homme, effondré dans un fauteuil.

– Je crois qu'il est temps d'avoir une discussion honnête. Que se passe-t-il, Felix ? Tu n'es plus toi-même.

– Caroline m'a quitté. Avec le bébé.

– Je suis désolée pour toi.

– J'ai été épouvantable avec elle. C'est de ma faute.

– Tu as travaillé très dur ces derniers temps. Pour une jeune mariée, ça n'est pas drôle. Mais ta femme doit comprendre : il s'agit seulement d'un passage dans ta carrière.

– Je suis vidé, Paula. Plus d'idées, plus rien. Je comprends que Caroline ait foutu le camp. Mais mon bébé... Comment a-t-elle pu?

Le désespoir de Felix bouleverse Paula. Elle s'en veut soudain de l'avoir poussé à travailler quinze heures par jour. Il paraissait pourtant solide et équilibré. Et maintenant, il craque.

– Je passais mes journées à bosser. Et tu connais les risques professionnels que j'ai pris pour tes foutus diamants. Alors, l'angoisse, les calmants, les stimulants. La maison neuve qui fuit de partout; le bébé qui pleure chaque nuit; Caroline qui râle. Et les rares week-ends passés à coller du papier peint, ou à calmer nos disputes...

– Un whisky? Personnellement, j'en ai besoin! coupe-t-elle.

– Depuis qu'elle est partie, la maison est sinistre. Alors je dors à l'hôtel. Paula, ma vie est en lambeaux!

Visiblement épuisé, Felix se tait.

Elle aimerait passer son bras autour de ses épaules pour le réconforter. Mais leur relation est plus professionnelle qu'amicale. Elle se contente de lui servir un verre, puis cherche son regard.

– Tu as besoin te t'éloigner pour réfléchir. Cela ne sert à rien de tout plaquer : l'Irlande te fera du bien. Et le travail aussi. Et puis Caroline reviendra, avec ton bébé. Crois-moi.

– A quoi bon?

– Ne sois pas autodestructeur, ne gâche pas la seule chose dont tu sois sûr, ces jours-ci : tu es l'un des meilleurs. La campagne publicitaire que tu as conçue pour le diamant Aurore est le couronnement de ta carrière. Après cela, tu pourras prendre de longues vacances, ou partir travailler à l'autre bout du monde, comme tu voudras.

– *Business is Business*, n'est-ce pas? Tu as sans doute raison. Le travail est tout ce qu'il me reste. Mais je ne pourrai pas supporter que cela foire. Non, je ne pourrai pas.

– Rien ne foirera. Tu as ma promesse.

– Imagine que Johanna ne veuille pas tourner. Tant de mois de travail ruinés! Je pourrais prendre un top model quelconque. J'en ai réservé une, au cas où... Mais tout sera fichu.

– Je parlerai demain à Johanna.

– Si elle refuse de participer, ce sont des mois de travail qui tombent à l'eau. La catastrophe sera vraiment complète. Après cela, il ne me restera plus qu'à me faire moine.

– Bien. Je dois donc, d'ici demain midi, convaincre Johanna, c'est cela ?

– Oui.

– Tu ne veux pas que j'escalade l'Everest à cloche-pied, pour faire bonne mesure ?

– Merci de m'avoir écouté. Tu pourras me contacter à l'hôtel. Il vaut mieux que j'aille dormir maintenant.

2

Après le départ de Felix, Paula se sent vaciller. Elle vient d'essuyer un sacré choc. Il faut appeler JLW. Avoir avec lui une bonne explication. Mais à peine pose-t-elle la main sur le combiné que la sonnerie retentit. C'est Pinas Kentzel.

La voix est grave, contrainte.

– Nous venons d'apprendre pour Rachel...

– Apprendre quoi, cher Pinas?

– Elle épouse votre frère. Elle abandonne ses études aux États-Unis.

– Pardon?

– Je vous en prie! Ne faites pas semblant d'ignorer ce que vous avez aidé à dissimuler. Luc vit avec ma sœur depuis plusieurs semaines. Oseriez-vous prétendre que vous ne le saviez pas?

– Non, mais...

– Rachel nous a écrit, et je n'ai pu éviter de montrer la lettre à notre père. Il a du mal à se remettre du choc. Votre attitude est révoltante. Nous vous avons confié Rachel, comme une très jeune fille peu initiée à la vie. Vous avez manqué à votre parole!

– Enfin, elle est majeure.

– Cela n'a rien à voir. En moins d'un mois, ma sœur semble avoir abandonné tous les principes de vie inculqués par sa famille. Rachel n'a plus de mère pour veiller sur elle, pour lui apprendre à se méfier des premiers émois. Ce sont des moments difficiles pour une adolescente. Mon père et moi ne lui avons sans doute pas assez parlé de ces choses. Mais vous auriez pu nous aider.

– Pinas, n'exagérons rien. Luc et Rachel sont amoureux. Et, d'après ce que je vois, ils s'entendent très bien.

– Je ne tiens pas à vous écouter. Rachel ne peut pas épouser un catholique, ce serait très grave.

– Je vous croyais plus ouvert au XXe siècle.

– Je sais que cela est difficile à comprendre. Mais quelles sont les chances de succès d'une telle union ? Comment votre frère pourra-t-il s'adapter à notre culture ? Acceptera-t-il que ses fils soient circoncis ?

– C'est un faux problème. Je suis sûre que Luc est prêt à se convertir pour garder Rachel.

– Il ne suffit pas de s'enamourer d'une jeune fille pour adopter l'histoire d'un peuple ! Vous ne connaissez pas notre religion. Les demandes de conversion de Luc seront rejetées. Il devra étudier l'hébreu et les textes saints pendant des années, avant qu'un rabbin n'accepte de le convertir. Mon père est très choqué par cette affaire. Il ne peut supporter l'idée de voir Rachel sortir de la famille.

– Voulez-vous dire qu'elle ne fera plus partie de votre famille si elle épouse un catholique ?

– Pour mon père, elle sera comme morte. Elle ne transmettra à ses enfants ni le patrimoine des Kentzel, ni la religion et la culture de ses parents. Deux de mes oncles ont disparu en déportation à cause de leur appartenance à une culture que ma sœur rejette pour une toquade amoureuse ! Mais je dois en venir aux faits. Nous étions *a priori* réticents à l'idée de travailler avec vous. Dans notre milieu, les affaires sont une question de confiance, entre des familles dont on connaît les ancêtres. Nous vous avons donné votre chance. Mon père insiste pour que nous rompions tous nos accords. Dès ce soir.

– Voyons, cela paraît un peu précipité. Pourrions-nous nous rencontrer, pour en discuter ?

– Je ne puis quitter mon père. Il a été formel. La production de diamants roses que vous avez reçue la semaine passée sera la dernière.

Paula a l'impression de tomber au fond d'un puits. Un étrange vertige la prend.

– Comprenez-nous. C'est une question de confiance, de valeurs. Notre famille a sacrifié ses relations avec la D.I.C. pour vous. A la première occasion, vous nous trahissez, en ce que nous avons de plus cher.

– Vous ne pouvez pas prendre une telle décision en vingt-quatre heures! J'ignorais que mon frère et Rachel désiraient se marier.

– Vous devez parler à ma sœur. Il faut qu'elle m'appelle. Dites-lui que Père ne va pas bien et qu'elle doit revenir à Anvers le plus vite possible.

– Je ferai tout ce que je pourrai. Mais Rachel a un esprit indépendant, un caractère bien à elle.

– Je lui expliquerai la situation au téléphone. Elle cédera, j'en suis sûr. Sauf si votre frère la retient.

Paula réprime un frisson d'exaspération.

– Luc ne retient personne. Cessez donc de croire qu'il a séduit et kidnappé Rachel.

– Je ne désire pas en discuter avec vous. L'important est qu'elle vienne voir son père, puis parte à New York. A vous de trouver d'autres tailleurs de pierres pour le diamant Aurore.

Une tonalité irritante se substitue à la voix de Pinas : il a raccroché.

Elle se lève, en s'appuyant à la bibliothèque. La tête lui tourne. C'est est un cauchemar! Comment peut-on rompre des relations d'affaires d'une telle importance pour une simple histoire d'amour?

Elle a pourtant l'intuition que Pinas est toujours de son côté. C'est l'intransigeance de son père qui risque de ruiner tous leurs projets.

Il faut raisonner Rachel.

Elle enfile une veste de cuir, attrape les clefs de la Mustang et claque la porte de l'appartement. Elle n'a rien avalé depuis le sandwich du déjeuner.

Rachel est seule, entourée de papier, de calques, de pastels. Paula fait quelques pas dans la pièce, mal à l'aise. Le motif de sa visite n'a rien d'agréable. Et le sourire de la jeune fille ne rend pas les choses plus faciles.

– C'est gentil de passer me voir.

– Luc n'est pas là ?

– Il est de garde au ministère cette nuit...

– Toujours ce job de vigile...

– Luc a tant de métiers que je ne les retiens pas tous.

– Tu dessines ?

– Je copie des modèles. Tu veux voir la collection automne-hiver pour les cinq-sept ans ?

– Non, il faut que je te parle. Ton frère a appelé.

La jeune fille comprend immédiatement. Elle connaît trop bien sa famille, et le trouble dans le regard de Paula est facile à interpréter.

Avec douceur, Paula la met au courant de la situation. La jeune fille écoute, mais son regard est lointain. Elle imaginait bien que cela arriverait. Pauvre père. Pauvre Pinas. Comment pouvaient-ils savoir que, sitôt loin d'eux, elle changerait autant ? Ils lui avaient tracé un chemin net et droit. Elle cherche à s'en écarter depuis qu'elle a rencontré Luc.

Pourtant, il y a seulement six mois, elle n'aurait jamais pu imaginer d'abandonner sa famille pour épouser un goy. Elle se souvient de l'histoire de Samuel, le fils de leurs voisins. Fou amoureux d'une blonde wallonne, une fille de son collège. Une Shikse. Les parents avaient tout fait pour les séparer. La mère de Samuel avait rencontré la jeune fille et lui avait remis une forte somme. De l'argent, pour qu'elle s'éloigne de son fils. Samuel avait fait un scandale. Leur maison retentissait jours et nuits de disputes, de vaisselle brisée, de portes claquées. Tous les voisins, les amis, hochaient la tête avec peine : une famille si unie, brisée par une histoire si stupide. Elle aussi, Rachel Kentzel, elle avait hoché la tête. Des histoires comme celle-là secouent régulièrement la communauté juive anversoise. Elle sait par son oncle Alex qu'il en est de même à New York. Des avocats, des médecins rompent liaisons sur liaisons, jusqu'à ce qu'ils rencontrent LA femme. Celle qui agrée à leurs parents. Étrange respect des traditions, chez des yuppies si intégrés au monde moderne.

A l'écoute des réactions de la jeune fille, Paula observe le petit visage. Mais Rachel est perdue dans ses pensées.

Elle a passé des nuits entières, éveillée au côté de Luc, fourbissant les arguments qu'elle présenterait à son père et à Pinas. Maintenant, le moment fatidique est venu.

– Rachel, tu m'entends ?

– Oui.

– Je sais à quel point tout cela est difficile pour toi. Vous avez décidé de vous marier. Mais Luc n'a pas de situation fixe, vous aurez du mal à joindre les deux bouts. Surtout si le projet Aurore tombe à l'eau.

Rachel secoue ses boucles auburn, et rougit.

– L'argent n'a pas d'importance.

– Mais le mariage, si. Et cinq semaines, c'est un peu court pour prendre une décision d'une telle ampleur.

La jeune fille hoche la tête. Elle admire la sœur de Luc, si différente des mères de famille boulottes de son quartier. Une autre version de femme. C'est Paula qui lui a appris à jouer de son apparence, à n'avoir peur de personne. Elle est si forte, cette femme aux yeux de métal.

– Je ne sais pas. Je ne veux perdre ni Luc, ni ma famille. Je ne sais plus que faire.

– Honnêtement, si Luc et toi vous aimez tant, vous pourriez vous attendre un peu.

– Tu crois que je dois partir ?

Paula est gênée. Doit-elle vraiment recommander à la petite de quitter Paris ? N'est-ce pas là un moyen détourné de reconquérir la confiance de Pinas ?

– Pourquoi ne pas finir tes études à New York ? Avec un diplôme en poche, tu seras mieux à même de décider de ta vie. Aujourd'hui, c'est un peu tôt.

– Très bien. Je fais mes bagages.

– Maintenant ?

– Oui. Je pars à Anvers cette nuit, voir mon père. Je prendrai l'avion pour New York directement de Bruxelles.

– Mais... Tu ne veux pas dire au revoir à Luc ?

– A quoi cela servirait-il ? Je lui laisserai une lettre.

Les yeux de la jeune fille sont secs. Elle est devenue adulte très vite, ces dernières semaines. Paula a conscience d'avoir quelque peu joué avec l'admiration de la jeune fille, pour la décider à partir.

– Écoute, peut-être vaut-il mieux que tu réfléchisses à tout cela, que tu en discutes avec Luc.

Elle se trompe : la décision de Rachel est bien prise. La jeune fille pense : « Elle a raison, cela ne sert à rien de s'entêter. Je ne saurai pas faire la guerre, pas à ma famille. J'étais pleine d'illusions sur moi-même. Je me suis vue libre, prête à conquérir le monde, avec Luc. Mais renoncer à Père, à Pinas, à la maison d'Anvers, à tous nos amis là-bas ? Les faire souffrir, les trahir ? Si je les rejetais, je ne me sentirais plus jamais chez moi. Nulle part. »

Elle sort son sac de voyage et commence à plier les robes que les mains de Luc ont si souvent froissées.

Paula entre en coup de vent chez JLW. Étonné, il l'accueille dans le vestibule de son luxueux appartement du XVIe arrondissement.

Elle n'est jamais venue chez lui. A vrai dire, elle sait peu de chose sur son compte.

– Mais il est très tard... Que puis-je pour vous ? Mon Dieu, vous avez l'air épuisée !

Le salon Empire est tendu de chintz rouge frappé de feuilles d'or. Tapis persans, bibliothèque à colonnettes de bois sombre, garnie de centaines d'ouvrages reliés plein cuir. Accoudé à la cheminée, JLW est vêtu d'une lourde robe de chambre, brodée d'amoiries anglo-saxonnes.

Elle s'effondre sur un sofa.

– Felix est passé me voir. Il ne veut plus faire le film...

Il se raidit aussitôt. Puis, très vite, surmonte sa surprise initiale.

– Allons, ne vous inquiétez pas. Dès que Johanna Kale aura accepté de tourner dans sa publicité, la fierté professionnelle de Felix reprendra le dessus. Désirez-vous une verveine ?

– Il y a plus sérieux encore. Les Kentzel cassent notre contrat. Rachel et mon frère vivent ensemble depuis un mois, ils ont décidé de se marier. La famille Kentzel n'a pas apprécié.

– Ceci est beaucoup plus grave !

– Je sais.

Elle passe les mains sur son visage, et quelques mèches châtain la dissimulent un instant aux yeux de John.

– Dire que c'est une romance qui empêche le lancement de notre symbole amoureux! soupire Paula.

– Ironique, n'est-ce pas? Au moins, ce ne sont pas vos affaires de cœur qui posent problème, ma chère. Celles de votre frère sont plus ennuyeuses. Mais vous êtes irréprochable. J'ai toujours admiré votre manière d'isoler votre vie privée.

« La recette est simple, pense Paula. Il suffit de ne pas avoir de vie privée. »

– Mais parlons affaires, reprend JLW. La défection des Kentzel est un coup sérieux. Nous nous sommes engagés vis-à-vis du Zaïre à lancer le diamant Aurore avant décembre. Je suis certain que, si nous ne respectons pas nos délais, Mobutu cédera la mine à la D.I.C.

– Je sais. Nous pourrions trouver un autre tailleur de pierres.

– En si peu de temps? Cela me paraît difficile. Il faudrait effectuer des démarches auprès d'autres ateliers dès la semaine prochaine.

– A Tel-Aviv ou à New York. Je m'en occupe. D'autre part, le tournage de la publicité doit se poursuivre, comme si de rien n'était. Felix a besoin de solitude, je crois.

– Ne vous inquiétez pas. Je ne mettrai pas les pieds sur le tournage. Cela me sera d'ailleurs facile : je pars au Liechtenstein pour démêler les affaires d'une société pas très nette. Il ne me reste qu'à vous souhaiter bonne chance. Prévenez-moi très vite de la suite des événements.

JLW observe la jeune femme qui rassemble ses affaires pour partir. Il la voit en bien mauvaise posture. Jusqu'ici, comme un chat, elle retombait toujours sur ses pattes. Mais même les félins font parfois des chutes mortelles.

La suite de Johanna Kale s'ouvre sur un balcon qui domine les méandres de la Seine. Luxe paisible des tentures ivoire égayées par des gerbes de roses trémières. Paula y découvre Johanna, attablée devant un bol de céréales, sélectionnées pour elle par Fortnum & Mason de Londres, et une mangue fraîche qu'un garçon va chercher tous les matins chez Hediard.

– Paula, quelle surprise! Tu es bien matinale.

La star est vêtue d'un peignoir de satin, elle est encore ébouriffée par sa nuit de sommeil.

– Un jus de fruits?

– Plutôt un café. Je n'ai pas beaucoup dormi.

C'est un euphémisme: Paula n'a pas fermé l'œil.

– Tu as tort. Tu vas être toute fripée ce soir. Ce serait dommage: tu dois m'accompagner à la soirée que Max donne sur sa péniche.

– Il faut que je te parle. Sérieusement.

– Je suis tout ouïe...

– Tu connais maintenant les diamants roses aussi bien que moi.

– Tes pierres sont fascinantes. N'oublie pas ta promesse de me réserver le plus gros de l'année. Ce sera le diamant Kale, je le porterai pour les Oscars.

– Pour lancer cette pierre unique au monde, il nous faut une publicité qui soit, elle aussi, unique.

– Oh, j'ai toute confiance en Felix. Il t'a concocté un scénario d'un romantisme torride!

Paula se souvient qu'elle n'a rien mangé depuis vingt-quatre heures, et grignote un toast. Elle hésite... Comment aborder Johanna? Elle se concentre un instant, puis, d'une voix un peu sourde, se lance.

– C'est un bon scénario... Mais il sera meilleur encore si toi, Johanna Kale, tu lui prêtes ton talent. Comme pour un vrai film. Une parabole sur l'amour aujourd'hui. Il n'y a que toi qui puisses incarner la beauté, la modernité du diamant Aurore.

Johanna découpe sa mangue avec soin. Aucun frémissement ne trahit sa colère. C'est une grande actrice, mais Paula n'est pas dupe. Après un long moment de silence, l'Américaine murmure:

– La décoration n'était qu'un prétexte, n'est-ce pas? Tu ne m'as fait venir que pour cette pub?

– En quelque sorte. Nous avions besoin de toi.

– Et peut-être savais-tu que je suis toujours disponible en juillet? Certainement. Tu es quelqu'un de trop organisé pour ignorer les circonstances de mon veuvage.

Paula pense à Porter, le détective des célébrités. A la

somme colossale qu'elle a dû lui laisser pour tout savoir sur Johanna Kale. Maintenant, l'actrice est son amie, et elle regrette de lui avoir fait ça. Mais il est trop tard.

Johanna parle d'une voix contrôlée :

– Je me suis bien amusée, ces dernières semaines. Ce qui est exceptionnel à l'époque anniversaire de la mort de mon mari. Donc, je ne te balance pas la cafetière à la figure. Mais ne me reparle plus jamais de cela. Plus jamais.

– Bien.

Elle vient de porter un coup fatal au lancement des diamants Aurore.

Paula se lève, mais Johanna la retient.

– N'oublie pas notre rendez-vous. Je dois te présenter la maquette des salles de réception à seize heures. A moins que cela ne t'intéresse plus ?

– Au contraire. J'attends que tu assures ton job de décoratrice jusqu'au bout.

Les deux femmes se sourient, mais leurs yeux jettent des flammes.

Un couvercle nuageux enferme la capitale dans une atmosphère moite, polluée. Les cars de touristes allemands et japonais bloquent les rues et déclenchent des concerts de klaxons.

Il est dix heures. Après la réaction de Johanna, Paula ne se sent pas d'humeur à affronter Felix ou les Kentzel et décide de rentrer chez elle. Une demi-heure pour se calmer, prendre une douche.

Elle réprime une exclamation en ouvrant la porte du duplex. Luc tourne dans le salon comme un lion en cage. Elle a vécu tellement de catastrophes, ces dernières heures, qu'un instant elle a pu oublier le départ de Rachel.

Le chagrin qui ravage le visage de Luc la bouleverse, et elle s'élance vers son frère.

– Arrête. Je ne veux pas de tes consolations. C'est toi qui l'as poussée à partir.

– Mais sa famille...

– Non. Elle m'a laissé une lettre. Rachel a suivi tes conseils. Et tu lui as recommandé de partir pour New York.

Un silence figé tombe entre le frère et la sœur. Deux êtres si proches, et si différents.

– Je ne te comprends plus. Je t'ai laissée faire quand tu as ruiné ce territoire africain, ce coin de souvenirs où tu n'as jamais mis les pieds. Tu as tout détruit pour ces fichus diamants roses. Le nouveau symbole amoureux! Quelle occupation pour toi qui restes seule, qui n'aimes personne!

– Luc!

– Pardon. Mais pourquoi, pourquoi te lancer dans cette histoire? La bague de fiançailles moderne! Avoue que c'est un comble. Qu'as-tu voulu faire? Du fric?

Étourdie, elle murmure dans un souffle:

– C'est ce que voulait notre père, non? Les diamants, c'était son rêve. Il est mort pour cela. Et toi, c'est la quête de ces pierres qui t'a amené là-bas, sur ses traces. Tu les as rapportées. Je n'ai fait que poursuivre ce que vous aviez entrepris.

Mais Luc ne l'entend pas. Les poings serrés, le regard tourné vers la pluie qui fouette la fenêtre, il laisse libre cours à son chagrin.

– Maintenant tu écartes Rachel! Nous allions nous marier. En fait, elle est déjà ma femme. Je ne peux plus avoir chaud sans elle, ni dormir sans elle, ni penser à demain sans elle. Je pars à New York aujourd'hui même.

Paula ne cherche pas à se défendre. Elle n'explique pas que Rachel, peut-être, a choisi le parti de sa famille.

La solitude transperce la jeune femme jusqu'aux os. Elle retient l'appel qui monte dans sa gorge.

– Je n'étais pas venu te faire des reproches, et je m'en excuse, dit-il. Je n'ai aucun droit sur ta vie. Simplement je voulais te dire au revoir. Je pars à New York aujourd'hui. Nous ne nous reverrons pas avant longtemps.

Il traverse le salon en trois enjambées et ferme la porte derrière lui, sans qu'elle puisse faire un geste pour le retenir.

Le lien magique qui l'unissait à son frère vient de se briser. La douleur est presque physique. Toujours, elle l'a compris, aimé, protégé.

Elle n'a pas vraiment poussé Rachel à partir. Mais elle ne l'a pas persuadée de rester. L'aurait-elle pu? Elle ne sait pas. Il aurait fallu essayer. Paula pleure rarement, mais là, elle s'abandonne quelques minutes, les épaules secouées par un sanglot silencieux.

La découverte de cette pierre précieuse unique au monde, l'incroyable projet qu'elle a créé, tout s'effrite comme un château de sable attaqué par la marée. Pis, elle a perdu Luc, sa seule famille.

Les larmes sont brèves, amères.

Une sorte de faiblesse fiévreuse, qui la guettait depuis plusieurs semaines, s'insinue dans son sang.

Mais elle se lève, combat la lourdeur de ses membres. Elle choisit un ensemble en toile de lin, se maquille avec soin pour dissimuler les marques de la fatigue et des larmes.

Puis, elle quitte l'appartement, pour sauver ce qui peut l'être.

Hélène contemple la maquette des salles de réception. Consternée.

Johanna achève de mettre en place les échantillons de tissus et les photos d'antiquités qu'elle aimerait acheter pour compléter la décoration.

Elle est entourée de deux stylistes, très excités à l'idée de travailler avec la fameuse Kale. L'un d'eux a vendu son témoignage à *Vogue* et, mentalement, rédige déjà l'article : « Johanna avait un goût exquis. C'était aussi une compagne de travail d'une grande simplicité... »

Paula fixe un horizon invisible, de ses yeux devenus presque transparents.

« Elle est surmenée, pense Hélène. Trop de stress. Elle dort à peine et saute un repas sur deux, entre ses rendez-vous. Je ne sais pas comment elle tient ! »

Une fois la maquette achevée, les stylistes et la Star reculent d'un pas pour contempler leur œuvre, puis se tournent vers la directrice du B.C.D.A. attendant sa réaction. La voix de Paula s'élève, un peu fragile, mais déterminée.

– Cette décoration est splendide... pour un parfumeur qui cherche à épater ses clientes. Johanna, tu connais la fonction de ces salons ? Il s'agit de recevoir des diamantaires.

Des hommes! Par conséquent, le rose pourpre et les galons d'or sont parfaitement inadaptés. Autre chose : nous présenterons nos diamants dans ces pièces. Ces pierres, comme je te l'avais expliqué, ont besoin de lumière. Alors, pourquoi ces tentures devant les fenêtres? Ces tapis sombres qui étouffent tout éclat? Hélène t'a parlé du monde des diamantaires, qui est tout sauf ostentatoire. Le luxe y est discret, conservateur. Ces colonnes de marbre antique, ces sculptures de nus seraient plus à leur place dans un hammam hollywoodien.

Johanna l'interrompt, balayant la maquette d'un geste de la main.

– Cette décoration n'était qu'un alibi pour me faire venir. Maintenant que ton plan a échoué, tu ne m'accorderas aucun crédit!

– Absurde! Si ta proposition avait été honorable, je l'aurais achetée sur-le-champ. Mais elle est inadaptée.

– Inadaptée?

– Tu n'as pas écouté le *brief* que nous t'avions donné.

– Foutaises! Je ne veux plus jamais entendre parler de ces fichus cailloux!

L'actrice lance à l'assemblée un regard de défi et quitte la pièce en claquant la porte.

Une fois les stylistes congédiés, Hélène hausse les épaules.

– Tu as eu raison. Ce n'est pas parce qu'on s'appelle Johanna Kale que l'on peut faire n'importe quoi. Cette maquette était épouvantable!

– Épouvantable, oui. Peux-tu appeler Felix? Il doit commencer le tournage, maintenant. Il a réservé un top model roux, une fille superbe. Elle devra remplacer Johanna.

– Tu sais qu'il n'acceptera jamais?

– Demande-le-lui quand même.

– Et le journaliste qui voulait t'interviewer cet après-midi?

– Je ne pourrai pas le rencontrer.

– Pourtant, il voulait titrer son article « Diamants : une Française bouleverse les règles du jeu ». Je pensais que cela t'amuserait...

– Pas aujourd'hui.

Louis passe la tête dans l'entrebâillement de la porte.

– Paula! Kentzel junior au téléphone.

– Passe la communication ici.

– J'ai reçu les premiers modèles des bagues de l'Orchidée. As-tu un peu de temps?

– Non. Allô, Pinas?

La voix du jeune homme, autrefois amicale, est embarrassée.

– Je tiens à vous remercier de votre aide. Rachel est bien rentrée. Nous l'avons mise dans l'avion pour New York il y a deux heures.

– Comment va votre père?

– Mieux. Mais c'est un fieffé têtu. Il ne veut plus entendre parler des diamants Aurore. J'espérais qu'il changerait d'avis, une fois Rachel revenue dans le droit chemin. Je crois que les diamants Aurore seront un succès sans précédent. La D.I.C. le pense aussi, d'ailleurs...

– Comment savez-vous cela?

– Doug, de la W.S.O., a déjà appelé trois fois. Comment la D.I.C. est au courant de notre rupture, je n'en sais rien. Doug propose à mon père de faire partie des diamantaires sélectionnés par le Syndicat, et d'être porteur de vues à Londres. Nous pourrions ainsi acheter les diamants bruts au meilleur prix. Ce ne serait possible que si nous renoncions à tout contact avec vous.

– C'est du chantage.

– Je sais bien.

– Qu'a répondu votre père?

– Il a accepté.

Paula raccroche, livide. C'est la fin.

– Ça va? s'inquiète Hélène.

La jeune femme ne répond pas et quitte le bureau.

Dehors, l'orage a éclaté avec une violence tropicale. Une pluie agressive frappe le goudron. Les caniveaux s'emplissent d'eau gargouillante.

Paula marche sans but. Elle demeure quelques minutes contre la grille d'une voie ferrée. Par les fenêtres des trains de banlieue, elle aperçoit les silhouettes des voyageurs noyés dans une lumière jaunâtre.

Elle pénètre dans un bistrot et commande un espresso, sous les regards goguenards des ouvriers du chantier voisin. Difficile de savoir si le jour s'est obscurci ou si la nuit est déjà tombée.

Elle se sent vide, égarée. Elle marche le long de rues qu'elle n'a jamais vues. En la doublant, un taxi l'asperge d'une gerbe d'eau sale, qui achève de ruiner sa jupe.

Au même moment, l'Airbus qui emmène Luc à New York perce les nuages et vire vers l'Atlantique.

Paula est bousculée par une armée de parapluies, qui s'engouffre dans une bouche de métro. Portée par ce flot humain, elle s'enfonce dans les couloirs qui sentent le chien mouillé. Embarque par hasard dans une rame qui traverse la ville.

Elle n'est plus responsable de rien, elle erre dans des lieux qu'elle ne connaît pas. Elle ne va nulle part. Ce sentiment de fuite la soulage un peu.

Mais la jeune femme est dans un état proche de l'hébétude. Tout au fond d'elle, le fil conducteur de son énergie a craqué.

Il fait nuit lorsqu'elle remonte à la surface, dans un Paris noir, luisant, chaud comme une bête après l'effort. La faim la pousse dans une échoppe qui sert des sandwichs au merguez. Elle avale un hot-dog, puis deux cornets de frites trop salées.

Debout face à la rue, elle ne remarque pas l'air inquiet du propriétaire. Qui se demande si elle n'a pas perdu la tête, et s'il ne faudrait pas appeler la police. Il y a quelque chose d'insolite chez cette femme. Trop élégante pour errer dans ce quartier, pâle comme la mort, les longues jambes éclaboussées par la boue, dévorant un sandwich graisseux comme si elle n'avait rien mangé depuis deux jours.

Bientôt elle reprend sa marche. Les vitrines sont obscures et les restaurants déserts : les touristes sont restés dans leurs hôtels ce soir. Un chat mouillé se lèche à l'abri d'une porte cochère. La pluie a décollé des affichettes d'un orange criard, dont les lambeaux traînent sur le bitume.

Paula boite. Ses sandales de cuir fin, gorgées de pluie, la

blessent. Elle se réchauffe à l'entrée d'un théâtre, face à la guichetière qui se cure les ongles d'un air morose. Puis traverse un boulevard. Une concierge sort deux poubelles, dont le fond de plastique racle contre l'asphalte.

Le vent s'est levé, et une lune blafarde apparaît, derrière un nuage. Les boucles de Paula sont hérissées par la pluie et lui couvrent le visage. Elle tremble de froid, mais, dans un état second, ne fait pas un geste pour quitter sa veste mouillée.

La masse sombre des immeubles l'oppresse. Elle est heureuse lorsque ses pas l'amènent vers un espace dégagé, une petite place à l'angle d'une avenue. Assise sur un banc, comme une vieille dame dont ce serait le principal loisir, elle contemple la rue déserte. Son esprit est vide. Elle se sent flotter, libre, au-dessus de la réalité. Son regard est transparent comme la pluie. Elle ne ressent ni le froid, ni l'angoisse, sa volonté ne la talonne plus : elle reste là, tranquille. Deux clochards passent et ne la dérangent pas : une droguée ou une folle.

Aux petites heures du matin, ankylosée, elle se secoue et reprend sa marche. Elle aperçoit une lumière, à l'angle d'un immeuble. Un café sans doute, un endroit où il fait chaud. Elle se hâte, traverse le carrefour, trébuchant sur les pavés humides.

La voiture, qui fonce à plus de soixante-dix kilomètres-heure, n'a pas le temps de ralentir. Happée par le bolide, Paula s'effondre, molle, sur la chaussée.

Max aide les derniers invités à franchir la planche qui relie la péniche au quai. La soirée est terminée. Enfin, presque... Johanna est toujours là, qui danse toute seule, sur le pont illuminé par des lampions multicolores.

Il sait ce qu'elle attend de lui. Il y a des regards qui ne trompent pas. Et les prunelles dorées de l'actrice sont extrêmement persuasives.

Lorsque les feux arrière du dernier taxi disparaissent à l'angle de la rue, Max traverse le pont. Saisit Johanna par la taille, la place sur son épaule comme un vulgaire paquet, et descend dans la cabine. Elle se trémousse en pouffant de rire.

– Attends, attends un peu!

– Attendre quoi?

Il l'assied sur la table de la cuisine. Debout face à elle, il promène un doigt sur sa peau. Fait glisser une bretelle de soie noire.

Elle proteste, d'une voix faible.

– Mais qu'est-ce que tu fais? Et Paula?

– Elle n'était pas là ce soir. Elle ne vient jamais. Je ne peux pas passer ma vie à lui courir après.

Sur ce, il emprisonne ses poignets et la renverse en arrière. Elle réussit à glisser hors de son étreinte et se réfugie de l'autre côté de la table. Il la retient par les chevilles.

Elle a des orteils à croquer, Johanna : roses, ronds, les ongles comme des coquillages. Il entreprend de chatouiller ces merveilles du bout de la langue, jusqu'à ce qu'elle fonde dans un énorme fou rire.

La Seine reflète une aube blême. Max dort comme une bûche, effondré en travers du lit. Mais Johanna se réveille tôt et reprend ses esprits dans la baignoire. Puis, elle enroule un drap autour de son corps et entreprend de vérifier si les environs sont libres. Elle n'a aucune envie de se laisser surprendre ici, à cette heure compromettante. Elle voit d'ici les gros titres: « Les nuits scandaleuses de Johanna Kale », « Chatte sur un pont brûlant », etc.

Elle pointe le nez devant le hublot : personne. Les quais sont déserts. Reste à voir si aucun *paparazzo* ne la guette côté tribord. Elle s'approche d'une écoutille, lorsque la sonnerie du téléphone retentit dans la chambre. Max grogne et enfouit la tête sous l'oreiller. Johanna hésite. Cet abruti n'a pas de répondeur. A la douzième sonnerie, elle craque, et décroche.

– Allô?

– Allô... Est-ce que Max est là?

– Il dort encore. Voulez-vous laisser un message?

– C'est toi, Johanna?

« Merde », articule silencieusement l'actrice, en reconnaissant la voix d'Hélène.

– Oui. Je suis venue récupérer mon sac à main. Oublié hier soir...

Mais Hélène, inquiète, ne prête aucune attention à cet alibi mal ficelé.

– Paula n'est pas avec toi ?

– Certes non !

– Elle a disparu depuis hier après-midi. Je ne la trouve nulle part.

– Elle n'était pas à la soirée hier. Je suis désolée, je ne peux pas t'aider.

Max se dresse sur un coude, bâille avec vigueur.

– Qu'est-ce qui se passe ?

– C'était Hélène. Paula a fait une fugue.

– M'étonnerait. Pas son style. Enfouie dans des dossiers quelque part...

– Peut-être a-t-elle rencontré un bel étranger ?

– Pfff !

Il disparaît sous le drap.

– Jaloux ?

– Cesse de m'agacer. Il est beaucoup trop tôt. Il y a du café ?

– Du café américain, oui. Ce n'est pas ça qui te réveillera...

Elle rigole et disparaît dans la cuisine.

Johanna règle le taxi, puis se dirige vers les urgences. Nerveusement, elle tripote son sac à main.

Hélène s'avance à sa rencontre.

– C'est gentil d'être venue.

– On peut la voir ?

– Non. Elle est inconsciente. Ils sont en train de faire des examens. On ne peut encore rien dire...

– C'est terrible !

– L'accident est arrivé avant-hier. Vous étiez invitées à cette soirée sur une péniche, n'est-ce pas ?

– Oui...

– Le chauffard l'a renversée dans le XVe arrondissement. Je ne peux pas imaginer ce qu'elle allait faire là-bas.

Hélène paraît épuisée. Avec sa couette blonde et son visage sans maquillage, on ne lui donnerait pas quinze ans.

– Je te laisse, nous sommes submergés de travail. Si

l'interne te donne de ses nouvelles, téléphone-moi au bureau.

– Compte sur moi.

Johanna s'effondre sur une banquette, dans le couloir carrelé de blanc. Du coin de l'œil, elle a déjà aperçu Max, qui fixe le mur d'un air sombre.

Elle hésite, puis s'approche de lui en se mordant les lèvres.

– Tu es venu aussi ?

– Comme tu vois.

– Je crains que nos visites ne soient pas très utiles. Paula est encore inconsciente.

– J'aurai voulu connaître le diagnostic.

– Tu sais que l'accident a eu lieu l'autre nuit. Le soir de ta fête. Je ne peux m'empêcher de penser qu'il y a un lien, que cela est notre faute, d'une certaine manière.

– C'est absurde !

Il secoue la tête, contrarié.

– Ne te ronge pas les sangs. Paula et moi jouons à cache-cache depuis très longtemps. Il n'a jamais été question de fidélité...

– Mais elle tient à toi.

– Cela n'a rien à voir avec son accident.

Johanna fixe ses pieds d'un air buté. Elle n'est pas convaincue.

Dans le couloir, un homme, la jambe plâtrée, déplace son fauteuil roulant pour avoir une meilleure vue de la star. Deux aides-soignantes passent pour la quatrième fois, en gloussant et se poussant du coude. Et la file des patients ne quitte pas le couple des yeux.

Johanna frissonne, elle n'aime pas ces regards trop curieux. Elle s'apprête à se réfugier dans un coin plus discret, lorsque l'interne de garde s'avance vers eux. Il la dévisage, mi-curieux, mi-railleur.

– Mademoiselle Kale ?

– Elle-même.

– Je suis heureux de vous accueillir dans notre modeste hôpital. Comment puis-je vous être utile ?

– Je viens prendre des nouvelles de Paula Desprelles.

– L'état de votre amie est stationnaire. Il serait sans

doute préférable que vous attendiez les résultats des examens depuis votre hôtel. Votre présence ici n'est pas passée inaperçue : je n'arrive plus à mettre la main sur une infirmière, et la salle des urgences ressemble à un fan-club en pleine ébullition.

Johanna décoche un sourire moqueur au jeune médecin.

– Docteur, si vous voulez me voir débarrasser le plancher, il faudra m'en dire plus.

– J'aurais préféré ne pas m'avancer. Mais puisque vous m'y obligez... Votre amie ne souffre *a priori* d'aucune lésion grave. Pourtant, elle est toujours inconsciente. Elle reste sous examen. Il y a possibilité d'hémorragie cérébrale.

Une fois l'interne parti, l'Américaine tire Max par la manche.

– On s'en va...

– Non, je préfère rester.

– Ne sois pas stupide. Le café de leur machine est dégueulasse, et tu as besoin d'un petit déjeuner.

– Tu as raison. Veux-tu que je te raccompagne en moto ?

– Ce ne sera pas nécessaire.

Une fois passées les portes vitrées de l'hôpital, Max s'éloigne vers le parking, haute silhouette qui traîne un peu les pieds. Johanna le suit du regard. Depuis l'accident, c'est tout juste s'il remarque sa présence. Il reste à prier pour que Paula s'en sorte. Parce que Max fera un infirmier de rêve. Alitée, la Française aura peut-être le temps de considérer cet homme qui est, quand même, un don du ciel.

Deux jours plus tard, Paula repose dans un grand lit, encadrée par ses oreillers. Amaigrie, elle a le visage d'une adolescente. Elle a insisté pour rentrer chez elle, et le médecin a cédé, de guerre lasse. Une infirmière prend soin d'elle et tente de contrôler le flot des visites.

Max ne se considère pas comme un visiteur. Aujourd'hui, il a monté de quoi nourrir un régiment d'athlètes olympiques. Il déballe ses sacs au pied du lit.

– Vitamines, lait, jus de pomme, steak, épinards...

– Je n'ai pas besoin qu'on prenne soin de moi.

– Toujours charmante. Ce n'est pas de toi dont je prends soin, mais de ton réfrigérateur. Rarement vu une telle désolation !

Elle est trop faible pour continuer à discuter. Max s'assied au pied du lit. Son regard est trop intense pour qu'elle puisse le soutenir longtemps. Elle préférerait se montrer sous un jour meilleur : ses cheveux sont raides comme des ficelles, et le pyjama de laine n'est pas des plus sexy.

Pourtant, elle est heureuse qu'il soit là. Sa présence est physiquement palpable : calme, si calme... Comme une vague de chaleur qui amène un peu de vie sur ses joues pâles. Elle se laisse aller et s'endort au bout de quelques minutes.

Johanna hésite devant la porte d'entrée. Appuyée à la rampe, elle joue avec la ceinture de son imperméable, le temps de se donner une contenance. Elle n'a pas vu Paula depuis son accident et ne sait pas trop comment elle sera reçue. Leur amitié a pris fin de manière si abrupte. Et pour couronner le tout, elle n'a trouvé rien de mieux que de passer la nuit avec Max.

Paula est-elle au courant de leur aventure ? Elle avale sa salive, prend son courage à deux mains et pousse la porte. Dieu merci, elle est actrice : son visage ne reflète ni culpabilité, ni confusion... Seulement le sourire chaleureux d'une copine qui passait par hasard. Paula est assise sur son lit et paraît ravie de la voir.

– Johanna !

– Comment vas-tu ? Tu nous as fait une peur bleue.

– Ce n'est pas très sérieux. Je n'ai rien, tu sais.

– Non, rien du tout. État de choc, pneumonie avec complications, deux côtes fêlées, hématomes multiples, faiblesse de l'organisme due à un surmenage excessif, anémie et entorse de la cheville... Tu n'as rien, effectivement, cela aurait pu être bien pire.

– Tu exagères, articule faiblement Paula, en remontant la couette sous son nez.

La tête lui bourdonne à nouveau. Johanna s'assied au pied du lit.

– Hélène m'a tout raconté. Je ne savais pas que les Kentzel t'avaient laissée tomber, ni que Luc était parti à New York. Sans parler de Felix! Une vraie traversée du pot au noir. Je comprends que tu aies craqué.

– C'est assez dur, oui.

– Tu aurais dû m'en parler.

– Tu n'aurais pas pu m'aider.

– Vraiment?

Johanna consulte sa montre, enfile une paire de gants abricot.

– Tu t'en vas déjà?

– J'ai un avion à prendre. Pour l'Irlande...

Paula se redresse soudain, les yeux brillants.

– Quoi?

– Oui, oui. Felix a promis qu'il ne me retiendrait pas plus de cinq jours.

– Johanna...

– Cesse de parler, tu vas te fatiguer. Bien sûr, je la tourne, ta foutue pub. Si tu m'avais raconté dans quelle galère tu étais embarquée, j'aurais réagi différemment. Solidarité féminine. Et puis, tu avais raison : je suis une décoratrice nulle. Tu m'as confié un travail que je n'ai pas su faire. Il est normal que je rattrape mes erreurs, grâce à mes maigres talents de comédienne.

– J'ai été un peu dure. Elle n'était pas si mal, ta maquette.

– Tttt... Tout simplement nulle! Je dois partir, cet avion ne m'attendra pas.

– Johanna, je ne comprends pas bien pourquoi tu fais cela. Je ne sais comment te remercier...

– Ne me remercie surtout pas. J'ai horreur de ça.

Elle se lève, jette un baiser vers la malade, et s'enfuit.

Pâle, amaigrie, Paula passe ses journées dans son lit, entourée de bouquets qu'ont fait livrer ses collaborateurs. Malgré les longues heures de sommeil qui lui sont nécessaires et les consignes du médecin, elle souffre de l'inactivité.

Max est passé déjeuner. Assis sur la moquette, il attaque un sandwich, la menaçant de sérieuses représailles si elle fait le moindre effort pour se lever.

– Pas de nouvelles de ton frère ?

– Non. Mais il n'est pas au courant de mon accident.

– Et pourquoi ?

– Luc vit sa vie. Je n'ai pas besoin de l'encombrer avec mes problèmes.

– Tu as raison. Il est inconcevable que l'on s'occupe de toi. D'ailleurs, tu te demandes sans doute ce que je fais ici, au lieu de travailler chez moi au chapitre vingt-deux de *Bain de sang pour un pigeon.*

– A vrai dire, oui...

– J'aurais dû te laisser ramper jusqu'au frigidaire pour te nourrir de pizzas surgelées ?

– Arrête de te moquer de moi.

Max dit des choses très sérieuses, sur le ton d'un homme qui commente un match de pétanque.

– Un jour, il faudra que tu apprennes à être faible. Tu t'épuises à n'avoir jamais besoin de personne. Se laisser aller, c'est parfois nécessaire pour l'équilibre.

Il est interrompu par quelques coups frappés à la porte. Derrière une volumineuse gerbe de roses, JLW fait son apparition.

– John, comme c'est gentil !

– Comment vous sentez-vous ? Avez-vous consulté le spécialiste que je vous ai recommandé ?

Le ton du Chinois est très sérieux. Paula doit être sur pied aussi vite que possible. Elle est la seule à pouvoir mener le projet des diamants Aurore à son terme. Et certains banquiers ont déjà manifesté leur inquiétude, en apprenant son immobilisation. Sans parler du Zaïre où tout le monde semble devenu hystérique.

– Vraiment, vous n'avez pas été raisonnable. Manger si peu... Et dormir encore moins. Quand on a vos responsabilités !

Max jette un regard noir à John qu'il n'aime pas.

Le Chinois l'ignore superbement.

– Quand donc serez-vous d'attaque ? Je vous ai prévu une série d'entretiens avec des tailleurs de pierres de Tel-

Aviv, qui pourraient être intéressés par le diamant Aurore. Après enquête, je suis certain que les Kentzel ne sont pas irremplaçables. Mais si nous voulons conserver la confiance du Zaïre, il faut agir vite.

Max en a assez entendu. Il se lève avec nonchalance.

– C'est l'heure de la piqûre. Mademoiselle, montrez votre postérieur, je vous prie.

JLW et Paula le dévisagent avec stupeur.

Il explique aimablement :

– Piqûre de fortifiants trois fois par jour. Essentiel. Le médecin m'en a confié la responsabilité. Sois raisonnable, baisse ton pyjama je te prie.

JLW soupire, excédé et se dirige vers la sortie.

– Dans ces conditions, il vaut mieux que je vous laisse. J'ai posé votre courrier sur la table.

– Merci encore. A bientôt.

A peine a-t-il refermé la porte que Paula et Max éclatent de rire.

– Tu as une façon particulière d'expédier les gens qui ne te plaisent pas.

– Je pensais bien qu'il ne supporterait pas la vue des fesses de son associée. Mais il est temps que tu te reposes.

– Mais je n'ai pas sommeil ! Lis-moi ton dernier chapitre...

– Je crains que cela ne soit pas assez soporifique.

Mais il finit par s'exécuter. Assis au milieu des feuillets dactylographiés, il reprend sa lecture quotidienne :

– « Flanagan n'aimait pas les subtilités des karatekas. Il lança son poing sur la face du Nippon. Sa Doc Marten vint cueillir l'homme en plein dans l'entrejambe. Le Jaune s'effondra sur le marbre. Sa bouche s'ouvrit, dans une explosion d'écume écarlate. Déjà, Flanagan lui tournait le dos. Un sixième sens l'avertissait : Ambre était en danger ! »

– Alors, alors ?

– Hmmm... La suite est assez horrible : les Ninja ont enfermé Ambre dans un cachot, avec deux Doberman affamés et hypersexués.

– Max !

– Je t'avais prévenue, ce n'est pas un récit pour une convalescente.

– Est-ce qu'elle s'en sort ?

– Ambre ? J'hésite. Soit je la tue tout de suite, soit je l'achève au dernier chapitre.

Il range ses papiers et s'apprête à quitter la chambre. Puis s'immobilise, préoccupé.

– Quelque chose ne va pas ?

– Ce JLW est déjà venu te voir trois fois.

– Jaloux ?

– C'est un immonde cloporte obsédé par l'argent. D'autre part, tu as reçu depuis ce matin quinze coups de téléphone et trois rapports par coursier exclusif.

– Je ne vois pas où tu veux en venir...

– Simple. Si je laisse faire, tu reprendras le travail avant la fin de la semaine.

– Et ?

– Et ce sera la fin. De nous.

– Quoi ?

Appuyée sur un coude, elle le contemple, abasourdie. Elle ne comprend plus. Max est venu la voir presque tous les jours – comme s'il passait par hasard. Il a pris soin d'elle, mais avec légèreté, sans qu'elle s'en rende compte. Comme le renard du petit prince, elle est apprivoisée. Pour tous deux, il est évident que leur relation continuera après sa convalescence. Alors pourquoi ces menaces ?

Max s'explique, sur un ton qui n'admet pas la contestation.

– Si tu reprends tout de suite le cycle infernal que t'impose le projet Aurore, tu ne tiendras pas longtemps. Et, comme d'habitude, ta vie privée passera par-dessus bord.

– Je n'ai pas le choix.

– Mais si. Soit tu achèves ta convalescence dans un endroit connu de moi seul. Soit tu cèdes aux pressions de John, et je me résigne à l'incompatibilité totale de nos deux caractères.

– C'est du chantage.

– Chantage raisonnable : ton médecin t'ordonne deux mois de repos absolu.

– Impossible. Une semaine, et encore...

– Transigeons. Un mois.

– Dix jours.

– Trois semaines. Pas un jour de moins.

– Trois semaines ? John va me trucider !

Elle retombe sur ses oreillers avec un sourire. Tant pis pour JLW.

Sixième partie

Un mammouth pour la gloire

1

New York

Ce qui fait un vrai New-Yorkais, ce n'est pas la naissance. Mais la volonté obstinée de faire son trou ici, dans la mégaville. Et pas ailleurs.

Luc est vite devenu un New-Yorkais authentique.

Le premier jour, il trouvait un job de barman.

Le deuxième, il négociait le partage d'un squat dans l'East Village.

Le troisième, il demandait la main de Rachel. Qui lui fut refusée, bien sûr.

Le Français habite à l'angle de la Huitième Rue et de l'Avenue A, à la périphérie d'Alphabet city. Un coin dangereux, bouillonnant d'énergie : l'ancien quartier ukrainien est envahi par les dealers, les galeries d'art, les zombis et les punks.

Régulièrement, la police affronte la foule pouilleuse des clochards et des drogués, qui occupe les escaliers, les pas-de-porte et les jardins. En pure perte : leur nombre croît de semaine en semaine.

Petit à petit, les vieilles familles russes et les yuppies, plus récemment installés, cèdent la place aux groupes de hard rock, aux ateliers d'artistes alternatifs, aux échoppes de sorcellerie.

Luc a le sentiment d'avoir toujours appartenu à cette jungle urbaine. Il est ici chez lui.

Première nuit d'août. Il fait chaud, et l'asphalte fond, comme dans un film de Spike Lee.

Derrière le bar, Luc évolue avec aisance, le regard ailleurs. Il travaille six nuits par semaine. Au noir, bien entendu, puisqu'il n'a qu'un visa de tourisme. Il a appris l'art des cocktails : décore des Daiquiris d'une ombrelle en papier de soie, les Singapore Slinger d'une cerise confite, et laisse glisser trois grains de café au fond des Sambucas.

Pour les touristes français en goguette, il traduit les mélanges les plus exotiques : « Fuzzy Navel » (Nombril duveteux), à l'alcool de pêche, « Screaming orgasm » cri d'orgasme, que l'on commande surtout pour faire rougir les serveuses.

C'est un métier qui ne lui déplaît pas. Il lui permet de rencontrer une faune intéressante.

Mais ce soir, Luc se sent mal. La chaleur peut-être. Ou ce sentiment de perdition, qui s'empare parfois de lui avec violence. Le néon *Miller High Life* éclabousse de rouge la vitrine du bar.

Dehors, la nuit new-yorkaise. Touffue. Hostile.

« *Want a drink ?* » La serveuse sent la solitude tomber sur le Français comme une chape de plomb. Elle connaît. Elle est arrivée du Kansas il y a six mois – après avoir vendu la garde-robe de sa mère à une fête de charité, pour payer le voyage.

Il refuse. Sa solitude est trop pure pour subir le moindre accroc.

Aucune nouvelle de Paula. Il est orphelin, comme il ne l'a jamais été. Sa sœur, son amie, son unique famille, l'a trahi. Pour une histoire de diamants. Incompréhensible. L'écho des sirènes est étouffé par l'air moite. Une silhouette hagarde oscille devant le bar, puis s'éloigne, happée par la nuit.

Luc avait construit son nid à Paris. Il connaissait des dizaines, des centaines de gens. Il lui serait facile de recréer ce réseau à New York. Mais absurde.

S'étourdir d'amitié pour oublier qu'il est né seul et que chaque vie est solitaire ?

L'illusion s'est brisée en mille morceaux. Pourquoi vouloir s'entourer ? Ici, il n'y a que Rachel qui compte. Il la voit peu, et leur futur est compromis. La solitude est un monstre que Luc combat depuis vingt-quatre ans. Mais ce soir, il abandonne.

Lorsqu'il quitte le bar, il est trois heures du matin. Tout arrive très vite, comme un accident. Un chat près d'une poubelle. Luc s'approche. La bête s'enfuit avec un feulement et renverse un aérosol. Une bombe de peinture rouge, qui dévale la rue silencieuse. Luc la bloque du pied. Elle est encore pleine. Entre le Centre pour la Démocratie polonaise et le magasin de fripes, il y a un grand mur gris, que Luc contemple, en plissant les yeux.

Puis il lève le bras. Le dessin jaillit de ses pulsions animales, des limbes préhistoriques de son cortex. Sur le mur apparaît un mammouth tracé d'une seule ligne, qui hurle sa solitude. Face à la ville. Piégé.

Lorsque Luc laisse retomber son bras, il est lui-même étonné par l'ampleur et la violence de l'image.

La première d'une longue série.

– Don, tu ne prends pas le bon chemin.

– Mais si. Je tiens à te montrer quelque chose.

– A deux heures du matin ? Est-ce vraiment nécessaire ?

La limousine dévale la Cinquième Avenue tourne à gauche au niveau d'Union Square. Don et Marilyne reviennent du Lincoln Center, après une excellente première du N.Y. City Ballet.

Ils forment l'un des couples les plus en vue de la côte Est. Don dirige la rubrique « Art et Spectacles » du *New York Times*, Marilyne gère une importante galerie de peinture à Soho.

– Pour moi, Balanchine est l'égal d'un Mozart ou d'un Picasso. Chéri, pourquoi freines-tu ?

– C'était ici. Sur ce mur. Mais ces saligauds ont collé leurs affiches par-dessus.

Marilyne se refuse à ouvrir la fenêtre : la voiture est climatisée. Elle colle son nez à la vitre et distingue quelques traits de peinture, derrière les prospectus en bichromie annonçant le retour imminent de Jésus-Christ.

– *Darling*, je sais que tu n'as lancé personne depuis six

mois. Mais est-il vraiment nécessaire de t'enticher d'un nouveau graffiteux sidaique ? Qui dépensera les millions de sa réussite en cocaïne-parties avec ses frères du ghetto.

– Attends, il y avait un autre dessin plus loin.

Elle soupire en vérifiant son rouge à lèvres dans le rétroviseur. Don est si lassant parfois...

– Ici !

Derrière deux poubelles, un fauve tacheté se tord d'angoisse. Comme surgi de la nuit des temps.

– Ah ! fait Marilyne.

– Tu vois ?

– Je vois.

La limousine repart, glissant sur les eaux troubles de l'East village. Les deux époux scrutent les murs, contenant leur excitation. Au moment même où ils envisagent d'abandonner la chasse, le mammouth traverse le faisceau des phares.

Cette fois-ci, ils descendent tous deux pour observer la bête de plus près. Cette fresque préhistorique en plein New York est d'une force extraordinaire. Don triomphe.

– Pas mal..., consent son épouse. Tu pourras sans doute en tirer quelque chose.

Don – qui tient à garder sa place à la tête des chasseurs de talents de la côte Est – exploite au mieux sa découverte et lui consacre un encadré en première page de sa section du journal. Le regard est capté par la photo du mammouth, une masse brute d'encre noire qui contraste avec la typographie stylée des articles. Don a trempé sa plume dans l'enthousiasme le plus sincère pour décrire ces graffitis : « Exceptionnellement, l'artiste n'a pas cherché à imposer son nom, comme les milliers de " taggers " qui crient leur ego de Brooklyn au New Jersey. Il a choisi une forme d'art sauvage, une barbarie anachronique colorée d'ocre et de rouge. Le choc provient du contraste entre ce symbole préhistorique et les murs de New York, qui servent de supports à ces lignes violentes. Le mammouth a été transporté hors de son temps, ses membres sont tordus, anxieux, l'œil est effaré de solitude. En fait, il est le symbole de toute une génération, perdue dans la folie de la jungle new-yorkaise.

L'artiste est encore inconnu. Il serait sans doute dans son intérêt, comme dans le nôtre, qu'il se fasse connaître, par l'intermédiaire du *New York Times.* »

Cet appel est l'un des plus beaux coups de pub de la presse américaine. Pendant la semaine qui suit, le standard du *New York Times* est bloqué en permanence. Don reçoit trois mille quatre cent quatre-vingt-douze lettres et une centaine d'appels personnels – malgré le fait que son numéro soit sur liste rouge.

Avouent être l'auteur des graffitis : son neveu, trois collègues, un fils de sénateur, cent cinquante élèves du lycée Chartham à Harlem, une star de rock portoricaine, un cancérologue ruiné par un récent divorce, et un millier d'habitants du Bronx, la plupart analphabètes. Bien entendu, Luc ne se manifeste pas.

Paris

Paula sourit au combiné téléphonique et prend une voix suave. Négocier quelques semaines de convalescence auprès de JLW se révèle une tâche ardue. Mais Max, assis sur le lit, les bras croisés, veille à ce qu'elle ne change pas d'avis à la dernière minute.

– John, je vous en prie : ne vous inquiétez pas. Le médecin est formel : il me faut un arrêt complet d'au moins trois semaines. Trois minuscules semaines.

– Ne pourriez-vous pas vous reposer dans une clinique à Paris ? Comme cela, nous pourrions vous joindre quotidiennement.

– Impossible. Mais vous n'avez pas besoin de moi pendant les jours qui viennent. Après tout, Felix et Johan sont en train d'achever la plus belle campagne publicitaire de l'année...

– Pas besoin de vous ! Vous êtes folle ! Nous n'avons plus de tailleurs de pierres. Les diamants bruts arrivent du Zaïre et s'empilent dans nos coffres. Quand Kinshasa apprendra cela, ils se tourneront immédiatement vers la D.I.C.

– Kinshasa ne l'apprendra pas si nous gardons le silence sur ce point. Faites-moi confiance, ce problème sera résolu dès que je serai sur pied.

La voix de la jeune femme se durcit. Au bout du fil, le Chinois hésite. Il n'aurait jamais dû confier de telles responsabilités à une femme si jeune. Mais il est trop tard pour reculer. Il n'y a plus qu'à prier pour qu'elle sache ce qu'elle est en train de faire.

– Laissez-moi au moins un numéro où vous joindre!

– Un instant...

Elle couvre le combiné de sa main et interpelle Max.

– Si je t'en suppliais, me dirais-tu où nous partons?

– Hors de question.

– Sois raisonnable, John voudra me joindre.

– Justement!

– Voyons... Tu m'as fait prendre un bikini. J'élimine donc l'Antarctique et le Grand-Nord canadien.

– Bravo! Il te reste encore quatre-vingts pour cent des terres émergées.

– Juste un petit numéro de téléphone?

– Non.

– Une poste restante?

– N'insiste pas.

Elle soupire et se tourne vers le téléphone.

– John? Comme je vous le disais, ce centre de remise en forme californien pour hommes d'affaires surmenés impose une discipline de fer. Les consignes sont très strictes: je ne pourrai recevoir aucun appel.

Max sourit. Il se demandait si elle arriverait à s'arracher au projet Aurore. Elle a besoin d'une trêve, pour sa santé, comme pour eux. Et il semble qu'elle accepte de jouer le jeu.

Marie-Galante

Une Jeep décapotable les attend à côté de la minuscule piste d'atterrissage en bord de mer. Le chauffeur, un Noir athlétique d'une trentaine d'années, tombe dans les bras de Max.

– Salut, vieux! Cela fait un sacré bout de temps.

– Heureux de te voir, Dominique. Pas trop le mal du pays?

– Ménilmontant me manque. Mais on se fait à la Guadeloupe. Tout est prêt, je vous accompagne.

Dominique enveloppe Paula d'un regard plein d'intérêt. Max l'a peu décrite, mais le ton de sa voix signalait quelqu'un de peu ordinaire.

– J'espère que la maison vous plaira.

– Une maison ? Max, tu as une maison ici ?

– Oui, c'est tout récent.

– Tu ne l'as pas achetée pour l'occasion, au moins ?

– Je faisais collection de demeures au bout du monde bien avant de te rencontrer.

Dominique intervient.

– C'est vrai. Des petites maisons partout. Avec une prédilection pour les îles : La Guadeloupe, Ouessant, Lamu...

– Et une femme dans chaque port ?

Max éclate de rire, la prend par la taille et la porte jusqu'à la Jeep.

Elle pâlit, ferme les yeux. Elle est encore très faible. Le voyage a été long : Paris-Pointe-à-Pitre, puis ce petit coucou pour rejoindre Marie-Galante.

Elle respire l'air des Tropiques et se ressaisit. Il lui est pénible de ne plus contrôler son corps.

Marie-Galante est une petite île à sucre, vert ondoyant des cannes sur l'azur de la mer. Sous la chaleur, les champs exhalent un parfum de caramel. Les nuages forment de monumentales sculptures, qui soulignent l'insignifiance de ce morceau de terre.

La maison est située près du Morne à Louise. Elle fait face à la mer des Caraïbes. C'est une demeure créole, tout en bois, entourée d'une véranda ombragée par le fouillis pourpre des bougainvillées. Le toit et les volets sont turquoise, lavés par le soleil.

A l'intérieur, une jeune Antillaise achève d'emplir le frigidaire : Billecart-Salmon, langoustes fraîches et boudins créoles...

– Vous aurez de quoi tenir un siège, remarque-t-elle avec un clin d'œil.

– C'est exactement ce que nous comptons faire, répond Max.

La chambre est blanche, carrée, et s'élève jusqu'à la charpente du toit. Sous les poutres, un lit immense. Une pile des romans russes que Paula n'a jamais eu le temps de lire.

Elle se tourne vers Max, émue. Il la connaît à peine, mais il a trouvé le nid dont elle a besoin pour redevenir elle-même.

Elle se pelotonne dans ses bras et pousse un long soupir. Dominique et la jeune servante quittent la maison sur la pointe des pieds.

Le bruit du ressac emplit la terre, le ciel, la chambre. Paula tente de reprendre contact avec la réalité. Son cerveau ne trouve aucune prise. Seul existe le rythme régulier des vagues qui la berce mollement. Elle retombe dans le sommeil comme dans un puits. Paula dort quasiment sans interruption depuis vingt-quatre heures. Pas le petit somme maladif, convalescent, de Paris. Mais un repos nourricier qui, à chaque inspiration, reconstitue sa réserve d'énergie. Les vagues grondent, roulent, s'écrasent dans un mouvement éternel. La brise gonfle les moustiquaires qui voilent les fenêtres. La charpente de la maison grince et craque comme celle d'un navire. Tout est calme et sûr.

Dans la véranda, Max tente de maîtriser les touches rebelles d'une vieille Underwood.

A quoi découvre-t-on que l'on est amoureux ? Au creux du ventre qui se serre lorsque deux corps se font face. A l'émoi des regards. A la tendresse d'une goutte tiède, qui tombe d'une peau sur l'autre.

Le soleil projette des rais de lumière à travers les jalousies de bois. Les deux corps glissent l'un contre l'autre comme deux poissons luisants.

Ils s'explorent du bout des doigts, découvrent les cicatrices et les douceurs secrètes, les points qui chatouillent et ceux qui font trembler. Ils se rendent fous pendant des heures, avant de faire l'amour. Et de recommencer.

Enroulée dans une moustiquaire, Paula contemple le coucher de soleil, dans un ciel de miel. En moins d'une minute, le soir s'installe, et l'on distingue les premières lucioles qui clignotent près des buissons.

Dans la cuisine, elle fait rouler un glaçon sur son cou. Puis, sur un plateau, place deux verres et une bouteille de punch coco.

Max est allongé sur le lit, les yeux ouverts. Il sourit en la voyant.

– Je crois que je t'ai fait un bleu. Si si. Sur la fesse gauche. Montre un peu...

Il tire à lui la moustiquaire et dénude la jeune femme. Le corps de Paula est pâle, souple comme celui d'une danseuse. Le plaisir l'a fait rosir légèrement.

Il l'examine, pendant de longues minutes.

– Reste debout. C'est ravissant vu d'ici.

Elle s'échappe, ramasse le tulle de la moustiquaire et le noue sur ses seins, comme un pagne. Puis sert le punch – un liquide crémeux distillé par un fermier local. Levant son verre, elle improvise un toast :

– Je bois à cette maison. C'est grâce à elle que j'ai récupéré mes forces. Cet endroit est merveilleux.

– Je suis heureux qu'il te plaise. J'ai aimé cette île dès que je suis descendu du bateau.

– Max, combien de demeures possèdes-tu vraiment ?

– Seulement quatre. J'ai vendu mon pied-à-terre de Malte pour acquérir Ouessant.

– Mais tu passes ta vie à voyager par monts et par vaux ! Je suis sûre que tu n'as jamais le temps de chausser tes pantoufles.

– Ce sont des points d'escales, plus que des logis. Mais j'aime savoir qu'ils sont là à m'attendre.

– Je croyais que les aventuriers n'avaient pas besoin de pénates ?

– Je ne suis pas un aventurier. En fait, j'ai toujours rêvé d'une vie casanière. Tu sais que j'ai passé toute mon enfance auprès de ma grand-mère. Ce n'était pas ce que l'on appelle un foyer traditionnel. Nous vivions dans son magasin, parmi les antiquités russes. A une époque, tous les Moscovites de Paris se rencontraient dans cette boutique. Ils passaient le temps autour du poêle, en buvant, lisant le journal, ou bien plongés dans des discussions qui pouvaient durer très tard. Je dormais dans l'arrière-boutique – entre les collections de sabres et les poupées russes que Nadia faisait produire dans le Jura. Une fois par an, ma mère passait nous rendre visite. Toujours le même scénario : Nadia refusait de lui prêter des fonds, ma mère partait fâchée et m'emmenait. Au bout d'un mois d'angoisse, Nadia venait me chercher – à Londres, à Monte-Carlo, à Deauville – et lui cédait ses recettes du trimestre. Une sorte de kidnapping rituel : ma grand-mère craquait toujours, persuadée que sa fille finirait par me jouer à la roulette. Ce qui était absurde : les habitués des casinos veulent rarement s'encombrer d'un gamin.

– Avec une telle enfance, tu aurais pu opter pour une vie plus stable. Une maison, une famille, un gros chien...

– Je n'ai pas eu le choix. Nadia a eu besoin de moi pour s'occuper de ses affaires. Depuis que j'ai dix-huit ans, je parcours l'Europe de l'Est pour fournir la boutique en antiquités. C'est pour cela que je suis souvent à Saint-Pétersbourg. Il y a de remarquables collections privées là-bas. Lors d'un de mes premiers voyages – c'était à Prague, je crois – je m'ennuyais à tel point que j'ai écrit un roman bourré d'espionnes sexy et d'antiquaires slovaques véreux.

– C'est ce qui t'a lancé ?

– Oui. D'un côté cela me finance généreusement, mais de l'autre, cela m'oblige à chasser le détail authentique dans des contrées lointaines.

Paula éclate de rire en le menaçant du doigt.

– Tu ne me dis pas la vérité. Je suis sûre que tu es incapable de laisser ton passeport au fond d'un tiroir plus de trois semaines.

– Faux. Je t'assure que je suis coincé : je ne peux pas laisser tomber Nadia qui refuse de prendre sa retraite et m'envoie traquer le samovar tous les deux mois. Je ne peux pas non plus secouer les chaînes de mon contrat : deux polars par année, chacun plus exotique que le précédent.

Elle n'est pas convaincue, mais abandonne le sujet. La nuit est tombée. Leur sieste est finie, et elle se sent capable – tout juste – de se traîner jusqu'au restaurant le plus proche.

Depuis quinze jours qu'ils ont atterri à Marie-Galante, Paula n'a pas vu le temps passer. Elle aurait pu rester encore des semaines, voire des mois – mais elle ne peut oublier « sa » mine, bien loin de la mer des Caraïbes.

Elle pousse sa bicyclette sur le sentier. La maison apparaît juste après le virage, à demi dissimulée par les cannes à sucre. Dentelle de bois bleu et mousseline flottant au vent. Son cœur se serre. Que faut-il d'autre pour remplir une vie ? Oui, que faut-il d'autre ?

Max, vêtu de son seul jean, se balance dans le hamac.

– Bonnes courses ?

– Oui oui. Des maracudjas, des mangues – mais elles ne sont pas tout à fait mûres – et des corossols.

Elle se glisse contre lui. Il fait moins chaud dans la véranda. Les caillebotis laissent passer l'air doux des alizés.

Il l'observe avec plaisir : elle rayonne de vitalité. Pendant sa première semaine sur l'île, elle a dormi de manière continue. Les siestes friponnes auxquelles la soumettait Max n'étaient qu'un interlude entre deux phases de sommeil. Puis, elle s'est réveillée, et sa convalescence a pris un tour plus agité. Ils ont dansé presque tous les soirs : la Nuit des Play-Boys du Cyclisme, le grand méchant Zouc de Capesterre... Les festivités se sont succédé à un rythme effréné. Et leurs siestes n'étaient pas franchement paisibles. Mais la jeune femme a pris un teint cannelle qui adoucit ses pommettes et fait encore ressortir les prunelles d'argent.

– Il faut que je te parle.

– Hmmm...

– Enlève ta main, c'est sérieux.

– Mais ma main est très sérieuse aussi.

Elle se lève d'un bond pour éviter ses avances, et s'assoit en équilibre sur la balustrade. Ils s'observent un instant.

Un lézard glisse dans l'ombre de la véranda.

– Je pars à New York demain soir.

Voilà, c'est dit.

– Tu as tenu quinze jours. Tu m'avais promis plus, mais je ne suis pas surpris.

– Ah non ?

– Non. Tu es sans foi ni loi.

Elle lui jette un regard scrutateur. Il n'est pas en colère et continue à se balancer, un pied sur le sol.

– Comprends-moi : je ne peux pas rester vautrée au soleil pendant que Luc...

– Toujours pas de nouvelles ?

– J'espérais qu'il laisserait un message à Paris. Mais rien. Silence radio. Pourtant, il doit se sentir seul. Rachel est tenue en main par sa famille, je doute qu'ils puissent se voir beaucoup.

– Pas de diamants derrière ce départ précipité ?

– Ah ! je rencontrerais peut-être les Kentzel... Si j'ai le temps.

Elle lève vers Max des yeux candides. Elle a passé quatre heures à la poste ce matin. Conférences à trois, télex intercontinentaux... Elle a arrangé plusieurs réunions et élaboré un nouveau plan d'action avec JLW.

Comment pourrait-elle oublier que, en ce moment même, de nouvelles gemmes sont extraites du sol zaïrois ? Comment se reposer lorsque les diamants Aurore s'entassent dans les coffres, sans aucun diamantaire pour les tailler ? Elle a aussi lancé un détective après Luc, car son frère semble s'être volatilisé à sa sortie de Kennedy Airport. Bref, trop de choses l'attirent à New York pour que Marie-Galante puisse la retenir.

Une pointe de tristesse assombrit le regard de Max, vite chassée par un sourire. Il l'attire à son côté.

– Il ne nous reste plus qu'à fêter ton départ. Crabes farcis sur le port ou ragoût de lambis chez Dominique ?

Le bruissement des grillons monte crescendo dans le jour qui s'estompe.

New York

Le taxi freine devant le petit immeuble. Le chauffeur grogne entre ses dents, comme si le fait d'ouvrir la bouche demandait trop d'énergie.

– Neuf dollars. Faites attention où vous posez les pieds : il y a des seringues partout dans ce coin.

Paula lui tend un billet, puis claque la portière.

La rue est bordée d'immeubles de trois ou quatre étages. Les murs de brique sont dissimulés par les structures métalliques des escaliers de secours.

Devant le numéro dix, elle hésite un instant. Luc habite ici. Une rapide enquête lui a permis de trouver son adresse. Mais comment la recevra-t-il ? L'enfant accroché à ses basques et le jeune homme complice ne sont que d'heureux souvenirs.

Elle n'est pas venue les mains vides. Connaissant l'inconséquence de son frère lorsqu'il s'agit de nourriture, elle a fait venir de France du pain Poilâne, une corbeille de pommes reinettes et quelques bouteilles de bordeaux.

Le cœur battant, elle s'engage dans l'escalier. Troisième étage. Un buffle est dessiné sur le mur, à la craie rouge. Un croquis insolite qui retient un instant son doigt sur la sonnette. La porte s'ouvre. Luc est là, vêtu de noir, l'air d'un grand chat qui a longtemps battu la campagne.

– Petite sœur, tu en as mis du temps!

– Tu pourrais avoir l'air surpris...

Elle tombe dans ses bras.

La pièce est minuscule : un lit, quelques vêtements roulés dans un coin, une bibliothèque constituée de briques et de planches récupérées sur les chantiers du Bowery.

Luc la connaît trop bien pour ne pas discerner, sous le bronzage des îles, sa minceur de convalescente.

– Tu as été malade, n'est-ce pas?

– Pas vraiment. J'ai tourné à vide pendant vingt-quatre heures.

– Je devine à ta voix qu'il s'est passé quelque chose de grave.

– Surmenage et accident de voiture. J'ai été renversée en pleine nuit par un chauffard. Côtes fêlées, cheville abîmée. J'ai eu de la chance.

– Et je n'étais pas là! Pourquoi ne m'as-tu pas appelé?

– Je n'avais pas ton numéro...

– Tu n'avais pas non plus mon adresse et pourtant te voilà. Tu aurais dû me faire signe. Je ne supporte pas l'idée que tu aies pu être en danger, à l'hôpital, alors que je continuais à vivre comme d'ordinaire.

– C'est du passé maintenant.

Il secoue la tête. Il a osé lui reprocher son silence, alors qu'elle avait besoin de lui. Il s'est conduit de manière infantile.

Sa sœur pose la main sur son épaule.

– Ne fais pas cette tête. Je vais mieux. Et puis, tu avais des raisons de m'en vouloir...

– N'en parlons plus.

– Comment va Rachel?

– La transplantation new-yorkaise ne lui réussit pas. Elle n'est pas très heureuse. J'arrive à la retrouver de temps en temps : ses études sont prenantes et sa famille lui a présenté un jeune diamantaire qu'elle boude avec application.

– On va goûter le vin. Aurais-tu un tire-bouchon ?

– Sous le sac à chaussettes.

Un ventilateur fixé au plafond oscille dangereusement de droite à gauche.

– Comment vois-tu l'avenir ?

– Je ne vois rien du tout. J'aime bien cette ville. Je m'y perds comme un poisson dans l'océan. Je resterai ici jusqu'à ce que Rachel puisse me rejoindre.

Sur le mur, Luc a peint des animaux étranges qui semblent échappés des grottes de Lascaux.

– C'est toi qui as fait ces dessins ?

– Oui. Cela rejoint ce que je te disais à propos de New York. Ici, je ressens les choses avec plus de force. Et la sensation dominante ces derniers temps, c'était la solitude. Elle s'est exprimée par ces graffitis.

– Nous n'aurions jamais dû nous séparer, Luc. Rester ainsi sans nouvelles, cesser de se faire confiance.

– Cela n'arrivera plus.

Il sourit, ébouriffe les cheveux de sa sœur.

– Parlons de choses plus gaies. Où as-tu attrapé ce bronzage ?

– Aux Antilles.

– Mon petit doigt me dit que tu n'es pas partie toute seule...

Elle éclate de rire.

– Je te raconterai tout. Si on sortait ? La température est oppressante ici.

– Je t'emmène en ville.

Il lui prend la main pour l'aider à se lever. Leur dispute est oubliée.

2

Le Diamond District new-yorkais est concentré dans une seule rue, la Quarante-septième West, entre la Sixième et la Cinquième Avenue.

Paula a rendez-vous à midi. Il est midi et cinq minutes. Elle s'accorde un quart d'heure de retard diplomatique. Cela lui permet de jauger l'ambiance de l'endroit. La Quarante-septième est un monde à part. Une foule cosmopolite grouille au fond de cette crevasse urbaine : fiancés louchant sur le prix des solitaires, cireurs de chaussures, agents de sécurité en civil, Special Task Force affectée à la rue par la police new-yorkaise... Les camions blindés de l'Armored Brinks bloquent la circulation avec une belle indifférence.

Les vitrines offrent au regard des kilos de pierres étincelantes, assorties d'étiquettes manuscrites : « pierre vendue par famille en détresse, prix exceptionnel ! » ou « 0.89 carat, mais pourrait passer pour un véritable carat ! ». Plus professionnelles, certaines mentions précisent la couleur et la pureté des diamants : « Gvvs2 », « Evs1 ».

Paula pénètre dans « The Largest Diamond Center », suivie avec intérêt par le regard des marchands. Cette jeune femme élégante a visiblement les moyens de ses caprices. Son air est déterminé : probablement le type à acheter ses bijoux elle-même. Le spencer gris plume jeté sur l'épaule, elle promène un œil averti parmi les dizaines de stands minuscules qui se partagent l'espace. Quelques jolies pierres. Aucun diamant de couleur. Elle retrouve la lumière du jour, lève les yeux vers les façades de briques sales, au-dessus des néons. Ici s'entassent les tailleurs de diamants, les manufactures de bijoux, les experts en gemmologie et les dealers internationaux. Un diamant brut cédé par la D.I.C., à Londres, sera taillé, serti, vendu dans le même pâté de maisons, par la grande famille des diamantaires new-yorkais.

Midi quinze. Il est temps. Paula s'avance vers un immeuble qui ne paie pas de mine. Un signe de tête au liftier qui abaisse le levier de l'ascenseur. Un grand bond jusqu'au quatorzième étage. Comme toujours à New York, le treizième n'existe pas : porte-malheur. On n'a pas besoin de ça, ici.

Les couloirs sont interminables. Tuyauterie apparente, peinture jaune et lino d'un brun douteux. Porte mille deux cent trois. Une plaque annonce : « Kentzel's Well Cut Diamonds Inc. »

Elle serre contre elle l'épaisse serviette de cuir. Elle a posé les bases de son plan depuis Pointe-à-Pitre. Complexe, audacieux. Mais ça devrait marcher.

Alex jette un œil sur l'écran de contrôle. Le visage de Paula apparaît, un peu flou.

– C'est elle ?

Pinas hoche la tête.

Alex enfonce un bouton. Déclic : la porte s'ouvre.

Paula est introduite dans le bureau par une secrétaire. Sourire chaleureux, main tendue.

– Pinas, je suis si heureuse de vous revoir. Alex Kentzel ? Enchantée !

Alex clôt la porte vitrée, pour étouffer les grincements des meules dans l'atelier.

– Mademoiselle Desprelles, je connais bien votre frère. Il a déjà demandé trois fois la main de ma nièce.

– Têtu. C'est de famille.

– Un problème bien douloureux. J'ai de la peine pour lui et Rachel. Mais le temps arrange tout, n'est-ce pas ?

– On le dit, en tout cas.

Pinas ajuste ses petites lunettes dorées. Ses doigts tapotent la table avec impatience. Il est satisfait de cette rencontre. Le lancement d'un nouveau type de diamant – la gemme Aurore taillée en *Fire Bloom* – a bien failli tomber à l'eau. Un cauchemar. La *Fire Bloom*, c'est son œuvre. Le moyen d'inscrire le nom des Kentzel dans l'histoire du Diamant. Il aurait été stupide d'abandonner un tel projet pour plaire à la D.I.C.

Mais Paula et lui devraient tirer d'affaire la *Fire Bloom.*

– Puis-je vous offrir un verre de lait ? Un soda ?

Comme souvent avant une négociation importante, Alex joue de son physique de vieil homme paisible. Sous ses sourcils broussailleux, il examine Pinas et la jeune femme. Il est curieux. Et si l'insistance de son neveu à travailler les diamants roses avait d'autres causes que l'ambition ? Le charme de la Française, par exemple. Après tout, il est courant pour les hommes comme lui, petits et nerveux, d'être attirés par ces femmes longilignes au regard hautain. Mais... maintenant qu'ils sont tous les deux là, sous ses yeux, ces pensées lui paraissent inconvenantes. Des professionnels unis par l'ambition. « Et c'est tout, vieille tête de mule », se dit-il.

Alex laisse passer une minute de silence, troublée seulement par le bourdonnement du climatiseur. Puis il s'éclaircit la voix. Et commence.

– Un point de la situation s'impose. La W.S.O. nous a convaincus, mon frère et moi, de cesser tout partenariat avec les diamants Aurore. Doug est fin diplomate. Il a offert à notre famille le rêve de tout diamantaire : des « boîtes » magnifiques, des lots de pierres exceptionnels. De quoi imposer la famille Kentzel sur le marché international. A cela s'est ajoutée la malencontreuse aventure entre Luc et Rachel. Un choc pour nous tous. Bref. Mon frère a rompu son contrat avec vous et les diamants Aurore.

Paula joue distraitement avec une loupe posée sur le bureau. Il ne lui apprend rien.

– Malgré tout, Pinas pense qu'une alliance entre les diamants roses et la taille *Fire Bloom* serait plus profitable. Et il m'a proposé le plan – extrêmement risqué – que vous avez élaboré ensemble.

Pinas se lève. Les mains derrière le dos, il prend la parole.

– Les diamants roses vont connaître une expansion extraordinaire. Encore accentuée par la taille *Fire Bloom.*

Notre proposition est simple : acheter un atelier à l'étranger, par l'intermédiaire d'un prête-nom. Débaucher les meilleurs artisans de la maison Kentzel – la poignée d'hommes capables de tailler une *Fire Bloom*. Les expédier dans cet atelier que nous contrôlons en sous-main. Et travailler là-bas les diamants Aurore. Double avantage : vous bénéficiez de l'exclusivité de la taille *Fire Bloom*, et le diamantaire qui vous aide, c'est-à-dire moi, ne risque rien car il demeure dans l'ombre.

– Autrement dit, reprend Alex, nous continuerons à bénéficier des livraisons de la D.I.C., tout en nous associant aux diamants roses.

– Trouver un atelier à reprendre ne posera pas de problème, continue Pinas. Père connaît un ami qui cherche à vendre, dans la banlieue de Tel-Aviv.

– Pour jouer un jeu si dangereux, il faudra que nous soyons considérablement intéressés à l'opération.

Paula lève la main et interrompt les deux hommes. Son sourire est froid.

– La situation a un peu changé. J'étais à Tel-Aviv ces derniers jours – c'est la raison de mon bronzage – et j'ai eu plusieurs contacts intéressants avec certains tailleurs de pierres.

– Qui avez-vous vu ?

– Je crains qu'à ce stade, les noms ne doivent rester confidentiels.

L'oncle et le neveu échangent un bref regard. Cette concurrence était à prévoir. La première mine au monde de diamants colorés devait nécessairement susciter les convoitises.

Inquiet, Pinas s'apprête à questionner la jeune femme sur ses mystérieux contacts israéliens, mais Alex l'interrompt.

– Mon neveu est toujours trop impatient. Peut-être devrions-nous déjeuner, avant de parler affaires ? Notre table est réservée à la *Russian Tea Room*.

Paula sourit : elle connaît la hiérarchie des restaurants new-yorkais, et sait l'honneur qu'on lui fait.

En short et Reebok, Pinas sprinte le long de la rue, puis s'engage sur le gazon, objet des soins méticuleux de son oncle. Il claque la porte grillagée qui retient les moustiques à l'extérieur.

Alex l'attend dans la cuisine.

– Fatigué ?

– Mort !

– Un jus de pomme ?

– Pfff... Merci. Ta femme n'est pas là ?

– Partie au Bingo avec Rachel. Elle a laissé une salade de maïs et des toasts au fromage.

– Splendide ! Alors, dis-moi tout : qu'as-tu pensé de Paula Desprelles ?

– Une femme coriace. Mais honnête, je pense. La partie doit pouvoir se jouer.

– Et la concurrence israélienne ?

– Il faut agir vite. Paula nous l'a dit elle-même : elle a le couteau sous la gorge. Elle doit décrocher rapidement un contrat avec un tailleur de pierres. Sinon, Kinshasa prendra peur et confiera la mine Aurore à la D.I.C.

– Crois-tu qu'elle ait des contacts sérieux à Tel-Aviv ?

– Possible. Mais elle veut ta *Fire Bloom*, j'en mettrais ma main à couper.

– J'ai une faim de loup.

Il place les toasts au Cheddar dans le four à micro-ondes et sort du buffet les assiettes réservées aux laitages. Ici, comme chez lui, la nourriture est casher : viande et laitage n'entrent jamais en contact.

– Le problème, c'est le prête-nom. Celui qui acceptera le titre de propriétaire de l'atelier... sans se mêler de nos affaires. Le personnage devra être renommé dans le monde du diamant, afin d'être crédible vis-à-vis de Kinshasa et de la D.I.C.

– J'ai ma petite idée là-dessus. Quelqu'un de connu dans le milieu, sans être diamantaire lui-même. Habitué à manier la langue de bois vis-à-vis de la Compagnie.

– Qui ?

– Salzdji.

– Le millionnaire ? Pourquoi accepterait-il ?

– Trois raisons. D'abord, c'est un ami, et j'ai sur lui une certaine influence. Ensuite, il est passionné de diamants de couleur. Enfin, rien ne l'amuse plus qu'une belle vente aux enchères.

– Je ne vois pas le rapport.

– Nous lui donnerons chaque année une pierre exceptionnelle, extraite de la mine Aurore. Il la gardera pour sa collection personnelle, ou pour faire joujou chez Sotheby's.

– Tu es un génie!

En fait, le diamantaire n'a pas tout confié à son neveu. Il a d'autres moyens de pression sur Salzdji. Il y a quelques mois, le millionnaire et la D.I.C. communiquaient par son intermédiaire. Aussi, Alex n'ignore rien de leur ancien projet : retarder l'expertise des diamants roses. Mais l'histoire a mal tourné et un homme est mort au Zaïre. Alex est l'un des quelques hommes, aux États-Unis, qui puisse faire le lien entre ce crime et Salzdji.

Pinas traverse la cuisine en chaussettes, et décroche le téléphone mural.

– Que fais-tu?

– J'appelle Paula. Il faut prendre rendez-vous avec Slazdji.

– Attends un peu.

– N'as-tu pas dit qu'il fallait agir vite?

– Tu es toujours trop pressé. Il faut expliquer à Mlle Desprelles comment approcher le vieux filou. Elle devra le séduire. Il aime les femmes brillantes. Et je parle de strass, pas d'intellect. Conseille-lui la plume d'autruche plutôt que le tailleur.

Le yacht oscille au gré de la houle atlantique. Le ciel est d'un bleu cobalt. Johanna, moulée dans un maillot de soie thaïlandaise, s'étire au soleil. A son côté, Paula masse ses jambes pour faire pénétrer l'huile solaire. Allongées à même le pont de teck, elles bavardent avec enthousiasme.

– Cela me fait sacrément plaisir de te voir!

– Une chance que ton tournage ne commence qu'après demain.

– Lorsqu'ils ont su que j'avais tourné dans une publicité, mes agents ont failli avoir une attaque ! Mais je ne regrette rien. Le résultat est superbe. Et Felix est un joyeux luron quand il n'est pas confit dans ses problèmes familiaux. Nous avons passé des nuits entières dans les pubs locaux, à écluser des pintes de Guinness.

– Des nuits entières ?

– Pas de sous-entendus, je te prie.

Johanna se lève, ébroue sa chevelure et passe dans la cabine. Pour pique-niquer avec son amie, elle a préparé sa spécialité : le canapé au tamara et citron vert. Elle refait surface, un plat à la main.

– Je pense souvent à ton frère et Rachel.

– N'en parle pas, ça me déprime.

– Je croyais que les histoires d'amour impossibles étaient une espèce disparue au XXe siècle.

– Je reconnais là ton optimisme hollywoodien.

– Il faut que les Kentzel cèdent ! Je connais ces traditionalistes : pour eux, une union semi-goy est un véritable drame. Il y a quelques années, j'ai été invitée à un mariage mixte. Le jeune couple avait réuni un prêtre et un rabbin. Mais il n'y avait personne dans la salle : aucune des familles n'était venue. Sinistre.

Elles gardent le silence quelques secondes – pas beaucoup plus. Le soleil et le champagne chassent vite les pensées tristes.

Le yacht, immobile, fait face à la côte. La grand-voile bat lamentablement : il n'y a pas un souffle d'air. Seuls quelques bateaux de pêche au gros se profilent à l'horizon.

– Il paraît que tu vas chez Salzdji demain soir ?

– Oui. Une énorme soirée, qui rassemblera tous les New-Yorkais dont le revenu dépasse le million.

– Les soirées de Salzdji sont célèbres : ce sont les seules où l'on puisse exhiber le mauvais goût le plus total. Ressortir les fourreaux en lamé or surpiqués de brillants avec les diadèmes en strass. Et des décolletés jusqu'aux tétons. Pour les petites jeunes femmes qui passent leur vie habillées en noir, c'est une libération.

– Je n'y vais que pour parler affaires.

– Tu m'étonneras toujours ! Parler affaires avec Salzdji ! As-tu prévu trois cabinets d'hommes de loi et un bataillon de financiers ?

– Il est dur ?

– Salzdji ? Ne te fie pas aux apparences. Sous des dehors bonhommes, il a la réputation d'un scorpion. Selon les starlettes qu'il a plaquées – il en consomme une par semaine – il mérite la palme d'or de la misogynie. Tu vas t'amuser !

– Ce n'est pas cela qui m'inquiète, soupire Paula.

– Ah bon ? Et quoi donc ?

– Je n'ai rien à me mettre.

– Je ne sais pas si tu es inconsciente ou courageuse. Mais rassure-toi : je te donnerai l'adresse d'une styliste fantastique.

Paula quitte l'*Astoria*, refuse le taxi que le portier lui propose, et se dirige vers Lexington avenue. Il fait si chaud que les talons de ses sandales s'enfoncent dans l'asphalte.

Johanna lui a conseillé une boutique dans l'Upper East Side. Marjorie Wilden, styliste de formation, sélectionne la crème des *designers* et habille la star depuis des années.

Une fois arrivée, Paula hésite : pas de vitrine, mais une porte noir et or, gardée par un groom en livrée. Plus un club de luxe qu'une boutique de vêtements.

Une plaque de cuivre annonce : « Marjorie Wilden. Conseil. »

Elle est introduite dans un salon ivoire. Recommandée par Miss Kale, on ne la fera pas attendre. Marjorie entre en coup de vent, allume une cigarette, jette un regard inquisiteur sur le style et les mensurations de la jeune femme.

Marjorie a cinquante-cinq ans. Malgré ses deux liftings, elle les paraît. Sa voix est agréablement rauque.

– Vous êtes la première Française que je reçois depuis des années. Vraiment, je suis ravie... Café ? Non ? Alors passons aux choses sérieuses. Quel est votre problème ?

– Une réception.

– Quel genre ?

Marjorie exhale une bouffée de fumée et scrute la jeune femme de ses yeux vifs.

– Chez Salzdji.

– Cher vieux bonhomme !

Déjà, la styliste se précipite vers les robes à sequins, les ensembles Dolly Parton et les bustiers à paillettes.

Salzdji a des goûts de Texan, il est assez riche pour que l'élite new-yorkaise s'amuse à lui plaire.

Paula la retient d'un geste.

– Non. Je cherche à impressionner plus qu'à séduire. Il me faut une tenue assez stricte.

Marjorie fronce ses sourcils parfaitement épilés.

– Stricte ? Que voulez-vous dire ?

– Austère. Sobre. Monacale.

– Pour aller chez Salzdji ?

– Exactement.

Paula sourit. Elle a l'air sûre d'elle. Marjorie cède avec un soupir.

– Bon. A part la robe de bure ceinte de chanvre, on doit pouvoir trouver quelque chose.

Et elle trouve. Une tenue en crêpe noir, inspirée des djellabas du désert. Les drapés soulignent la minceur de Paula et la hardiesse de son allure. Sous la capuche, le choc du regard métallique est presque hypnotique.

Face au miroir, la jeune femme observe avec attention sa silhouette.

Elle calcule son effet. Après plusieurs minutes, elle hoche la tête.

– Parfait. Je la prends.

Pinas attendait avec impatience de découvrir Paula en tenue de grand soir. Mais, lorsque la jeune Française sort de la limousine, il est surpris.

– Paula ! Mais...

– Laisse ! chuchote impérieusement Alex. Elle a raison.

– Pourtant, Salzdji n'aime...

La jeune femme se détourne un instant, pour vérifier son rouge à lèvres. Puis, elle s'approche de Pinas.

– Ne soyez pas déçu. Vous m'auriez sans doute préférée avec un décolleté plus profond. Mais je n'aime pas jouer de ma féminité lors de négociations importantes. Cela ne paie pas, à long terme.

– Vous êtes superbe, interrompt Alex. Salzdji aura peur de vous. C'est très bien.

Salzdji reçoit dans son penthouse surplombant Central Park Sud, au cinquante-sixième étage et le majordome introduit le trio dans un hall monumental. Une tapisserie de Miró couvre le mur : les crins irréguliers, violine et ocre, réchauffent le marbre d'Italie.

C'est la première rencontre de Pinas avec le jet set de la côte Est. Habitué aux fêtes de la communauté anversoise, il se sent mal préparé à la nuit qui l'attend. Intimidé et furieux de l'être, il serre les poings. Son reflet dans une glace le rassure : le smoking lui va bien, et ses yeux noirs brillent d'intelligence. Mais il n'appartient pas à ce monde.

Paula surprend son regard – à la fois affamé et agressif – et lui donne le bras. Kentzel junior brûle d'ambition, et c'est un sentiment qu'elle connaît bien. Mais, contrairement à lui, cette soirée ne l'impressionne pas. Sans doute parce qu'elle ne désire pas appartenir à cette élite blasée. L'extravagante richesse du maître des lieux la laisse froide. Elle n'envie personne et joue son propre jeu.

Plus de deux cents invités se pressent sur la terrasse. Salzdji conçoit ses fêtes comme un gigantesque jeu d'échecs social. Ses principales relations d'affaires – banquiers, financiers étrangers – sont les pièces maîtresses. Il invite aussi quelques fous célèbres, comme Léo Castelli, le marchand de tableaux. Les pions sont les mannequins de l'agence Élite, les travestis et enfin les starlettes, qui seront sacrifiées au jeu les premières.

Aux angles de la terrasse se dressent des griffons néo-gothiques, éclaboussés par les fontaines. Un orchestre brésilien, importé la veille de Saõ Paulo, joue des rythmes d'une sensualité effrénée.

Paula traverse la foule avec aisance. Parmi les brillants et les dorures, ses voiles noirs lui donnent l'aspect d'une Cassandre, et on se retourne sur son passage.

Le cœur de la soirée se situe dans la « chapelle » du penthouse. Car Salzdji, par goût de la provocation ou volonté d'afficher son athéisme, a fait construire une chapelle regorgeant de trésors d'art sacré, au cinquante-sixième étage de la tour.

Un tableau d'autel, authentique descente de croix par l'école d'Avignon, surplombe l'allée centrale. Les murs sont ornés de retables en bois sculpté du XVe siècle, et de vitraux arrachés à un cloître de Toscane. Quelques personnes assez déshabillées sont assises sur les prie-Dieu tapissés de velours. A la lueur des bougies, elles font passer un reliquaire d'argent, empli à ras bord de cocaïne.

Plus loin, un dos puissant se penche sur une actrice de soap opéra et semble entamer les ultimes manœuvres d'approche.

Alex s'avance et tousse, un sourire aux lèvres. Salzdji se retourne avec vivacité.

– Alex! Vieux puritain, je ne pensais pas que tu viendrais.

– Pour une fois, j'ai pris ton invitation au mot. Voici mon neveu, Pinas, et Paula Desprelles.

Ce dernier nom rappelle vaguement quelque chose au millionnaire. Il fronce les sourcils. La tenue de la jeune femme est presque une insulte personnelle. Tout le monde sait qu'il apprécie les femmes parées de bijoux, exposant le plus de peau nue possible. Celle-ci serait mignonne si elle ôtait les trois quarts du tissu qui la couvre. Sans doute une conquête goy du jeune Kentzel.

– Venez goûter au champagne de ma réserve privée. Alex, je te vois trop peu. C'est pourtant beau, l'amitié. Savez-vous comment nous nous sommes rencontrés ? demande-t-il à Pinas. J'avais mis la main sur ce diamant canari, une pierre historique, dont on retrouve la trace chez un sultan du XVIIe siècle. Il m'était parvenu dans des conditions un peu douteuses et devait être retaillé. C'est alors que j'ai contacté Alex.

– Tu oublies de mentionner que j'ai refusé de toucher à cette pierre. Ce joyau t'avait sans doute été vendu par un receleur.

– Tu as refusé ? Il ne me semble pas...

– Ne me donne pas mauvaise réputation auprès de mes partenaires. Mlle Desprelles est responsable de la commercialisation des diamants Aurore.

Le visage de Salzdji se durcit. Bien sûr : Paula Desprelles, la directrice du B.C.D.A. ! Il se souvient maintenant. Les mâchoires crispées, il tourne le dos à Alex sous prétexte de choisir un cigare. Il espérait ne plus jamais entendre parler de la mine Aurore. Voilà une bavure qu'il n'est pas près d'oublier. Pour retarder l'expertise des diamants zaïrois, Salzdji était prêt à couvrir un cambriolage. Mais pas un meurtre. Et Pietro Morrongi a bien été assassiné.

Hockway avait embauché des mercenaires sur lesquels il n'avait aucun contrôle. Le garçon n'était pas de taille à régler le problème. Hockway n'était qu'un irresponsable, un universitaire qui se prenait pour un dur. Il a fallu se débarrasser de lui, l'envoyer en Amérique du Sud avec une indemnité royale. Salzdji a passé des nuits blanches à brouiller les pistes pour éviter tout rapprochement entre le meurtre de Morrongi et ses sociétés. La D.I.C. a fini par racheter sa collection de gemmes roses. Mais cette histoire lui a coûté cher. Très cher. Et elle reste potentiellement dangereuse.

Alex est futé. Il servait d'intermédiaire à la D.I.C. dans cette affaire. Il a sans doute compris ce qui était arrivé au fond de la jungle zaïroise. Pourquoi lui présente-t-il Desprelles ? Que vient-elle faire ici ?

Chantage. Cela sent le chantage à plein nez.

Alex est un vieux retors, il l'a toujours su.

Salzdji se tourne enfin vers ses invités, un sourire aux lèvres.

– Pinas, un cigare ? Asseyez-vous, je vous en prie. Mademoiselle Desprelles, vous comprenez l'anglais, j'imagine ?

– Entre autres.

– Prévenez-moi si je parle trop vite. Mon accent est déconcertant pour les étrangers.

– Ce n'est pas l'accent qui pose problème, non.

Le millionnaire la fixe un moment. Que sait-elle ? Vêtue de noir, avec ce foutu regard métallique qui ne le lâche pas, elle fait monter un frisson glacé le long de sa colonne vertébrale. Il n'aime que les filles évidentes. Les seins exposés aux regards, les cuisses facilement accessibles. Et surtout, surtout, pas trop de cervelle. Lorsque les femmes se mêlent de penser, elles ont des intuitions de sorcières qui le mettent mal à l'aise.

Desprelles est-elle au courant de l'assassinat de Morrongi ?

Alex repose la coupe de champagne, à laquelle il n'a pas touché.

– A vrai dire, nous sommes venus te demander quelque chose.

Bien sûr. C'est ça. Du chantage. Le millionnaire se renverse sur son siège avec un large sourire.

– Combien ?

– Il ne s'agit pas vraiment d'argent. C'est ton nom qu'il nous faut.

– Mon nom ? Mlle Desprelles me demande en mariage ?

Personne ne rit. Paula se lève, comme pour observer la vue plongeante sur New York, à travers la baie vitrée.

Le dos tourné, elle explique le mécanisme de l'opération. Elle parle à voix basse : tous sont obligés de tendre l'oreille pour saisir ses paroles. Une tactique vieille comme le monde, mais qui fonctionne souvent.

Au fur et à mesure, Salzdji respire. Diable, on ne lui demande pas grand-chose ! Se porter acquéreur d'un atelier de taille contrôlé en douce par les Kentzel, pour leur permettre de contourner le monopole de la D.I.C.

Astucieux. Il pose quelques questions, pour la forme. Puis cède. Il s'en tire à bon compte.

– Tu sais que je ne peux rien te refuser. J'achèterai l'atelier, et tu me reverseras les fonds d'une manière ou d'une autre. Mes avocats arrangeront ça vite fait.

Alex hoche la tête, satisfait. Paula – qui s'attendait à une âpre négociation – dissimule mal son étonnement.

Un instant, Salzdji se demande s'il n'a pas accepté trop vite. Mais le chantage lui fait l'effet d'une épée de Damoclès, et cette femme le met mal à l'aise. Il est soulagé lorsqu'il raccompagne ses invités à la porte du bureau.

– Amusez-vous, jeunesse. Alex, reste donc un instant. Autant terminer tout de suite la paperasserie.

Pinas va s'accouder à la balustrade, le regard perdu vers le trou noir de Central Park.

Paula s'approche de lui, une coupelle de Beluga à la main.

– Vous avez la même impression que moi, n'est-ce pas ?

– Que voulez-vous dire ?

– Alex nous cache quelque chose.

– Oui. Salzdji s'est incliné trop vite. Je n'aime pas ça.

– Chantage, très probablement.

– Mon oncle me dit tout.

– Pas ce qui pourrait vous nuire.

– Que pourrait-il connaître qui lui permette de contrôler Salzdji ? Une histoire de fesse ? Un trafic de drogue ?

– J'ai le pressentiment que nous n'avons pas besoin de savoir. Votre oncle joue un jeu dangereux : Salzdji est un homme puissant.

– Je ne suis pas à l'aise. Les règles, les manœuvres de cette société m'échappent.

– Pour l'instant, Pinas, pour l'instant... Je suis sûre que vous serez bientôt ici comme un poisson dans l'eau.

– Ce n'est pas un compliment, n'est-ce pas ?

– Pourquoi pas ?

Il rit et passe les mains dans sa chevelure noir de jais. A la lumière des projecteurs, son profil se découpe crûment sur la nuit. Il a ôté ses lunettes et semble perdu dans la contemplation d'un rêve intérieur. Face à lui, la ville clignote et scintille jusqu'à l'East River. Paula l'observe avec sympathie. Un Rastignac moderne. Ce soir, le jeune diamantaire exerce sur elle une attirance étrange. Elle réprime une vague de chaleur, un trouble intime. Ils se ressemblent trop. Elle murmure une excuse et s'éloigne.

Les murs de la chapelle vibrent au rythme d'une musique violente, et la foule y est telle que Paula change de direction. Ses pas l'amènent dans un loft immaculé, parsemé d'œuvres d'art. Elle accepte une coupe de champagne et, quand elle lève le nez, se trouve face à un pan de mur gris. Un fragment de la rue new-yorkaise, exposé au centre de la pièce, sous un projecteur.

Un graffiti sauvage jaillit de cette tranche de béton. Un léopard aux muscles noueux, en position de défense. Des yeux fous d'anxiété. Bouche bée, elle reste statufiée devant l'œuvre. Luc. Les dessins de Luc. Mon Dieu.

– Frappant, n'est-ce pas ?

Une femme s'est approchée d'elle. La quarantaine, une crinière blonde plaquée en arrière, découvrant un visage intelligent, sophistiqué. Les yeux fixés sur les lignes ocre du graffiti, elle se présente.

– Marilyne Parrell. Ces dessins nous intriguent tous depuis plus d'un mois.

– Je ne savais pas...

– C'est que vous n'êtes pas de New York. On ne parle que de cela.

– Mais qui...

– L'auteur ? On ne le connaît pas justement. Cela rend l'œuvre d'autant plus excitante. Mon mari a mis une agence de détectives sur l'affaire. En attendant, Salzdji s'est servi le premier.

Marilyne est vêtue d'un fourreau blanc, égayé par une parure de rubis sang de pigeon. Un instant, les deux femmes se contemplent avec intérêt. Mais les yeux de Paula retournent irrésistiblement vers le mur. Son cœur bat la chamade. Elle a toujours su que Luc portait en lui un talent, quelque chose de... démesuré.

Marilyne observe la jeune femme qui paraît en proie à une vive émotion.

– L'œuvre semble vous faire de l'effet. Voulez-vous que j'aille chercher quelque chose à boire ?

– Non. Mais je... Je sais qui a peint cela.

D'un coup, l'Américaine se fige.

– Vraiment ? Alors vous possédez la clef d'une énigme passionnante.

Paula hésite. Mais il n'y a pas de doute possible. Ce sont bien les mêmes lignes, la même rage, la même angoisse que sur les dessins aperçus dans la chambre de son frère. C'est incroyable.

– Je ne comprends pas pourquoi il a voulu rester anonyme. Mais cela ne devrait pas m'étonner, j'imagine.

– Écoutez-moi. Je suis directrice d'une galerie à Soho. Si cet artiste désire rester anonyme, je ne vous conseille pas d'ébruiter son nom. Mais il doit exposer ses œuvres, travailler son talent. Ce serait un tel gâchis de ne pas le faire !

– Que lui recommanderiez-vous ?

– Je vais vous sembler présomptueuse. Mais il devrait me parler. Contrairement à certains, je ne travaille pas pour l'argent. Mais par passion et dans le respect des artistes. Si l'auteur de ces graffiti s'adresse à moi, je lui ferai la plus belle exposition de l'histoire de West Broadway. Sans divulguer son identité. Difficile à croire, mais vous pouvez me faire confiance.

Paula croise un instant le regard de Marilyne. Elle est sûre de cette femme.

– Je lui en parlerai. Donnez-moi vos coordonnées.

Quatre-vingt-douze degrés Fahrenheit. Luc et Rachel se sont réfugiés dans un restaurant grec, climatisé. Luc est dissimulé derrière une paire de lunettes noires, qu'il garde beaucoup ces derniers temps. En fait, depuis que le *New York Times* a publié sa photo en première page. « L'homme aux Mammouths retrouvé ! » Il est devenu le Cro Magnon officiel de Manhattan.

Paula a passé une nuit entière à le convaincre d'accepter cette nouvelle vocation. Il s'est laissé faire. Peut-être est-il bon à quelque chose, après tout ? Il aime la force qui le pousse à créer ces œuvres monumentales, et l'inspiration née tout au fond de lui ne risque pas de se tarir. Pourtant il est surpris que ses dessins puissent parler à quelqu'un d'autre que lui-même. Marilyne Parrell lui a plu. Il était effrayé par l'idée d'une exposition. Mais elle a renversé toutes ses objections, le persuadant même de révéler son nom : « L'anonymat ne t'avancera à rien. On croira à une supercherie. Tu as un don : prends-le au sérieux, fais une carrière. »

Luc a cédé, plus par lassitude que par conviction.

Le serveur pose sur la table deux bagels chauds et emplit les tasses de café. Rachel pose sa main sur le bras de Luc. Elle le connaît trop pour ne pas discerner ses changements d'humeur.

– Tu fais une drôle de tête. Me diras-tu à quoi tu penses ?

– A rien, je t'assure.

– On te dirait assis sur des charbons ardents.

– Je n'ai pas l'habitude des grands gestes.

– De quoi parles-tu ?

Rachel éclate de rire, et des fossettes creusent ses joues roses. Depuis qu'il est un artiste reconnu, elle a repris espoir. Pourtant, sa famille refuse d'envisager un mariage, et le nom de Luc reste banni chez les Kentzel. Mais elle se sent plus forte et leur tient tête avec audace. Elle est si fière de lui...

Luc grimace et pose un écrin sur la table de formica.

– J'essaie de me comporter comme un amant normal. Mais ce n'est pas facile, quelquefois.

L'écrin contient un bracelet d'or. Simple et lourd.

– J'espère que tu n'aurais pas préféré une bague. Mais entre toi et moi, les diamants ne sont pas un symbole heureux...

Le patron grogne de mécontentement, le regard fixé sur Rachel, enfouie dans les bras de Luc, qui rit et sanglote à la fois.

« Ces étrangers n'ont vraiment aucune pudeur ! S'ils s'embrassent une minute de plus, il faudra leur jeter de l'eau froide. Quelle étreinte ! Comme si on ne pouvait pas garder ce genre de démonstration pour chez soi... »

Inutile de dire que la femme du patron, fervente adepte des masques de boue et des bigoudis auto-chauffants, n'inspire plus aucune démonstration inconvenante à son mari.

Harry Grober, du *New York Post* est adossé à une poutrelle métallique, sur la plate-forme du métro. Il essuie les gouttes de sueur qui perlent sur son front. Son photographe, Dan, ronchonne bruyamment.

– Ras-le-bol de cet endroit pourri !

– Nous n'aurions jamais été à l'heure pour cette interview, si nous avions pris la voiture.

– On n'aurait pas raté grand-chose. Petit politicien sans avenir. Se fait mordre par un chien pour obtenir trois lignes dans un canard.

– Le métro te rend bien hargneux...

– Ouais. Ça fait deux heures qu'on poireaute dans cette station. Je te préviens, mon Leica commence à fondre.

– Distrais-toi : regarde la mignonne poupée, droit devant.

Rachel est pendue au bras de Luc. Sa minijupe révèle les rondeurs de ses cuisses, et plusieurs hommes la suivent des yeux.

Le haut-parleur grommelle des indications incompréhensibles : « La rame express... Sur les rails du local. Attention... Ligne trois à la place du deux. Changement de quai... Express... Local. »

Incertaine, la foule reflue d'un quai à l'autre. Trois skinheads surgissent au bas des marches. Ils sont plus que maigres : décharnés, dévorés par la drogue. Le train s'engouffre dans la station. Alors que tous les passagers s'avancent vers les rails, Rachel s'attarde un instant. C'est le moment : la technique des prédateurs est au point. Lorsqu'elle lève les yeux, trois silhouettes l'entourent, l'isolant de la foule. Elle ne comprend pas, lève les mains pour se protéger. Son bracelet d'or étincelle à hauteur d'yeux. L'un des skinheads se jette sur le bijou.

Trois mètres plus loin, Luc réalise que la jeune fille n'est plus à son côté. Il fait volte-face. Le photographe du *New York Post* a assisté à la scène. Par réflexe, il brandit son Leica par-dessus les têtes.

La foule masque un instant le petit groupe. Lorsque les journalistes aperçoivent de nouveau la mêlée, une lame surgit entre les corps. Un hurlement, couvert par le vacarme d'un train.

Harry s'exclame :

– Putain, ça tourne mal. Fonce !

Acculée contre une poutrelle, un cran d'arrêt contre la gorge, Rachel tente de protéger son bracelet; une main tatouée le lui arrache. Luc, impuissant, est maintenu par deux des skinheads, qui le fouillent avec violence. La lame du troisième dessine un arc de cercle sur le cou de la jeune fille. Le sang jaillit. Luc pousse un hurlement, projette un assaillant sur les rails, lance son poing dans le ventre du second, et bondit sur Rachel. A pleine main, il saisit la lame et l'éloigne du cou de la jeune femme. Les flashs de Dan crépitent. Le hurlement d'une sirène de police résonne sous les voûtes.

En quelques secondes, les flics envahissent la station. Les skinheads ont disparu. Rachel gît dans une flaque d'eau, évanouie. Luc est agenouillé à côté d'elle, tenant sa propre main, ensanglantée.

Abasourdi, Dan range son appareil.

– Sous nos yeux! Quel pot!
– Vite, on rentre au journal.
– Et l'interview?
– Laisse tomber.

L'article de Harry est déjà prêt : « Jeune fille sauvée par fiancé. Terrible attaque... Agression sadique... Courage héroïque. Le romantisme existe encore à New York! »

Paula court le long des couloirs de l'hôpital. L'alignement des portes blanches semble infini, comme dans un cauchemar. Enfin, la chambre 296, et son frère, très pâle, sous perfusion.

– Oh, mon Dieu!

Elle s'effondre sur le lit, en larmes. Luc a un sourire tranquille.

– Petite sœur, ça va bien, je te promets.
– Quand seras-tu opéré?
– Dans une heure. Quelques tendons sectionnés. Rien de grave.
– Et Rachel?
– La coupure est superficielle : elle va bien. Elle est rentrée chez elle. Je doute que sa famille la laisse venir.

Paula secoue la tête, réprimant sa colère. L'attitude de la famille Kentzel vis-à-vis de son frère est inacceptable.

– Est-ce que ta main retrouvera toute sa mobilité?
– Oui, avec un peu de rééducation. Une chance que je sois riche depuis quelques semaines, parce que la chirurgie à New York se facture à la seconde.
– Es-tu sûr de ne pas avoir besoin d'argent?
– Tu rigoles? J'ai vendu le mammouth trois cent mille dollars, et Marilyne me parle finances deux fois par jour.

Elle s'assied sur le lit, s'empare de la boîte de mouchoirs, qu'elle entreprend de vider avec méthode. Luc sourit faiblement.

– Cesse de renifler, tu me déprimes.
– Ne te moque pas.
– Je ne me moque pas. Je te remercie d'être venue si vite. Tu te rappelles mon appendicite? Tu m'avais accompagné jusqu'à la salle d'opération.

– Tu avais dix ans. Il fallait aussi que je sois à tes côtés pour chaque visite chez le dentiste ou le médecin.

L'infirmière entrebâille la porte et fait un signe. C'est l'heure de l'anesthésie.

Luc se laisse tomber sur l'oreiller avec un soupir.

– Tu seras là lorsque je sortirai du bloc opératoire ?

– A ton avis ?

SEPTIÈME PARTIE

Une poignée de kimberlite

1

Paris

Le journaliste arbore un badge de Lénine sur son veston noir. Il sourit avec suffisance.

– Il paraît que votre budget publicitaire est l'un des plus ambitieux d'Europe ?

– Qui vous a dit cela ?

– C'est un bruit qui court.

Paula soupire, s'enfonce plus profondément dans le canapé, comme pour accroître la distance qui la sépare du magnétophone.

– Des bruits ! Le rôle des journalistes se limite-t-il à propager des rumeurs ?

– Est-ce que vous démentez l'importance de ce budget ?

– Pas du tout. Mais sachez que nos moyens restent infimes, comparés à ceux de la D.I.C.

– Faut-il vraiment dépenser de telles fortunes pour convaincre les hommes d'offrir une bague ?

– Pour le diamant Aurore, c'est nécessaire : nous devons faire connaître cette nouvelle pierre. Pour les diamants classiques, c'est encore plus important. Il est crucial que les femmes soient viscéralement attachées à leurs bagues de fiançailles, afin qu'elles ne les vendent jamais.

– Et pourquoi ?

– Vous ne semblez pas comprendre la situation. Tous

les diamants transformés en joyaux, depuis l'Antiquité, existent encore à ce jour. Une masse considérable, répartie entre les mains de centaines de millions de femmes. Imaginez que ce stock de diamants, qui croît depuis des millénaires, se retrouve sur le marché... Ce serait une panique, une crise sans précédent, et le diamant ne vaudrait plus un kopeck. Pour l'empêcher, la D.I.C. doit convaincre les femmes du monde entier de leur attachement sentimental à cette pierre. Après un divorce, elles vendront tout, mais pas la bague.

– Croyez-vous que la publicité puisse avoir une telle influence sur la psychologie des masses ?

– J'en suis convaincue. Regardez le Japon. Pendant plus de mille cinq cents ans, la tradition matrimoniale n'a pas évolué. Les mariages étaient arrangés par les familles. La cérémonie obéissait aux rites du Shinto. On s'offrait des kimonos de soie, mais il n'y avait même pas de mot pour une notion aussi exotique que la bague de fiançailles. Et puis, en 1967, une compagnie sud-africaine, à l'autre bout du monde, a décidé de révolutionner la manière dont les Japonais s'aimaient. Et la D.I.C. a réussi : aujourd'hui, au pays du Soleil-Levant, plus de soixante-dix pour cent des mariées reçoivent un diamant !

La jeune femme jette un coup d'œil a sa montre.

– Je suis désolée, mais je dois m'éclipser.

– Aucun problème, l'interview est terminée.

– Avez-vous reçu votre invitation pour le cocktail de lancement ?

– La fête à l'Opéra Bastille ? Oui. Il paraît que vous avez prévu des fastes hollywoodiens.

– N'exagérons pas. Ce sera simplement une soirée rose : le champagne, le caviar, les fleurs, les fontaines, tout sera de la même teinte que le diamant Aurore.

– C'est bien ce que je disais : hollywoodien.

– J'avoue que je ne contrôle plus mes attachés de presse. Mais ce sera une belle fête. J'espère que vous vous amuserez.

Seule dans le bureau, la jeune femme ôte ses escarpins, et déambule pieds nus, rangeant quelques dossiers. Elle est à l'œuvre depuis sept heures du matin. Mais aucune trace de fatigue : elle est grisée par l'exaltation de ces dernières semaines. Le jour J s'approche à grande vitesse. L'énorme machine qu'elle contrôle tourne plus vite, plus fort.

Au cœur du Zaïre, les pelleteuses arrachent à la terre des tonnes de kimberlites diamantifères.

Près de Tel-Aviv, les meilleurs tailleurs du monde transforment les diamants bruts en capteurs de lumière. Sous le contrôle étroit de Pinas.

A Lyon, Alexis Saint Vaux a déjà coulé plusieurs milliers de bagues, et ses ateliers travaillent nuit et jour au sertissage des diamants.

A Milan, Rome, Madrid, à Paris et New York, une armée d'attachées de presse et de responsables médias mettent au point le lancement, qui aura lieu le 1er décembre, simultanément, dans les principales capitales du monde.

La journée glisse avec une rapidité vertigineuse. Le B.C.D.A. emploie maintenant une trentaine de personnes, toutes volées à prix d'or à l'industrie du luxe.

Chacun bombarde Paula de questions et de problèmes. Elle a le sentiment de jouer au tennis – une partie effrénée – renvoyant avec vivacité solutions ou encouragements.

– La D.I.C. a réservé les meilleures pages de publicité dans toutes les éditions européennes de *Vogue*.

– Tant pis. Avec le cinéma, la T.V. et la presse féminine, nous sommes bien assez puissants.

– JLW a envoyé un télégramme de Genève : il demande que nous bloquions une dizaine de millions de francs, afin de ne pas tout dépenser pendant l'année fiscale.

– De quoi se mêle-t-il ? Oubliez ce télégramme. Officiellement, nous ne l'avons pas reçu.

– Les Zaïrois veulent inviter toute l'ambassade au cocktail de presse.

– On ne peut pas refuser.

– Mais cela veut dire que nous n'avons pas commandé assez de caviar rose...

– Je ne peux pas m'occuper du caviar. Débrouillez-vous.

Vers vingt-deux heures, elle s'arrache au rythme frénétique du bureau, pour retrouver Max sur sa péniche. Les soirées ne sont pas calmes : elle le provoque et l'agace jusqu'à ce qu'il la renverse sur le lit. Après quelques heures passionnées, elle s'endort dans ses bras, d'un seul coup, comme frappée par une massue.

Max lui conseille des séances de méditation contemplative. Mais, bien qu'il la trouve épuisante, ce tourbillon d'énergie l'amuse. Cette phase physique, exaltée, de leur relation ne durera pas – ils finiront par s'assouvir – mais pour l'instant, il est aussi ivre qu'elle.

Londres

La boule noire est séparée de la blanche par toute la longueur de la table.

– A vous de faire mieux!

Doug ôte sa veste de tweed, pose son cigare et enfile des gants de cuir coupés aux doigts.

Puis il saisit la longue queue de bois et se met en position.

Les trois hommes le regardent viser, dans un silence respectueux.

Petit choc mat. La boule blanche fuse sur le tapis, heurte la noire de côté et l'envoie tourbillonner vers le trou d'angle.

Les hommes retiennent leur souffle. Doug se redresse avec un sourire satisfait.

La boule noire hésite un instant. Puis bascule au fond du trou.

– Un coup de maître, mon cher! Vous êtes un as du snooker.

Ils se rassoient, face à la cheminée du *Chelsea Arts Club*. Un endroit très select, qui choisit ses membres selon une recette subtile, dosant les artistes reconnus, les journalistes et les amateurs d'art.

Une brassée de bois craque et se tord au fond de l'âtre. Dès octobre, Londres s'installe dans le *fog* et le froid hivernal. Les quelques semaines d'été – cette saison bizarre – sont vite oubliées.

Jeffery, qui arrive de Johannesburg, saisit la bouteille de Single Malt et sert à nouveau ses collègues.

Jeffery a dépassé la quarantaine, mais sa chevelure rousse et son impressionnante carrure le rajeunissent de plusieurs années. Il travaille pour la D.I.C. depuis dix ans, et son franc-parler est légendaire.

– La Française a trouvé quelqu'un d'autre pour tailler ses diamants, n'est-ce pas ?

Doug laisse échapper un grognement. La question est directe.

– Exact.

– Qui ?

– Voilà le problème. Nous ne savons pas. Selon nos sources, il faudrait chercher vers Tel-Aviv. Cependant, un atelier qui décroche un contrat de cette taille le clame sur les toits. Or, personne ne sait rien. Desprelles a tiré les conclusions de sa rupture avec les Kentzel, et elle garde secret le nom de son nouveau partenaire.

– Le lancement des diamants Aurore se rapproche. Que comptons-nous faire ?

Doug s'enfonce dans le canapé.

– Après tout, mon ami, vous êtes responsable des opérations. Vous devriez pouvoir nous recommander un plan d'action.

Le rouquin éclate de rire, bruyamment.

– Ah, suffit ! A quoi servirait de vous proposer un plan ? Vous avez déjà tout décidé, bien sûr...

– C'est vrai.

Doug sourit. Il aime bien Jeffery. C'est lui qui a recommandé, il y a dix ans, d'embaucher cette ancienne star du rugby sud-africain.

– Nous devrions augmenter le prix payé au Zaïre pour ses diamants traditionnels. D'au moins quatre pour cent.

– En échange des droits sur la mine Aurore ?

– Évidemment.

– Mais Kinshasa a déjà signé avec le B.C.D.A.

– Le gouvernement zaïrois paraît très divisé sur ce sujet. Le ministre des Mines, Bosoké, est attaqué par certains hauts fonctionnaires, qui prennent notre parti. Pour l'instant, il est soutenu par Mobutu. Mais, si nous offrons un meilleur marché au Zaïre, les luttes gouvernementales s'exacerberont. Certaines personnes lorgnent le siège de Bosoké avec convoitise et seraient ravies de l'éjecter.

– « Certaines personnes » ?

– Faites fonctionner votre imagination. Nous avons des contacts stratégiques sur place. Il est temps de les mettre en mouvement.

– Je comprends. Je contacterai le Zaïre dès demain.

Doug exhale la fumée bleue de son havane.

– Je vais marcher dans le jardin. Besoin de faire quelques pas.

Il quitte la salle de billard et les fauteuils de cuir assemblés autour de la cheminée. Les portes-fenêtres s'ouvrent sur un rectangle de verdure au charme touffu, qui n'a pas vu la main d'un jardinier depuis de longues semaines.

La guerre contre le lancement des diamants Aurore est serrée. Doug revoit en pensée les différentes étapes de ce combat, tout en arpentant la pelouse.

Il a d'abord tenté de préserver son emprise sur Mobutu. La D.I.C. a exigé, menacé, argumenté. Mais Desprelles a négocié le projet Aurore de manière habile, en jouant sur les aspirations d'indépendance du maréchal président. Le Zaïre a tranché en faveur de la Française.

Il a ensuite tenté de discréditer les gemmes roses. La campagne mettant en doute l'authenticité de la couleur Aurore fut d'abord un succès. Mais la manœuvre dramatique de Salzdji a tout ruiné. La mort de Pietro Morrongi, assassiné alors qu'il convoyait un échantillon de diamants Aurore pour l'expertise, fut une bavure colossale. Surprenant, chez quelqu'un d'aussi professionnel que Salzdji. Le millionnaire vieillit, c'est certain, et ses intermédiaires ne sont plus d'aussi bonne qualité qu'autrefois.

Doug a tenu à ce que tous les liens – d'amitié comme d'affaires – entre la D.I.C. et Salzdji soient rompus.

Briser le contrat avec les Kentzel fut une partie difficile. Il y a réussi. Il était hors de question d'abandonner la taille *Fire Bloom* aux diamants Aurore.

Trop dangereux.

Mais Desprelles semble avoir trouvé une riposte. Un mystérieux tailleur de pierres s'occupe de la production zaïroise.

Doug entame donc la dernière manche. Avec le plaisir angoissé du joueur d'échecs qui avance un pion. Contre un adversaire tout à fait remarquable : une jeune femme, de l'autre côté de la Manche, qu'il n'a jamais vue.

Brooklyn

Les trois hommes sont réunis autour de la table de la cuisine. Pinas arrive d'Israël, et Simon d'Anvers. Une bonne odeur de poulet emplit la pièce : la femme d'Alex tient à célébrer ces réunions familiales, qui rassemblent des proches éparpillés aux quatre coins du monde. Elle vient d'ailleurs de se précipiter à l'épicerie, prise d'une soudaine angoisse quant à la quantité de nourriture offerte à ses hôtes.

Une voiture de police hululante déchire le calme de ce quartier de Brooklyn.

Le vieux Simon est fatigué. Il n'aime pas l'avion. De son manteau noir, il extrait une pochette plastique – un sac comme en distribuent les supermarchés. Tout au fond, sept enveloppes de papier bleuté, des « Briefke », contenant des diamants trop gros ou de formes trop particulières pour son atelier.

Comme beaucoup de vieux diamantaires, Kentzel père transporte les diamants sur lui, par-dessus les frontières. Personne ne soupçonne ces hommes vêtus de sombre, courbés par des années de travail, de passer sur eux des centaines de milliers de dollars en pierres précieuses. Ils ont parfois l'air si miteux qu'on se demande comment ils ont pu payer leur billet d'avion.

– Mon frère, tu es mieux équipé que moi pour travailler ce genre de diamant.

Alex le contemple avec tendresse.

– Tu devrais cesser de trimbaler ces cailloux de cette façon. La douane finira pas se douter de quelque chose.

– Ne t'inquiète donc pas. Tout le monde travaille comme cela. Leur paperasserie est impossible.

Silence.

– Rachel n'est pas là ?

– Elle a un cours, ce soir.

– J'espère qu'elle ne fréquente plus ce voyou de Français ?

Pinas et Alex échangent un regard gêné. L'un s'absorbe dans la contemplation du ventilateur, l'autre décapsule une canette de bière.

– Père, il lui a quand même sauvé la vie.

– C'est vrai, Simon. L'agression de Rachel a fait un raffut de tous les diables ici. Pourtant, un tel événement est assez banal. Une attaque à main armée dans le métro new-yorkais, ça n'a rien de révolutionnaire. Mais les médias n'ont parlé que de cela pendant au moins une semaine. Les journalistes ont vu Luc se battre pour protéger Rachel, cela a dû exciter leur fibre romantique. Les infos locales sont venues nous interviewer. Kitty est passée à la T.V. – tu la connais, elle est ravie. Elle découpe tous les articles dans le *Post* et le *New York Newsday*, et les colle dans un album. Il faut le dire : le Français a défendu la petite avec un certain héroïsme.

– Parfaitement normal, bougonne le vieux Simon. Tout homme correct aurait agi de même. Comprends pas pourquoi vos journaux ont fait tant de bruit.

– Luc est resté deux semaines à l'hôpital. Forcément, j'ai laissé ta fille lui rendre visite.

– Ce Français ne vaut rien. C'est un séducteur.

– Père, ce vaurien gagne quand même plus que toi et moi réunis. Il est devenu l'étoile montante de la scène artistique...

– Barbouillages. Graffiti de cannibales. Pinas, j'aimerais que tu cesses de raisonner en termes de carnet de chèques. Il s'agit de ta sœur.

Le vieil homme croise et décroise les doigts, nerveusement. Alex enfonce les mains dans les poches de son jean, et respire un bon coup. Pas facile de s'opposer à son frère aîné. Surtout lorsqu'il s'agit d'un homme aussi buté. Mais c'est parfois nécessaire.

– Avec tout le respect que je te dois, je te trouve un peu dur. Voilà un jeune homme au futur brillant. Il a montré qu'on pouvait compter sur lui pour protéger Rachel. Qui est d'ailleurs terriblement amoureuse de lui. Même de vieux schnocks comme nous peuvent reconnaître ces signes-là. Et Luc m'a demandé six fois la main de ta fille. En personne, par courrier, par téléphone, et par Federal Express. Je crois que nous devrions considérer sa... candidature.

– Tu oublies une chose.

L'atmosphère s'est tendue. La voix de Simon est lente, hachée par l'émotion.

– Oui, une chose mon frère. Il est catholique.

– Mais prêt à se marier à la synagogue. Et nous pourrions soutenir sa conversion auprès du rabbin d'Anvers.

– Ridicule! Si Rachel l'épouse, c'est la lignée familiale qui s'interrompt. C'est la rupture avec tous les principes auxquels nous croyons. Es-tu prêt à prendre cette responsabilité? Devant nos parents? Devant nos frères décédés?

Pinas intervient.

– La lignée familiale ne s'interrompra pas. Que Rachel choisisse un mari bouddhiste ou athée, ses enfants seront toujours mes neveux.

Kentzel le vieux lisse sa longue barbe, et sa main tremble un peu. Il a l'impression qu'on vient de le frapper en pleine figure, et le choc l'étourdit un instant. Au bout de quelques secondes de silence, il se lève. Jamais il n'aurait cru avoir à discuter un tel sujet. Jamais il n'a imaginé que ces principes sacro-saints seraient remis en cause.

Il traverse la cuisine sans un regard pour son frère et son fils, et s'éloigne dans le jardin.

Alex passe le bras autour de l'épaule de Pinas.

– Laisse-le. Il s'isole pour réfléchir.

– Aucune chance! Il est furieux.

– Je le comprends. Mais c'est une décision grave. Moi-même, j'aurais mille fois préféré éviter une telle situation.

Rachel traverse la pelouse d'un pas dansant. Il fait nuit, elle est très en retard. Elle a quitté la Parson's School of Design vers dix-huit heures, pour retrouver Luc dans la galerie de Marilyne, à Soho. Il y expose ses graffiti et ses premières sculptures. Luc est encore tout étonné de sa célébrité soudaine. Grande silhouette dégingandée, vêtu d'un éternel pull noir, il se confond avec les étudiants venus observer son œuvre. Ils ont été dîner chez *Food*, sur West Broadway: sandwichs au pain complet, monumentaux et bio-diététiques, et yaourts au soja.

Il a quémandé une nuit avec elle. Elle ne lui a permis

qu'une brève étreinte, avant de s'enfuir de l'autre côté de l'East River.

Mais une brève étreinte entre Luc et Rachel, c'est une heure de passion et la jeune fille n'a quitté Manhattan qu'à la nuit tombée. Trop tard pour accueillir son père. Trop tôt pour éviter les reproches.

Elle s'immobilise dans l'ombre de la véranda. Tout en reprenant son souffle, elle entend la voix de Simon Kentzel, coupée par les vives reparties de son oncle. La discussion est animée.

On parle de Luc. Et d'elle.

Rachel se fige. Si elle pénètre dans la cuisine, elle les embarrassera certainement. Mais si elle passe par la porte principale que personne n'utilise, son père croira qu'elle a voulu l'éviter.

Incertaine, elle reste sur place, se balançant d'un pied sur l'autre.

– Et Irving Grossman ? lance Simon.

– Simple : ta fille ne le supporte pas.

– Alors, à qui légueras-tu ton atelier ?

– Sois honnête. Certes, Luc ne distinguerait pas un zircon vulgaire d'un diamant classé D. Mais, d'un point de vue professionnel, sa sœur se pose un peu là.

– Je commence à comprendre la situation. Avec ou sans mon consentement, Rachel épousera le fils Desprelles.

Alex hésite.

– C'est vrai. Mais elle aurait pu faire un plus mauvais choix.

Le vieil homme tressaille. Il fixe le vide, droit devant lui, et sa bouche prend un pli amer.

– Le destin semble se jouer de mes vœux les plus chers. Mais puisque tout est décidé... Que vous êtes tous d'accord... Il ne me reste plus qu'à leur donner ma bénédiction. C'est ainsi.

Il est interrompu par une Rachel éplorée, qui fait irruption dans la cuisine et se jette dans les bras de son père en sanglotant.

Paris

Une lumière chaleureuse emplit la cabine de la péniche. Rachel, vêtue de sa robe de mariée, virevolte devant le miroir.

Allongée sur le tapis, Paula est plongée dans une grande conversation téléphonique avec Johanna. Celle-ci, encore à Los Angeles, tient à connaître le moindre détail de la tenue de la jeune fille.

– Le dos est nu, et le décolleté s'achève dans un flot de satin crème. Non, il n'y a pas de jupon. Mais Rachel aimerait ajouter une touche de couleur.

Paula quitte un instant le téléphone, pour parler à la jeune fille.

– Johanna suggère une orchidée.

– Je ne sais pas. J'aurais préféré quelque chose de plus simple.

– Jo, tu entends ? Non, je refuse que tu nous envoies ta fleuriste. Ton coiffeur suffira amplement. Il arrive la semaine prochaine ?

Rachel sourit à son reflet. Sa chevelure acajou tombe jusqu'au bas du dos. Sa bouche est pulpeuse, épanouie. Ravie, elle tournoie dans sa robe Chantal Thomass, achetée à Paris, avec l'aide de Paula et les conseils de Johanna Kale. Si elle s'était laissé faire par ses tantes en Belgique, elle se serait trouvée drapée dans les dentelles et les rubans, comme une boîte de dragées Pronuptia. Mais Paula et Johan sont les meilleures marraines qu'on puisse rêver. D'ailleurs, tout semble un rêve, depuis que Simon Kentzel a accepté Luc dans sa famille.

Dans la cabine de proue, Max joue aux échecs avec Luc. Agacé, il jette un œil à sa montre et passe la tête par la porte.

– Paula, tu es au téléphone depuis quarante-cinq minutes. Et tu n'appelles pas exactement la proche banlieue.

– Ouh le vilain radin ! Je la paierai, ta facture. Donc, au niveau du chignon...

Il soupire.

– Ce mariage repose sur plus de cent heures de papotages transatlantiques. Hier, il leur a fallu la soirée pour déterminer le style de chapeau adapté à une synagogue flamande.

Luc avance son fou et lève les yeux.

– Oui ? Peut-être devrais-je aussi me préoccuper de ma tenue ? Je pensais louer quelque chose de sombre...

– Ne t'inquiète pas. Elles ont déjà décidé de tout, jusqu'à la couleur de tes chaussettes.

Un peu plus tard, Rachel sert la bisque de langouste. La péniche se balance au rythme du fleuve.

Lorsque le téléphone sonne, Max menace du doigt.

– J'espère que tu ne prétends pas décrire le dîner plat par plat à Johan ?

– Je ne crois pas que ce soit elle.

Paula s'empare du combiné. Surprise, elle se tait un instant. Puis elle hoche la tête.

– Bien. Je serai à Roissy dans une heure.

Elle raccroche. Ignorant les regards curieux qui la suivent, elle enfile un manteau, attrape un croûton de pain et se dirige vers la porte.

– Désolée. Ne m'attendez pas pour le dessert.

Sans autre explication, elle quitte la péniche.

Le hall de l'aérogare est presque désert. Quelques voyageurs en transit dorment sur les banquettes, le visage protégé des néons par des pages de journaux. Les escaliers mécaniques glissent à vide dans leurs tubes de Plexiglas.

L'homme est debout près du comptoir d'Air Zaïre, engoncé dans un pardessus en poil de chameau. Paula s'avance vers lui, dissimulant son étonnement. Que fait Kaboré ici à une heure pareille ? Où sont les officiels de l'ambassade qui l'accueillent lors de ses voyages en France ? Pourquoi l'a-t-il prévenue si tard de sa visite ?

– Je vous remercie d'être venue me chercher.

– C'est tout naturel.

– Je désirais vous parler. Pourriez-vous me déposer au *Royal Monceau* ?

Dans la Mustang qui roule vers Paris, la conversation est anodine. Le directeur de la mine Aurore ne donne aucun indice quant à la raison de sa visite. Paula se mord les lèvres pour ne pas le questionner à brûle-pourpoint. Mais Kaboré n'est pas homme à se laisser brusquer. Elle doit se montrer patiente.

Enfin, ils arrivent à l'hôtel. Le Zaïrois confie ses bagages au portier et rejoint la jeune femme sur un canapé, dans un angle du luxueux salon. A part quelques Japonais en tenue de soirée, il n'y a pas grand monde sous le lustre monumental.

– J'ai de mauvaises nouvelles, mademoiselle Desprelles. Et je voulais vous voir seule. Ce qui explique cet entretien peu orthodoxe.

– Que se passe-t-il ?

– La mine Aurore ne produit plus de diamants.

Paula retient un juron et s'efforce de conserver un visage impassible.

– Plus du tout ?

– Beaucoup moins.

– Et depuis combien de temps ?

– Depuis un mois déjà.

– Pourquoi n'ai-je pas été avertie plus tôt ?

– Mon enquête n'était pas terminée.

– Si une telle information était divulguée, ce serait une catastrophe internationale. J'aurais aimé être prévenue dès que possible.

– Peut-être ai-je eu tort, concède Kaboré sur le ton de quelqu'un qui est persuadé du contraire. Mais l'épuisement de la mine a été progressif. Et je désirais être sûr de mon fait.

Elle réprime son irritation. L'heure n'est pas aux conflits personnels.

– Que se passe-t-il ?

– Deux possibilités. La plus évidente : la mine est sèche. Nous avions mal évalué son potentiel au départ, le rythme d'exploitation a été trop rapide.

– Est-ce une situation qui se produit fréquemment ?

– Tout à fait. De nombreuses mines sont déclarées non rentables après quelques mois d'exploitation. En ce cas, elles sont fermées très vite.

– Et l'autre possibilité ?

– Une hypothèse moins vraisemblable. Un réseau de

trafiquants qui vident la mine en douce, un sabotage dans le processus d'exploitation...

– Croyez-vous que cela puisse se produire ?

– Je ne sais pas.

Kaboré hésite un instant. Un garçon passe devant eux, et dépose une pile de *Herald Tribune* devant le kiosque à journaux de l'hôtel. Une serveuse s'approche de leur divan. Ils commandent un bourbon et une vodka.

– Je ne sais pas. Mais, pour certaines personnes, l'épuisement de cette mine serait un don du ciel. C'est pour cela que j'ai des soupçons. Voyez-vous, la D.I.C. a fait une nouvelle proposition au Zaïre : un marché plus avantageux pour les diamants blancs, si nous leur confions la mine Aurore. Toute une partie du gouvernement soutient cette offre. Mais il y a un obstacle : l'accord entre vous, Paula Desprelles, et le ministre des Mines. Si la mine paraissait « épuisée », Bosoké perdrait l'appui de Mobutu et son siège ministériel. Quant à vous, vous abandonneriez le projet Aurore aussi vite que possible. Ainsi débarrassés des gêneurs, il suffirait aux partisans de la D.I.C. de prétendre avoir trouvé un nouveau filon sur le domaine Aurore pour reprendre l'exploitation.

Paula observe l'homme avec admiration. Sous des dehors bourrus, Kaboré sait jouer d'une intelligence fine et d'une parfaite connaissance des rouages gouvernementaux zaïrois. Mais il lève les mains avec lassitude.

– Honnêtement, il y a quatre-vingt-dix pour cent de chances que la mine soit sèche. Ma dernière hypothèse est une construction intellectuelle qui, rendue publique, ferait douter de ma santé mentale.

– Moi, je vous crois.

– C'est normal : votre carrière est en jeu, comme la mienne.

Elle se lève et fait quelques pas, le front plissé.

Elle a confiance en Kaboré. Un caractère exécrable, mais l'homme est compétent.

Il est possible que la mine soit épuisée.

En ce cas, pour le B.C.D.A. et pour elle, c'est la ruine.

Ils auraient dépensé des centaines de millions pour lancer une pierre dont les stocks actuels se limitent à deux ou trois boîtes à chaussures.

Avertir JLW ? Non, ce serait une erreur : le Chinois se précipiterait pour retirer ses billes du jeu.

Elle doit réfléchir seule... Après quelques instants, Paula se retourne vers Kaboré :

– Je n'y crois pas. Les prévisions étaient très optimistes. La mine devait pouvoir produire à ce rythme pendant au moins cinquante ans. Les géologues les plus fameux ont analysé le terrain. J'ai moi-même étudié leurs rapports.

– Pourtant, le monde entier sera convaincu de notre échec. Notre seule issue, c'est de trouver un élément de preuve qui permette de croire au sabotage.

– Tout cela doit être tenu aussi secret que possible.

– J'ai réussi à étouffer les derniers rapports de production. A part vous, moi et les responsables de la mine, personne ne sait rien. C'est pour cette raison que j'ai voulu vous rencontrer en dehors de l'ambassade. Mais on ne peut pas enterrer de tels faits. La bombe va exploser d'un jour à l'autre.

– Bien. Je sais ce qu'il me reste à faire. Merci de m'avoir prévenue.

– Je repars au Zaïre à l'aube. Contactez-moi si vous avez du nouveau...

Tendue comme un arc, Paula contemple, sans les lire, les pages d'un dossier. Depuis sa rencontre avec Kaboré, quarante-huit heures plus tôt, elle ne cesse de penser à l'ampleur de la catastrophe qui menace.

L'épuisement de la mine Aurore, c'est la faillite du B.C.D.A., la banqueroute de son association avec JLW et la fin de sa carrière. Un trou de plusieurs centaines de millions, qui détruira aussi les Kentzel et tous ceux qui lui ont fait confiance.

De quoi gâcher irrémédiablement le mariage de Rachel et Luc. Entre autres.

Hélène pénètre dans le bureau avec un sourire. Inconsciente de l'épée de Damoclès qui oscille au-dessus du B.C.D.A., elle taquine la jeune femme avec vivacité.

– Encore les sourcils froncés ? Depuis deux jours, tu fais une tête effrayante. Une dispute avec le beau blond ?

– Pas tout à fait.

– Tes géologues sont arrivés dans la salle de réunion. Tu n'auras pas besoin de moi ?

– Non, merci.

Paula a convoqué trois géologues de réputation internationale : Walt Hyman, qui arrive de Londres sur sa demande urgente, Henri Paquet, du B.R.G.M., et le vieil Edouard Albrecht, qui a ausculté la plupart des mines africaines. Sous le sceau de la plus grande confidentialité, elle leur a parlé du problème de la mine Aurore.

L'assèchement du puits diamantifère ne semble pas étonner les spécialistes.

Henri, du B.R.G.M., hoche la tête d'un air blasé.

– Cette mine de diamants de couleur était une aberration de la nature. Je ne suis pas surpris qu'elle soit déjà à sec.

– Pourtant, vous avez fait partie du groupe qui a évalué le potentiel de la mine Aurore.

– Je sais. L'erreur est humaine. L'obstination, en revanche, serait ruineuse. Il est extrêmement difficile d'évaluer la richesse d'un terrain. Tous mes collègues vous le diront. On découvre la réalité au fur et à mesure de l'exploitation.

– Il dit vrai, confirme Walt. Les pipes de kimberlite peuvent paraître larges, puis rétrécir à faible profondeur.

Il se lève et dessine au marqueur rouge la coupe d'un puits sur le *paper board*.

– Vous allez comprendre. Les diamants sont nés dans les entrailles de la planète, environ deux cents kilomètres au-dessous de la surface. Comme vous le savez, les gemmes se sont formées il y a des millions d'années, dans des circonstances exceptionnelles : le graphite liquéfié se transforme en diamant au-dessus de trois mille huit cents degrés, et à cent vingt-six mille kilos de pression au cm^3. Les gemmes sont ensuite projetées à la surface lors de phénomènes volcaniques, dans une sorte de magma argileux, la kimberlite. La kimberlite, la « terre bleue » comme on l'appelle, est la seule roche dans laquelle on trouve des diamants. C'est un terrain énigmatique et rarissime : le volume des kimberlites découvertes dans le monde ne dépasse pas un kilomètre cube.

Il suffit qu'une cheminée volcanique – le « pipe » de kimberlite – ait la forme d'un cône qui se rétrécisse à quelques mètres au-dessous du sol... Et vous ne trouverez plus de diamants.

Paula tapote la table avec nervosité.

– Laissez-moi poser la question d'une autre manière. Serait-il possible de manipuler l'exploitation de la mine, de manière à faire croire à son épuisement ?

Henri et Walt soupirent, haussent les épaules. La Française est trop obstinée. Combien de découvreurs de mine ont ainsi cru à leur richesse et se sont retrouvés avec du vent... Paula Desprelles n'est pas la première.

Seul Edouard Albrecht prend sa question au sérieux.

– Pourquoi pas ? On a souvent accusé la D.I.C. de fermer des mines pour des raisons politiques. Il suffit de modifier le plan d'exploitation, de chercher au mauvais endroit, pour déclarer le terrain non rentable.

– Il faudrait être aveugle pour ne pas pouvoir délimiter un pipe de quelques centaines de mètres!

– Peut-être, répond Edouard. Mais il est beaucoup plus difficile de repérer l'ensemble des pipes qui constituent une mine. Les pipes viennent souvent en série, et c'est l'évaluation de ces différentes cheminées diamantifères qui base la rentabilité d'un gisement.

Elle a enfin l'impression de tenir une piste. Elle articule avec lenteur :

– Un seul pipe a été trouvé sur le site de la mine Aurore, n'est-ce pas ?

– Oui. C'est ce qui rend ce gisement si vulnérable.

– Comment trouver d'autres cheminées diamantifères ?

Henri ricane :

– S'il y en a d'autres... Et rien n'est moins sûr!

Edouard lisse ses favoris blancs, allume une cigarette et poursuit :

– Pure chance, jeune femme. Vous pouvez prospecter les environs, mais dans un territoire de brousse, c'est malaisé. La recherche sera lente et onéreuse. Le plus intelligent serait d'interroger les premières personnes qui ont trouvé des diamants là-bas.

– Les Pygmées ?

– Sans doute. Il faudrait savoir où, exactement, ils trouvaient les pierres. Peut-être connaissaient-ils d'autres puits de kimberlite ? C'est un indice bien mince, mais c'est le seul que je puisse vous fournir.

Les mains dans les poches, Luc observe sa sœur qui empile quelques affaires dans un sac de voyage.

– As-tu pris du Lariam contre le paludisme ?

– Cesse donc de t'inquiéter.

– Cette fois-ci, tu vas sortir des hôtels quatre étoiles. Et la forêt équatoriale n'est pas tendre pour les donzelles parisiennes.

– La forêt n'a qu'à bien se tenir. Dis-moi plutôt : es-tu sûr de tes indications ? Le village que tu as découvert était sur la troisième montagne du terrain, au nord-ouest.

– J'ai tout indiqué sur la carte. Mais les travaux auront repoussé les indigènes plus profondément dans la brousse.

– On verra.

– J'aimerais que tu promettes une chose.

– Ne pas boire l'eau vaseuse, faire attention aux mygales et ne pas jouer avec les armes à feu...

– Non. Ce n'est pas cela. J'aimerais que tu ne sois pas en retard à notre mariage.

Elle se redresse. Une expression d'angoisse passe sur son visage, qu'elle chasse vite. Ce voyage au Zaïre est une tentative désespérée pour sauver la mine. Elle ne s'aveugle pas : tous les avis d'experts concordent, le gisement était plus superficiel que prévu. Et ses chances de découvrir un nouveau pipe sont infimes. Mais peut-être, sur place, découvrira-t-elle la preuve d'un sabotage, d'une intervention humaine destiné à lui faire abandonner le projet ? Si sa tentative échoue, le mariage de son frère sera une journée bien noire. Ruinés par sa faillite, les Kentzel n'auront pas le cœur à la fête. Mais elle ne peut se confier à son frère et se force à sourire.

– Je te promets que je serai là.

Elle charge ses valises dans la Mustang, puis se tourne vers Max pour lui dire adieu. Incrédule, elle s'immobilise.

Il tient à la main son sac de voyage, qu'il jette au fond du coffre.

– Mais où vas-tu ?

– Au Zaïre.

– C'est impossible.

Il éclate de rire et pose ses larges mains sur les hanches de la jeune femme.

– Au contraire. Tu te lances encore dans des aventures époustouflantes, et je ne veux pas rater le spectacle.

– Non, j'ai à régler une affaire sérieuse. C'est mon métier, pas le tien.

– Ces magouilles ne sentent pas bon. Tu es sans doute plus à l'aise que moi dans les couloirs de la haute administration, à Kinshasa. Mais dans la forêt équatoriale, au cœur de l'Afrique, j'ai une nette supériorité. Ne sois pas stupide : si quelqu'un peut t'aider dans cette histoire, c'est bien moi.

Elle pose la main sur son épaule, et soupire.

– Crois-tu que la mine soit sèche ?

– Je le crains. J'ai déjà entendu parler de cas similaires. Mais fais-moi confiance : s'il y a quoi que ce soit derrière cette histoire, nous le prouverons. Je n'ai pas écrit plus de trente policiers pour rien.

– Tu ne devrais pas venir. Les diamants Aurore ne te concernent pas.

– Tu plaisantes ? Si le B.C.D.A. fait faillite, il faudra bien que je t'entretienne, non ?

Il passe la main dans ses mèches de Viking, esquisse un sourire. L'idée de devoir prendre en charge une Paula ruinée est surréaliste. Mais amusante.

Elle ferme le coffre d'un geste énergique.

– Soit, je t'emmène.

2

Mekanga

La mine est là. Paula retient son souffle.

A droite et à gauche, les cimes de la forêt équatoriale s'étendent à perte de vue. Cette masse se soulève par endroits comme une déferlante végétale, pour se perdre dans les écharpes nuageuses du ciel africain. Les montagnes qui bouchent l'horizon ajoutent à l'impression d'infini et de solitude.

Devant elle, il y avait trois collines, mais il n'y en a plus que deux. La troisième a été arasée. Plateau de terre parcouru par des myriades de pelleteuses et de camions, dans une cacophonie de vrombrissements, de grincements, de chocs.

Max serre la main de la jeune femme. Il comprend mieux les remarques de Luc : cette mine est un véritable viol du milieu naturel.

– Allons-y. La Jeep nous attend.

– Ça n'est pas très beau, n'est-ce pas ?

– C'est une mine à ciel ouvert. Pas une attraction touristique. En route.

Farrington, l'Anglais qui dirige la mine depuis son ouverture, accueille le couple. Il est accompagné de Mukti, son assistant, et de Vomberg qui remplace Pietro comme administrateur de la mine.

Farrington est blond, flegmatique : casque et short coloniaux lui conviendraient parfaitement. La rougeur de sa peau indique un refus obstiné du bronzage.

Il serre la main de Paula avec chaleur.

– J'espère que cette visite vous sera utile. Dans vos bureaux, à Paris, vous devez perdre le contact avec le terrain. Oublier que les gemmes ne poussent pas dans des écrins de soie...

La fin de sa phrase est couverte par le bruit d'un camion-benne, qui décharge quelques tonnes de gravats. Vomberg déplaît immédiatement à Paula. Australien, d'origine allemande, il a le regard calme d'un dogue qui mordrait sans prévenir.

– Désirez-vous visiter la mine ?

– Certainement.

Vomberg arrête un camion d'un jaune agressif, et leur tend deux casques de chantier.

Aidée par Max, elle se hisse dans la cabine, plusieurs mètres au-dessus du sol.

– Ce camion amène la kimberlite à l'usine, là-haut.

Les cahots projettent les passagers en tous sens. Paula se retient à la banquette, pour ne pas tomber sur le buste trempé de sueur de l'Australien.

Il montre du doigt les bâtiments de tôle autour desquels se pressent les camions.

– Ici, la kimberlite est déchargée sur des tapis roulants. La roche est concassée, lavée, triée... Puis passée aux rayons X pour isoler les diamants.

Devant l'usine, le bruit est insoutenable. Des dizaines de tonnes de gravats tressautent sur les tapis roulants qui s'enfoncent sous terre. Vomberg échange quelques mots avec le vigile, en tendant son passe. Ils sont admis à l'intérieur, après avoir traversé un sas de sécurité.

Malgré elle, Paula se souvient des histoires sordides qui font partie de la légende des mines de diamants. Certains mineurs creusaient des niches dans leur propre corps – le plus souvent dans l'os de la cheville – pour sortir les gemmes clandestinement.

– Est-ce que le personnel de la mine est fouillé ?

L'Australien grimace un sourire.

– Ce n'est pas nécessaire. Dès que la kimberlite est déchargée, plus personne n'a d'accès direct aux diamants.

Le cœur de l'usine, c'est la salle de sortage : le sanctuaire, la pièce la plus lourdement gardée du chantier. Quelques hommes en blouse blanche tournent le dos aux visiteurs. Ils entourent une boîte transparente, reliée au plafond par des tuyaux. Là-haut, lorsque les rayons X identifient la phosphorescence unique des diamants, une cellule photoélectrique isole les pierres repérées. Les cailloux tombent dans la boîte, annoncés par le bref aboiement d'une sirène. Même les hommes en blouse blanche n'ont pas accès aux diamants. Des gants de caoutchouc fixés à la paroi permettent d'agir à l'intérieur de la boîte – comme pour une couveuse à l'hôpital. Les trieurs séparent alors les véritables gemmes des déchets ordinaires.

Une fois sélectionnés, les diamants tombent dans un coffre blindé, gardé en permanence par cinq soldats zaïrois, armés de fusils mitrailleurs.

– En temps normal, il faut traiter deux cent cinquante tonnes de minerai pour trouver un carat, commente Vomberg.

Paula contemple les cailloux qui chutent dans la boîte transparente, immédiatement saisis par les pinces métalliques des trieurs.

– Quel est le taux de rendement actuel de la mine ?

– Nous sommes descendus en dessous d'un carat pour quatre cent tonnes. De mauvaises nouvelles. Vous êtes venue pour cette raison ?

– Entre autres.

– Sacrément préoccupant, si vous voulez mon avis.

– Selon vous, à quoi est due cette chute de la production ?

– La mine est sèche. C'est clair comme le nez au milieu de la figure. Tous les hommes ici connaissent le diamant : ils ont travaillé en Australie ou en Afrique du Sud. Tous, ils vous diront la même chose que moi.

– Vous n'avez aucun doute ?

– Je suis réaliste. Bientôt, il va me falloir trouver une place dans un autre coin du monde.

Le camion a déposé le couple, avec ses bagages, devant un bungalow préfabriqué, à la périphérie de la mine. Hébétée par la chaleur moite, le bruit et la fatigue du voyage,

Paula s'assied à même une valise. Elle fait couler une poignée de terre rouge entre ses doigts.

– Je n'arrive pas à y croire. La mine a été évaluée par les géologues les plus prestigieux.

– Ce n'est pas ta faute. La Nature ne t'obéit pas.

– Ce serait une fin stupide. Cette histoire est absurde. La mine n'a pas été exploitée correctement, j'en suis convaincue. Kaboré a raison, notre échec arrangerait trop de gens.

Elle se lève et ses yeux jettent des éclairs. Max sourit : il la préfère combative.

Une pelleteuse effectue un dérapage contrôlé, à une centaine de mètres. La jeune femme porte les mains à ses oreilles.

– Ce boucan est infernal ! Une semaine ici, cela va être dur.

– Je ne pensais pas rester si longtemps.

Max lâche cette remarque d'un ton décontracté, tout en portant les sacs à l'intérieur du bungalow.

– Comment ça ? Tu t'en vas déjà ?

– Il y a deux hypothèses. Soit cette mine est à sec. En ce cas tu ferais bien de m'épouser pour assurer ta subsistance.

– Partons de la seconde hypothèse...

– Soit il y a un second pipe, quelque part, que nos géologues n'ont pas réussi à trouver. Je pensais suivre le conseil de ton géologue, Albrecht, et chercher les Pygmées qui ont découvert les premières gemmes.

– Autant chercher une aiguille dans une botte de foin !

– Tout à fait le genre de chose qui m'amuse. Kaboré met à ma disposition un hélicoptère et un traducteur. Je ferai mes recherches à partir d'un camp militaire, à une cinquantaine de kilomètres d'ici.

– Tu as tout prévu.

– Oui. Et ne crois pas que je me lance dans la brousse pour tes beaux yeux. Mon intérêt est tout professionnel : le prochain épisode des aventures de Flanagan s'appellera *Pas de carat pour les rapiats.*

La masse nuageuse étouffe les lueurs de l'aube. Il est six heures quarante-cinq, et la pénombre est encore plus dense qu'il y a quelques heures. Autour du bungalow, la végétation bruit et frémit. Aucun cri, aucun chant d'oiseau. Un éclair fend la brume, immédiatement suivi par le grondement du tonnerre.

Quelques gouttes timides tombent sur les feuilles... Puis le martèlement s'intensifie, résonne sur la tôle ondulée avec des notes métalliques. Le tonnerre roule encore – un bruit sourd, quasi constant. La force de l'averse croît de minute en minute, noyant le camp, la mine, la forêt, ployant les arbres, brisant les branches.

Dans la chambre du bungalow, Max et Paula dorment encore. Les chiffres rouges du réveil approchent de sept heures. Le calme du sommeil est peu à peu remplacé par un silence tendu, menaçant. Paula tourne et gémit, alors que l'angoisse de ses rêves monte crescendo.

Le cri, hurlement du ventre, fracasse le silence, traverse la chambre, les réveille dans un choc.

Elle s'assied brusquement, le regard fixe, les tempes humides.

– Paula! Qu'est-ce que tu as?

Elle ne répond pas, mais secoue la tête avec lenteur, comme pour revenir à la réalité.

Max soulève la moustiquaire et met de l'eau à chauffer. Bientôt, avec des gestes méthodiques, il verse une tisane dans un grand bol, qu'il tend à la jeune femme.

– Comment te sens-tu?

– Ça va. Un cauchemar...

– Ce n'est pas la première fois que cela t'arrive. Sur Marie-Galante aussi, tu t'étais réveillée en criant.

– C'est possible.

Elle enfile une chemise de coton, les membres raides comme un automate, puis s'effondre sur un siège. Il lui faut plusieurs minutes pour se remettre du choc qu'elle a subi. La pluie rebondit sur la tôle du toit et les oblige à hausser la voix.

– Ce n'était pas un simple cauchemar, n'est-ce pas?

Ces rêves t'arrivent trop souvent, et toujours à la même heure.

– Tu as raison. Il s'agit toujours de la même angoisse, et je n'arrive pas à m'en débarrasser.

– Mais quelle angoisse ? Quel rêve ?

Adossé au mur qui suinte d'humidité, il ne la lâche pas des yeux. Il attend qu'elle parle. Qu'elle le laisse – enfin – pénétrer les profondeurs de sa personnalité. Et, pour la première fois, elle accepte de se confier. Au risque d'être ridicule.

Car c'est une histoire étrange. Trop étrange pour être racontée au premier venu.

– Cela concerne mon père.

– Tu ne m'en as pas beaucoup parlé. Il est décédé, n'est-ce pas ?

– Oui. Il est mort ici. A quelques kilomètres, peut-être à quelques centaines de mètres de ce bungalow. J'avais sept ans à l'époque. Nous étions très proches. C'était un homme aussi gai que ma mère était triste.

– La vie ne devait pas lui sembler si joyeuse, puisqu'il est parti.

– L'envie de voyage le démangeait. Il ne supportait plus Bordeaux, ni sa famille. J'étais sans doute la seule à le comprendre. Il me prenait sur ses genoux et murmurait : « Ta mère ne pourra pas m'en empêcher. Ni elle, ni personne. Cela fait si longtemps que je rêve de l'Afrique. Là-bas, le soleil est immense, et le ciel plus haut. Et ce serait trop triste de ne jamais voir à quoi ressemblent mes rêves. »

Moi, je prenais son parti. Il promettait de revenir vite. Il parlait du Zaïre avec un tel enthousiasme, il décrivait ses futures aventures avec un tel plaisir... Je crois que j'étais fière de lui.

– Et ta mère ?

– Elle ne pouvait parler de ce voyage sans insulter en bloc l'Afrique, les doux rêveurs et l'hérédité de ma famille paternelle. Mais mon père est parti, malgré l'opposition générale. Au début, je recevais une carte tous les quinze jours. Puis, le courrier s'est amenuisé, et même ma mère n'avait plus de nouvelles. J'étais trop jeune pour bien comprendre, je n'y pensais pas trop.

Un an après son départ, je me suis réveillée en hurlant. Il était sept heures du matin, comme aujourd'hui. Ce rêve, je l'ai fait tellement de fois que je peux le revivre en fermant les yeux. Cela commence par un long vol plané, l'estomac qui se contracte. Puis une peur physique, animale. La sensation d'être hypnotisée par un trou noir qui fonce sur moi. L'instinct de survie qui se rebelle. La panique qui me tord le corps... Et puis l'explosion. Même maintenant, ce cauchemar m'impressionne – à sept ans, j'ai dû être terrifiée.

Prise par son récit, elle ignore le bol de tisane qui refroidit entre ses mains. Max lui fait signe de boire, puis l'encourage à continuer.

– Et alors ?

– Ce premier rêve a eu lieu un samedi, et je n'avais pas classe. Je traînais dans la maison, encore abrutie par le choc du cauchemar. Vers midi, le téléphone a sonné. Ma mère a pris la communication. Elle était encore en peignoir. L'appareil était sur un guéridon, dans un couloir tapissé d'un papier très laid – des ramages verts, je crois. Je suis restée dans ce couloir, observant ma mère qui pleurait, le téléphone à la main, articulant des mots que je ne comprenais pas. Mon père était mort. En fait, le crash de son avion avait eu lieu exactement à l'heure de mon cauchemar.

Un rideau de pluie aveugle les fenêtres du bungalow. Un filet d'eau boueuse s'infiltre sous la porte, ruisselle jusqu'à la natte.

Paula lève les yeux et son regard croise celui de Max. Elle semble soulagée d'être parvenue au bout de son histoire.

– Tu as l'impression d'avoir vécu l'accident de ton père ?

– Oui. Tu me connais : j'ai l'esprit trop rationnel pour accepter facilement ce genre d'histoires. Mais, tout au fond de moi, j'en suis sûre. J'ai vécu le crash de l'avion avec lui : l'orage, la chute, les ténèbres. Cela me fait peur. J'ai horreur de l'inexplicable. Tu dois me trouver folle.

– Tu n'es pas unique au monde, tu sais. J'ai déjà entendu parler de phénomènes semblables. Cela a même un nom : la synchronicité.

– Vraiment ? J'ai toujours cru que l'on me prendrait pour une hystérique si je racontais cette expérience.

– La synchronicité, c'est l'impression de ressentir quelque chose d'important en même temps qu'un être proche. Ce n'est pas scientifiquement établi, mais voilà des siècles qu'on en parle. Tu n'es pas anormale... Sauf, peut-être, dans ta peur de ce que tu ne comprends pas.

Max s'allonge sur le lit, les mains derrière la tête.

– J'ai dû lire quelque chose à ce sujet dans les mémoires de Jung.

– Le psy ?

– Hmmm... Une personnalité passionnante. Je me souviens qu'il décrivait des expériences semblables à la tienne. Par exemple, Jung avait un patient très dépressif, qu'il avait soigné pendant des années. Plusieurs mois après leur dernière rencontre, Jung s'est réveillé au milieu de la nuit, avec l'impression d'un choc frontal. Un choc qui lui aurait traversé la tête. Le lendemain, il recevait un télégramme : son patient s'était suicidé en se tirant une balle du front vers la nuque.

Elle le rejoint sur le lit blanc. Les bras autour des genoux, elle écoute le grondement du ciel africain – un son qu'elle entend pour la première fois, et qui lui est pourtant familier.

– Maintenant, tu sais tout de moi. Pourquoi cette mine au cœur de l'Afrique m'obsède, pourquoi j'ai voulu vaincre là où mon père avait échoué.

– Et pourquoi tu troubles le sommeil de tes amants par des cris inexpliqués, au lever du jour.

– Tu es la première personne à qui je raconte cette histoire.

Max l'attire contre lui.

La pluie se calme peu à peu. Les moteurs des bulldozers remplacent le tonnerre. La montagne tremble à nouveau sous les coups des machines.

Sous l'auvent de tôle, le dîner s'achève. Paula, affamée, ajoute un demi-tube de concentré de tomates à son riz.

Farrington sert le café, tandis que Vomberg tente d'arracher son regard des courbes de la jeune femme. En jean et chemise d'homme, elle est pourtant beaucoup plus habillée que les playgirls qui décorent les murs de sa chambre.

Mukti déplie la carte géologique du terrain. C'est un métis au teint jaune, le regard mobile, toujours inquiet. Il frappe d'un stylo nerveux les zones hachurées sur la carte.

– Voilà le pourtour de la mine. Nous avons aussi envoyé des équipes de prospection au nord-ouest et au sud de la rivière, pour explorer les alluvions.

– Résultat ?

– Nul. Quelques grenats, annonciateurs de diamants. Mais pas de kimberlites. Pour prospecter plus profond dans la forêt, il faudrait beaucoup d'hommes, et du temps.

Farrington intervient :

– La mine Aurore est le seul pipe à l'est de la Lomami.

– J'aimerais en être sûre, dit Paula.

– Mais nous aussi ! ajoute Mukti.

Farrington expédie d'une chiquenaude un scarabée hors de sa tasse.

– Votre ami est parti pour plusieurs jours ?

– Oui. Max fait des repérages pour son prochain bouquin. Mais nous restons en contact par radio.

– J'adore les romans policiers. Quel dommage que les siens ne soient pas encore traduits en anglais...

Mukti, perplexe, est plongé dans la contemplation de la carte. Et passe son doigt sur les hachures des zones non prospectées.

– C'est quand même étonnant...

– Mukti, voulez-vous du café ?

– Pourquoi ici, et pas là ?

– Mukti ? Vous êtes sourd ma parole !

La voix de Farrington est sèche.

– Je suis désolé. Oui, un café, bien volontiers.

On se couche tôt sur les mines. A vingt-deux heures, Farrington est seul dans la véranda. La lampe à kérosène attire des centaines d'insectes qui grésillent dans la lueur blanche.

Une rumeur sourde entoure les baraquements des mineurs qui se couchent. Plus loin, derrière la masse du talus, les Jeeps des vigiles sillonnent la périphérie de la mine. Et encore au-delà, comme dans un autre monde, la nuit africaine bruit et respire.

Farrington jette un œil à sa montre. Mais déjà, la sonnerie du téléphone retentit dans son bureau. Son interlocuteur est ponctuel.

– Desprelles est arrivée ?

– Oui. Une jeune femme charmante.

– Il paraît. Comment se porte votre compte genevois ?

– A merveille. Vous avez tenu vos promesses.

– Comme d'habitude. Après votre travail sur la mine Aurore, vous pourrez prendre votre retraite. Ce serait dommage, d'ailleurs : nous avons besoin de vos compétences à Kinshasa.

– Nous avions parlé de ce poste au ministère...

– Conseiller technique du ministre. Villa de fonction près de la capitale, Mercedes avec chauffeur, et traitement versé sur un compte suisse. Bien entendu, cette promotion ne sera possible que lorsque nous remplacerons la clique de Bosoké. Cela se présente assez bien : la D.I.C. a fait une nouvelle proposition. Bosoké, qui s'est engagé à fond avec le B.C.D.A., ne peut reculer sans se ridiculiser. Il est en mauvaise posture. Et nous travaillons à savonner la pente...

Après avoir raccroché, Farrington fait quelques pas dans la pièce obscure.

Son interlocuteur est un haut fonctionnaire zaïrois. Puissant et bien placé. Et qui, malgré ses liens familiaux avec Bosoké, a juré de récupérer le pouvoir au ministère des Mines.

Mais ce soir, ce ne sont pas les subtilités politiques qui préoccupent Farrington. Ni même les implications qu'elles peuvent avoir sur ses finances.

Il doit appeler sa femme, et le moment est toujours pénible. Il colle son visage contre le grillage tendu sur la fenêtre. Un projecteur illumine la butte qui sépare les baraquements de la mine.

Il faut appeler. Il faut le faire. On est mardi, cela ne peut plus attendre.

– Allô, Ruth ?

A des milliers de kilomètres, Farrington reconnaît la voix mouillée de sa femme.

– Darling ? Tu aurais pu appeler plus tôt. Tracy passait ses A' levels cette semaine.

– Je suis désolé, j'ai été très pris. Est-ce que ça a bien marché ?

– Oh, elle ne m'a rien dit, à son habitude. Elle voudrait que tu lui achètes ce studio à Londres. Notre maison est à plus de deux heures de son université. Cela lui sera difficile de revenir en banlieue, l'année prochaine.

– On verra. Est-ce que tu ne te sentiras pas trop seule ?

– Il me reste John et Dave. Et puis tu reviens à la fin de cette mission, *Darling*, n'est-ce pas ? Cela fait tant d'années que nous l'attendons, cette dernière mission...

Le Britannique frissonne. Le retour au pays. La banlieue londonienne, les briques et la pluie froide, les pubs enfumés, les trois adolescents boutonneux qui – comme par miracle – lui ressemblent, mais lui témoignent une franche indifférence...

Et puis Ruth.

Un enterrement de première classe.

Il repose le combiné avec soulagement. Il paiera un studio à Tracy. Une voiture pour ses fils. Un séjour de thalassothérapie à sa femme. Tout ce qui pourra alléger quelque peu sa culpabilité.

Un scénario très classique. Farrington lisse les quelques poils blonds qui forment sa moustache. A Kinshasa l'attend un jeune mannequin. Qui cultive un corps de rêve par des séances de piscine entrecoupées de siestes, dans la somptueuse résidence où il l'a installée.

Ses contacts au gouvernement lui ouvrent les portes de la haute société de Kinshasa. Dans les clubs et les soirées, il est considéré comme un homme influent. Il possède une luxueuse villa, entretenue par une armée de domestiques, en plus de l'appartement qu'il prête à sa jeune maîtresse. Alors, si le financement de ce style de vie passe par la chute de Bosoké, il ira loin. On ne trouvera pas plus de diamants roses à Mekanga que de magazines cochons dans la chambre de Ruth Farrington.

Encore qu'on ne sait jamais...

Paula cherche le sommeil, allongée sur la double couchette de son bungalow.

La chaleur est oppressante. Mais c'est l'angoisse, plus que la canicule, qui tient la jeune femme éveillée.

Si la mine était sèche...

Il y aurait quelques années difficiles à passer. Faire face à JLW – le Chinois saura se montrer féroce avec son ancienne associée. S'engager dans un parcours du combattant pour se dégager des accords avec le gouvernement zaïrois – ce qui impliquera des procès interminables. Annoncer la nouvelle à la famille Kentzel, qui décidément a eu bien tort de lui faire confiance.

Et puis après ? Que fera-t-elle ? Impossible de fonder une autre société, dans quelque secteur que ce soit : l'échec du projet Aurore lui collera à la peau. Les banques, les journalistes, le monde de la publicité... Aucun de ses anciens partenaires ne lui fera de cadeaux. Paula a beau retourner le problème sur toutes ses coutures, elle ne voit aucune porte de sortie.

Il lui vient des envies de fuite. Sur l'île Moustique, ou bien en Amérique du Sud, ou peut-être dans une des maisons de Max... Elle changerait de nom, entamerait une nouvelle carrière. Il lui faudrait faire fortune pour dédommager les Kentzel et aider Luc.

Elle parvient enfin à s'endormir, en rêvant d'autres horizons.

Paula, épuisée, retire ses bottes, jette à terre son casque de chantier. Presque cinq jours qu'elle est coincée à Mekanga.

C'est l'heure de la sieste. L'heure de la troisième douche de la journée. Elle a réussi à s'emparer d'un ventilateur que Vomberg cachait jalousement sous une pile de linge sale. Mais, face à la touffeur équatoriale, les efforts de l'appareil sont pathétiques.

Elle s'ennuie ferme. Elle a étudié les cartes du terrain, tenté de comprendre le mécanisme qui régit la vie de la mine, parlé aux différents responsables... Elle a passé des heures dans la salle de sortage, guettant avec les trieurs l'appel de la sirène, la gemme brute qui tombe dans la boîte.

Mais elle se demande ce qu'elle est venue faire ici. Elle n'a rien trouvé, ne sait d'ailleurs plus bien ce qu'elle est venue chercher.

Soudain, la radio portative qu'elle garde dans sa chambre signale un appel. Elle se précipite.

– Max ?

Un crachouillement inaudible, puis la voix de Max, à peine reconnaissable.

– Allô, ma douce ? Je crois que nous allons nous revoir bientôt.

– Tu me préfères bouillie à la vapeur ou cuite à l'étuvée ?

– Des problèmes avec le climat ? Que devrais-je dire ! Nous avons sillonné la brousse en hélicoptère sans interruption depuis que je t'ai quittée. Les militaires m'ont signalé hier un campement pygmée à une trentaine de kilomètres de la mine. Le quatrième que je visite dans la région. Mais là, j'ai trouvé la boîte à pharmacie de Luc.

– Seigneur ! Je n'y croyais pas !

– Et pourtant...

– Alors ?

– Les diamants jouent un rôle important pour ce village. Le chef en possède plusieurs. Les gemmes brutes sont sans doute des symboles de puissance, ou bien des objets magiques, rituels. Ils disent envoyer un homme régulièrement, pour chercher de nouvelles pierres.

– Tu veux dire qu'un Pygmée voyage jusqu'à la mine, et parvient à subtiliser des diamants ? C'est impossible : le terrain est surveillé jour et nuit.

– Je sais. J'ai modelé une sorte de maquette des trois montagnes, en terre glaise. J'ai indiqué l'emplacement de la mine. Mon interprète a discuté plusieurs heures avec les hommes du village. Leurs gemmes proviennent d'une autre source.

– A quel endroit ?

– Sur la colline septentrionale. Tu ne t'attendais quand même pas à ce qu'ils m'indiquent la latitude et la longitude ?

– Pas d'autres précisions ?

– Si. L'endroit se situe près d'une étendue d'eau – un lac, peut-être ? – sur le flanc Nord de la montagne. Selon mon traducteur, cela devrait se trouver directement au-dessus de la nouvelle route. Mais Kaboré enverra des brigades de prospection qui mettront les choses au clair.

Surexcitée, elle enfile déjà ses bottes et repère du coin de l'œil les clefs de sa Jeep.

– Tu m'entends, Paula ? De toute façon, nous ne pouvons rien faire sans l'aide de professionnels. Paula, tu m'attends avant d'entreprendre quoi que ce soit, n'est-ce pas ?

– Tu penses bien !

– Sois sage, ma chérie. Je serai de retour dès demain matin.

Elle sourit à la radio, puis, une fois la communication terminée, bondit hors de sa chambre.

Farrington, inquiet, observe la jeune femme qui traverse le terre-plein en courant.

De Kinshasa, il a appris que Max Verensen, aidé par les militaires, cherchait un second pipe diamantifère. Une mission quasi impossible pour un non-initié. Un géologue brillant, comme lui-même par exemple, saurait bien vers où diriger une prospection. Mais il n'est pas là pour trouver des diamants.

Bien au contraire.

C'est en fronçant les sourcils qu'il voit la Française quitter la mine sur les chapeaux de roues.

Il se dirige vers le téléphone, hésite un instant, puis décroche.

La liaison avec Kinshasa est immédiate.

La voix est âgée, polie par des années de diplomatie.

– Farrington, je suis heureux que vous m'appeliez. Nous avons d'excellentes nouvelles : Mobutu a convoqué qui vous savez. Notre ami sera bientôt ministre, ou je ne m'y connais pas en politique. Les jours de Bosoké sont comptés.

– Bien. Mais je voulais vous avertir : Desprelles manifeste aujourd'hui un enthousiasme anormal. Elle vient de quitter la mine avec précipitation. Je crains qu'elle n'ait établi un contact radio avec Verensen.

– Ce Verensen n'est pas géologue, n'est-ce pas ?

– Non. Mais il a parcouru toute la région, cette semaine, avec les hélicoptères de l'armée.

– Je sais. La dernière carte du vieux Kaboré. Quelles sont ses chances ?

– Faibles. Il a pu dénicher quelques gemmes charriées hors de la mine par un cours d'eau – une trouvaille inoffensive. Mais bien sûr, il y a toujours un risque.

– L'emplacement du second pipe doit rester inconnu, à tout prix. Nous devons fermer cette mine pour non-rentabilité. Puis, quand les esprits seront apaisés, nous « découvrirons » la nouvelle cheminée diamantifère. L'enjeu politique de ce plan est considérable. Je compte sur vous pour étouffer dans l'œuf le moindre risque.

– Que voulez-vous dire ?

– Vous dirigez la mine. Vous serez responsable de tout problème à votre niveau. Si par malheur Desprelles découvrait le second pipe, notre ami commun serait très mécontent. J'aurais du mal à vous éviter un procès pour corruption, suivi d'une expulsion du Zaïre.

– Vous n'avez pas le droit de me menacer !

– Vous connaissez l'importance de notre plan. Vous avez été largement récompensé pour votre aide. Nous ne pouvons pas échouer si près du but.

L'homme raccroche.

Farrington croise et décroise les doigts, le regard perdu vers l'horizon. Le froid l'envahit, le paralyse. Il a peur.

Il pourrait quitter le Zaïre maintenant. Fuir par le Rwanda, retourner en Grande-Bretagne avant que ses « amis » du gouvernement ne réagissent.

Ce serait perdre l'accès à son compte en banque de Genève et, surtout, abandonner la vie africaine.

Et l'Afrique a drogué Farrington, il y a longtemps. Ici, il est puissant, il appartient à l'élite des soirées gouvernementales, mais aussi au monde clos des coopérants, qui prétendent noyer leur exil dans l'alcool importé. Ici, il a découvert la sensualité, le jeune corps ébène qui émerge d'une piscine turquoise. Ici, il possède une villa, douze fois la taille de son cottage britannique, avec un cuisinier, un chauffeur, et toute une ribambelle de bonnes aux jolies fesses.

Une vraie vie. Farrington s'y accrochera tant qu'il pourra. Il marche jusqu'au réfrigérateur, se sert une bière qu'il boit à même la bouteille. Après tout, il y a une chance sur mille pour que la Française tombe sur ce maudit pipe. Même pas : une chance sur un million. Pas besoin de se ronger les sangs.

La Jeep freine dans un nuage de poussière rouge. Paula claque la portière, jette un coup de pied rageur dans le pneu.

« Tu pensais peut-être trouver un embranchement d'autoroute, avec un panneau indiquant : « Pipe diamantifère : cinq cents mètres ? »

Elle ne sait pas où aller. La route est encaissée entre les flancs brumeux de deux montagnes. Le silence est massif. La piste a été taillée à la dynamite ces derniers mois. Rouge, sinueuse, elle contourne la base de la montagne, puis s'éloigne vers le nord-est.

Un mur végétal s'élève abruptement vers le sommet, quelques centaines de mètres plus haut.

Elle saisit sa gourde, sa machette, et glisse la carte d'état-major à l'intérieur de sa ceinture. « Après tout, je n'ai rien à perdre. Juste un petit tour pour humer le vent, scruter la brousse. Deviner si le projet Aurore a une chance de s'en tirer. »

Grâce à la boussole, elle repère la direction indiquée par Max. Puis escalade le talus.

Dans la forêt, l'obscurité est presque totale. Il est difficile de marcher : le sol se dérobe sous les pieds, emporté par d'innombrables cours d'eau qui ruissellent entre les racines. Une puissante odeur de pourriture monte des troncs en décomposition et des fougères mortes.

Elle grimpe la pente, en se frayant un chemin à travers les buissons et les racines qui s'élèvent à plusieurs mètres au-dessus du sol. Elle avance avec lenteur, ne s'interrompant que pour essuyer du bras la sueur qui coule dans ses yeux.

Ici, elle pourrait disparaître sans que personne la retrouve jamais. Absorbée par cet énorme ventre primitif, cette forêt qui a déjà mangé son père.

Un organisme vivant qui dégouline, pousse, naît, moisit, s'entremêle, dans une quête perpétuelle de lumière. Elle ne distingue aucune trace de vie. Seul le bruit de l'eau et du bois qui craque. Et, plus haut – beaucoup plus haut – le vent qui agite les feuilles. Elle continue d'avancer, parce qu'elle se concentre seulement sur son prochain pas, portée par son impulsion.

Elle arrache sa cheville au sol boueux et se taille un passage à travers des feuilles épaisses comme du cuir.

« Il va falloir revenir sur mes pas, pense-t-elle. J'avance depuis déjà trois heures. Éviter à tout prix d'être bloquée par la nuit. »

Ses prunelles se rétrécissent soudain : il y a plus de lumière ici. Les arbres sont clairsemés. La pente s'est adoucie pour former une sorte de plateau. Essoufflée, Paula traverse une clairière. En renversant la tête, elle peut apercevoir le front de la montagne, qui bute contre d'épais nuages.

Puis elle découvre le « lac ». Un nom bien présomptueux pour cette mare couverte d'une mousse brunâtre. Des tourbillons de moustiques voltigent au-dessus de la surface huileuse. Un coin probablement infesté par la malaria.

Elle s'immobilise un instant, haletante. Elle noue ses cheveux au-dessus de sa tête, boit une goulée d'eau désinfectée, puis déplie la carte d'état-major.

Ce pourrait être ici. Les repérages aériens ont signalé une étendue d'eau, de ce côté de la montagne. Mais le véritable lac pourrait aussi bien se trouver plus loin. Par exemple, juste derrière ce rideau d'arbres, à une centaine de mètres. Impossible d'aller vérifier pourtant : elle se sait à bout de forces. Il faut rentrer.

Elle tourne le dos à la mare et traverse la clairière d'un pas lent, s'enfonçant légèrement dans le sol spongieux.

Contre le tronc d'un arbre s'élève une termitière de près de deux mètres de haut. C'est le premier signe de vie animale qu'elle rencontre depuis qu'elle a quitté la mine. Une construction de terre sombre, biscornue, grumeleuse. Paula s'approche. Les yeux plissés par la concentration. On dirait... Oui cette terre ressemble fort à de l'argile bleue. De la kimberlite.

Impossible. Le soir tombe déjà et la luminosité est

faible. Sans doute se trompe-t-elle. Elle désespère trop de savoir la mine Aurore à sec. Voilà tout.

Et pourtant... Les mines de Sibérie ont été localisées après qu'une géologue eut découvert de la kimberlite à la sortie d'un terrier de renard.

Alors pourquoi pas ?

Paula hésite. Puis, en quelques gestes rapides, vide sa gourde et l'emplit de terre, qu'elle arrache à pleines poignées à la termitière.

D'un pas décidé, elle prend le chemin du retour.

Mukti et Farrington sont plongés dans les paperasses, lorsque la Jeep de Paula pénètre dans la base à toute allure.

Échevelée et tout à fait dégoûtante, la jeune femme les rejoint en quelques foulées.

Farrington gronde :

– Il était temps que vous rentriez. Nous allions envoyer une équipe à votre recherche.

– Désolée. Sincèrement. Je meurs de faim : m'acceptez-vous à votre table dans cet état pitoyable ? Je n'aurais pas la force de prendre une douche.

– Il reste du riz.

Mukti trottine vers la cuisine, et rapporte une gamelle pleine à la jeune femme.

– Mukti, vous êtes un cœur. Avec deux saucisses et de la sauce tomate ! Quel luxe !

La bonne humeur de la jeune femme n'échappe pas au Britannique. Crispé, il l'observe, alors qu'elle vide la gamelle à grandes cuillerées.

– Quelle mouche vous a piquée de quitter la mine si brusquement ?

Paula jette la gourde sur la table. Le métal heurte le formica avec un son mat. Un peu de terre s'échappe du goulot.

– De la kimberlite, n'est-ce pas ?

Le regard allumé de Mukti confirme déjà ce dont se doutait la Française. Il s'agit bien de kimberlite.

– Pour fêter ça, je veux bien une autre saucisse, cher ami.

– Il n'y en a plus, mais il reste des spaghettis froids.

– Merveilleux. Avec un peu de moutarde, ce sera parfait.

Le regard de Farrington est semblable à celui d'un lapin hypnotisé sur la route, face aux phares. La peur agrippe à nouveau ses intestins, il se sent pris d'une violente colite.

Ce n'est pas sa faute. Que peut-il faire ? Son front se couvre d'une sueur glacée, alors qu'il imagine la suite des événements. Tous ses amis de Kinshasa qui lui tournent le dos. Le murmure des commérages lorsqu'il se rend au club pour la dernière fois. Les policiers qui l'escortent à l'aéroport, et le ricanement des journalistes. Et puis le retour à Londres. Le regard éploré de Ruth, larmes, sanglots, overdose de somnifères... Et sa fureur lorsqu'elle réalisera qu'ils sont sans le sou.

Paula décapsule une canette de bière, vide sa seconde gamelle, puis plonge la cuillère dans un pot de crème Mont Blanc à la vanille.

– Alors Farrington, qu'en pensez-vous ?

Avec un effort, il contrôle le ton de sa voix.

– Il ne faut pas s'enthousiasmer trop vite. Il peut s'agir d'un pipe de kimberlite très petit ou non productif. Mais nous vérifierons cela en temps voulu.

Mukti l'interrompt.

– Je comprends mal pourquoi nous n'avons pas nous-mêmes prospecté la zone septentrionale. Pour une mine d'une telle valeur, cela aurait été la moindre des choses. Je suis enchanté de votre découverte, mademoiselle Desprelles.

Farrington jette un regard furieux au métis. Pour Mukti, les diamants ne sont pas un business, mais une religion. Déjà trois mois que le Britannique tente de le faire muter à l'autre bout du Zaïre.

Après un café brûlant et trop sucré, Paula passe la main sur son visage. Sa peau est brune, terreuse, ses vêtements sont raidis par la transpiration, et ses mains sont à vif, griffées par les branches et les épines. D'un seul coup, toute énergie l'abandonne. Épuisée, elle quitte la terrasse d'un pas chancelant.

Sur la table, elle laisse la gourde emplie de terre bleue.

Dans la nuit, elle se réveille en sursaut. Jette un œil rapide au réveil à quartz. Il n'est que cinq heures : la mine vient de se mettre en marche.

Le grondement des moteurs parvient, assourdi, jusqu'à la base. L'éclat des projecteurs rivalise avec la grosse lune posée au-dessus des arbres.

Sous la douche, Paula se lave de la boue qu'un sommeil immédiat l'a empêchée de nettoyer hier soir. Elle s'abandonne au flot d'eau fumante, qui masse ses membres douloureux.

Lorsque l'air de la douche, chargé de vapeur, devient irrespirable, elle se penche pour ouvrir la lucarne de la salle de bains.

Un frôlement, une masse sombre qui détale. Elle pousse un cri. Là, quelqu'un l'observe. Elle cache ses seins de ses mains, se ressaisit et passe la tête au-dehors.

Il fait nuit noire.

Il n'y a personne.

Les regards insistants de Vomberg ont réussi à lui mettre les nerfs à vif. C'est une sensation étrange que d'être la seule femme parmi plusieurs centaines d'hommes. Mais ce n'est pas une raison pour devenir paranoïaque. Elle ferme la fenêtre avec calme et reprend sa toilette. Frotte et huile la chevelure châtain clair, transformée en une masse inextricable. Passe une pommade antiseptique sur les dizaines d'égratignures qu'elle a rapportées de sa promenade dans la forêt équatoriale.

Lorsqu'elle se sent à nouveau humaine, elle s'assoit sur la couchette. Un sentiment de malaise l'empêche de s'allonger entre les draps.

Comme une petite gêne au creux du ventre. Un pressentiment inexpliqué.

Elle enfile un ensemble en toile beige, craquant de propreté, et décide d'aller récupérer la gourde laissée hier soir chez Farrington.

La base est déserte. L'équipe de nuit a quitté ses baraquements, et les autres dorment encore.

Elle se dirige vers le bureau de la mine, lorsqu'il lui

semble apercevoir une lumière à travers la vitre. Sans doute le reflet d'un projecteur.

Arrivée sur la véranda, elle tape ses bottes contre les marches pour annoncer sa présence.

Aucune réponse. Elle est seule.

En haussant les épaules, elle allume sa lampe torche. Promène le faisceau sur la terrasse. Sur la table, deux verres vides, un canif. La gourde a disparu.

Mukti ou Farrington l'auront rangée. Cela n'a pas trop d'importance. Mais toujours ce frisson d'inquiétude, irraisonné. Elle décide d'aller jeter un œil à la mine, à quelques centaines de mètres au-delà du talus.

Le spectacle est hallucinant. Les monstres mécaniques sont surmontés de rampes de phares ultra-puissants : le cratère rayonne d'un halo de lumière artificielle. Les caterpillars détachent des morceaux entiers de la montagne.

Par contraste, la forêt environnante semble un trou noir, silencieux.

Trop nerveuse pour retourner à son bungalow, la jeune femme marche le long de la piste qui encercle la mine. Elle est fascinée par le cirque de terre inondé de lumière, vibrant sous les coups des machines. Une vision extraterrestre.

Elle brûle d'impatience. Quand donc la prospection du second pipe pourra-t-elle commencer ? Là-haut, près du lac, reposent peut-être des milliers de gemmes brutes.

Une question d'heures. Savoir si oui ou non le projet Aurore verra le jour. Si elle-même devra affronter l'échec ou la victoire.

A une centaine de mètres, un homme suit du regard la progression de la mince silhouette. Un homme affolé, transformé par la peur, un homme qui a perdu la raison.

Elle ne peut décemment pas appeler Kaboré au milieu de la nuit. Vers neuf heures seulement, elle pourra organiser une gigantesque chasse à la kimberlite. Une chasse qui aurait dû être menée bien avant. D'ailleurs, selon les rapports de Kaboré, toute la région a été passée au peigne fin.

Mais Paula réalise maintenant qu'une grande partie de ces prétendues prospections n'ont jamais eu lieu...

Les rapports de Kaboré étaient faux.

L'air est vif, frais. Elle avance à grand pas, perdue dans

ses pensées. Elle est arrivée dans un coin solitaire du chantier, à l'opposé de l'usine. Les premières machines sont à plus de trois cents mètres, entourant un paquet de roche que les artificiers ont dynamité cette nuit. Une falaise d'une trentaine de mètres s'élève derrière elle, creusée à même la pierre rouge.

Les pipes de kimberlite viennent en série, c'est un fait connu. Il était du devoir de Kinshasa de prospecter la région, pour trouver d'autres puits. Kaboré s'est montré négligent, ou corrompu. Pourtant, l'intuition de Paula lui souffle que l'homme est honnête. Peut-être a-t-il reçu des rapports truqués... Mais par qui ?

Au-dessus de la jeune femme, au bord de la falaise, une pelleteuse tousse, puis s'ébranle. Le front plissé par la concentration, elle ne remarque pas la pelle d'acier qui, lentement, se lève.

Farrington. Ce ne peut être que lui. Il a les connaissances et les responsabilités nécessaires pour fausser les plans d'exploitation.

Pourtant, on ne peut douter de l'Anglais : ses qualifications sont excellentes, il n'a aucun motif pour saboter la mine.

Mais c'est la seule conclusion logique.

Farrington a truqué les plans.

Le rugissement brusque d'un moteur, au-dessus de sa tête, la fait sursauter.

Elle lève les yeux et hurle :

– NON !

La pelleteuse pousse un énorme amas de terre au bord du vide. Et pousse encore.

– NON !

Toute fuite est impossible. L'éboulement qui tombe sur elle est massif, silencieux, comme effacé par les moteurs du chantier.

Plaquée contre la falaise, elle évite les tonnes de roches qui s'écrasent autour d'elle. Un silex gros comme un ballon de foot ricoche au-dessus de sa tête. Encore étourdie par la vibration, elle ne respire plus, lorsqu'une cascade de pierres l'arrache à son abri. Une dernière goulée d'air dans un cri de douleur... Puis l'évanouissement, brutal, sous les chocs qui martèlent ses os.

Le corps de la jeune femme est presque enterré.

Seuls, son bras et son visage apparaissent encore.

Au-dessus, la pelleteuse rassemble à nouveau quelques tonnes de gravier. Et les pousse vers le bord de la falaise.

L'assaut final.

Paula reprend conscience quelques secondes. Des étoiles de sang obscurcissent sa vue.

Ses muscles sont crispés par la rage de vivre.

Impuissante, elle aperçoit le pan de falaise qui s'écroule vers elle, le monde qui se referme.

Avant de sentir le choc, elle s'enfuit dans un semi-coma.

Flou bleuté.

Noir.

Flou bleuté, papillons de lumière...

Elle ferme les yeux.

Noir.

Une voix chaude, toute proche, dont elle ne discerne pas les paroles. Bientôt recouverte par l'écho de sa propre respiration.

Calme. Ses sens sont voilés, cotonneux, comme engourdis après une douleur physique trop intense.

Les cils s'entrouvrent.

Le jour aveuglant s'estompe, révélant un relief, des formes : l'angle d'un mur, le trépied d'une perfusion, un morceau de toile qui cache une fenêtre.

Une chambre d'hôpital.

Rassurée, elle s'endort.

Il lui a fallu quelques jours pour enregistrer tous les détails de sa chambre. Elle est assez groggy pour que cette exploration visuelle lui semble une aventure. Mais maintenant, elle peut s'accrocher à quelques faits. L'hôpital – à moins que ce ne soit une clinique – se trouve dans une ville africaine.

Les murs sont bleu pâle, tachés de mouches dont elle n'a pu encore discerner si elles étaient vivantes ou mortes.

Un store filtre la lumière, qui projette des ombres chinoises sur les draps.

Au-dessus d'elle, des flacons mesurent un goutte-à-goutte transparent.

Les sons sont étouffés – chaque pas semble chaussé de pantoufles, chaque rire feutré par une main.

Une gerbe de fleurs orangées est posée à même le sol, près de la porte. Mais elle évite de porter son regard par là : le choc des couleurs gêne la bulle dont elle a entouré sa convalescence.

Près de la gerbe, il y a parfois une figure assise. Cette figure ne semble pas lui prêter attention et ne la dérange pas du tout.

Ces derniers temps, les forces lui reviennent. Elle peut contempler les fleurs plus longtemps. Et mettre un nom sur le personnage près de la porte.

Max.

Elle pourrait parler, elle le sait. Ce jour-là, elle s'est réveillée pour sentir une énergie fraîche couler dans ses veines. Elle garde les yeux clos quelques instants de plus que nécessaire. Puis, avec précaution, prend contact avec la réalité.

Max lit le journal. Tranquille, une jambe croisée par dessus l'autre, dans un fauteuil d'osier entouré de bouquins.

– Coucou, fait-elle.

Choc. Il laisse tomber le journal et la contemple, bouche bée.

– Mais tu parles !

– Ça, c'est une surprise...

– Comment te sens-tu ?

Il s'approche du lit, lui prend la main.

Elle passe la langue sur ses lèvres sèches et articule avec lenteur :

– Je ne connais pas le diagnostic.

– Eh bien... On a dû te greffer une troisième jambe.

– Comme c'est drôle !

– Bon. Soit. Un traumatisme crânien. Une clavicule, et quelques côtes fracturées, et une double fracture du péroné. Et trois cent deux... Non, trois cent trois hématomes.

– Donc je suis vivante ?

– A vue de nez.

– Quand pourrai-je me lever ?

– Tu es enchaînée, là. Les poignets et les chevilles aux barreaux du lit. Si tu es très raisonnable, je te libérerai dans trois semaines. Pour que tu puisses exhiber tes plâtres au mariage de ton frère.

Paula se repose un instant contre les oreillers. Des infirmières rient dans le couloir. Un joli rire, guttural. Elle a des choses importantes à demander. Mais lesquelles ? De longues minutes passent. Elle a dû s'endormir, car Max a repris son journal.

– Allô ?

– Oui, ma douce.

Ses yeux bleu cobalt sont posés sur elle. Sur ses pommettes, la peau a pelé : résultat d'une semaine passée sans protection sous le ciel équatorial.

– Raconte ce qui s'est passé...

– Eh bien, tu as décidé de charger toute seule un énorme bulldozer.

– Sérieusement.

– Farrington. Il a compris que nous avions découvert le second pipe, et il a perdu la tête. Il pensait pouvoir t'éliminer, en simulant un éboulement. Dieu merci, quand il t'a vue te débattre, bouger encore sous les gravats, il a craqué, et abandonné la pelleteuse. L'équipe de jour l'a trouvé quelques minutes plus tard, en pleine crise de nerfs. A moitié dément. Mukti et le contremaître ont compris ce qui se passait. Ils t'ont dégagée, puis ils ont appelé un hélico. Je suis arrivé à ce moment-là. J'avais roulé toute la nuit, et ma Land Rover suivait la piste qui contourne la mine.

Le visage de Max se crispe. Ce ne fut pas une expérience agréable de découvrir sa bien-aimée sous quelques tonnes de gravats. Paula a évité le gros du choc, en se collant contre la falaise. Elle est indestructible. Ou alors elle a neuf vies, comme les chats. Mais il a eu peur. Très peur.

– Et la mine ?

– Une dizaine de géologues travaillent sur place. *A priori*, le terrain est très riche, très prometteur. Selon Kaboré, seule une petite partie du gisement a été exploitée.

– Donc, pas de problèmes de production ?

– Non. Ta cote est au plus haut. J'ai eu toutes les peines du monde à empêcher les banques, l'état-major du B.C.D.A. et l'affreux Chinois de débarquer ici.

Une infirmière passe la tête dans l'entrebâillement de la porte.

– Puis-je entrer ? Encore un bouquet pour la demoiselle.

La jeune Africaine arrange les corolles dans un bocal de verre.

– De la part de Bosoké, explique Max. Tu lui as sauvé la mise. Je crois que l'assèchement de la mine avait indisposé son gouvernement. Il craignait une retraite anticipée. Une sorte de complot a été monté contre lui par son beau-frère et rival. Mais ces histoires politiques ne doivent pas t'intéresser.

L'infirmière est repartie.

– Je dois avoir une drôle de bouille, avec tous ces bandages.

– Très princesse égyptienne à la sortie du sarcophage.

L'ovale du visage est enserré de pansements, et le corps est coincé par des appareils barbares. Seules les prunelles argent sont mobiles. Une main reste libre. Posée sur le drap, elle résume toute la grâce de la jeune femme. Elle cligne les yeux : la fatigue la prend déjà. Une mouche se cogne contre le store. Dans le couloir, un chariot métallique bute contre le carrelage inégal.

Avant de sombrer dans le sommeil, elle lâche :

– J'ai bien failli y passer cette fois...

Penché vers elle, Max hoche la tête. Oui, elle a frôlé la fin, et de plus près qu'elle ne le croit.

[illegible]

pointu.

[illegible]

[illegible] est [illegible]

[illegible]

HUITIÈME PARTIE

Le compte à rebours

1

Anvers

La demeure anversoise craque sous les assauts de la tempête. Les poutres grincent et gémissent comme chaque fois, depuis trois cents ans, que le vent du nord s'attaque à la vieille ville.

Simon Kentzel ausculte un lot de diamants sur une petite table placée près de la cheminée. Sa pince métallique passe et repasse entre les gemmes, formant des lignes scintillantes, écartant parfois une pierre d'un geste brusque.

Les braises crachent des étincelles vers la plaque de cuivre qui protège le parquet.

Pinas entre dans la pièce, pose la cafetière sur un tabouret, avec deux tasses en faïence de Delft.

Son teint est bronzé : il s'est installé à Tel-Aviv, et le climat méditerranéen lui réussit.

Pourtant, il tient à revenir souvent en Europe, pour passer les week-ends avec son père. Depuis l'annonce du mariage de Rachel, celui-ci s'est encore voûté, grommelant son indignation à qui veut bien l'entendre.

Mais Pinas ne s'inquiète pas : l'âge et les rides de son père dissimulent une force remarquable. Simon Kentzel travaille six jours par semaine et dirige ses ateliers d'une main de fer.

Le jeune homme sert le café et s'approche de la cheminée.

– Pourquoi ne demanderais-tu pas à la cousine Emma de s'installer ici ? La maison est trop grande pour toi, maintenant...

– Aussi, qu'aviez-vous besoin de vous éparpiller aux quatre coins du monde ? J'espérais que la famille grandirait à partir de cette demeure.

Le terrain est glissant, et Pinas préfère dévier la conversation.

– Comment se portent les ateliers ?

– Tout va pour le mieux. Alex rapporte notre boîte de la D.I.C. toutes les cinq semaines, ce qui m'évite de faire le voyage jusqu'à Londres. Les lots sont convenables : des pierres de un à cinq carats, qui ne nécessitent pas trop de travail. Mais je n'ai pas d'illusions : la Compagnie découvrira tôt ou tard qui taille les diamants Aurore. Ce jour-là, ton oncle et moi aurons bien de la chance si nos boîtes contiennent quelques mâcles tachés.

– Bientôt, les diamants Aurore fourniront assez de travail pour toute la famille.

– Mon fils, je veux te croire...

– Je te l'avoue : les débuts ont été durs. Je n'avais qu'une poignée d'artisans capables de produire une *Fire Bloom*. La plupart des tailleurs isaréliens ne sont pas habitués aux pierres de qualité. Ils travaillent presque à la chaîne, dans des ateliers qui ressemblent plutôt à des usines.

– Sans la dernière guerre, les diamants continueraient d'être taillés exclusivement ici, en Belgique. La compétition avec Israël devient plus rude chaque année.

– Ne te plains pas. Tu sais que la D.I.C. est maître du jeu, et qu'elle cède toujours les plus beaux lots de pierres à Anvers. Enfin, j'ai réussi à former une équipe vraiment douée. Maintenant, l'atelier fonctionne à plein rendement. Grâce au prêt de Salzdji, j'ai pu acheter du matériel ultramoderne.

– Encore faut-il que ces cailloux se vendent.

– Je n'ai aucune inquiétude là-dessus. L'enthousiasme paraît tel que je serais surpris si nous ne tombions pas en rupture de stock.

Les diamants Aurore ont été lancés le 2 décembre, dans le monde entier. Un début marqué par une soirée historique, à l'Opéra Bastille. Pinas sourit, égayé par le souvenir de cette folle nuit.

– Tu aurais dû voir ça. Le dîner de gala était entièrement rose : saumon, cocktail de crevettes, pamplemousse rose, sorbet framboise... Des fontaines de champagne rosé, et puis des danseuses, un orchestre symphonique, un feu d'artifice...

– Ce genre de soirées t'amuse ? Après tout, c'est de ton âge...

– La foule était impressionnante : des ministres, toute la place Vendôme et la Cinquième Avenue, et puis Jerry Hall, Johanna Kale...

– Qui donc ?

– Des stars, papa.

– As-tu vu Paula Desprelles ?

– Non, elle n'était pas là. On dit qu'elle a eu un accident de voiture, au Zaïre.

– Rien de grave, j'espère ?

Simon Kentzel ne porte pas la jeune femme dans son cœur : elle a révolutionné sa vie professionnelle et familiale. Mais il doit une certaine sympathie à la sœur de son futur gendre.

Pinas, qui devine les pensées de son père, hoche la tête.

L'absence de Paula est étrange. Mais, quoi qu'il arrive, les diamants roses sont lancés. Le rôle de la jeune femme est moins crucial, maintenant.

Londres

Smithfield World street. Au second étage, l'élite de la Selling Organisation est assemblée dans la salle de réunion.

Doug parcourt la pièce du regard. Une quinzaine d'hommes, tous vêtus de costumes sombres, sans fantaisie, prennent place autour de la table hexagonale. Ils connaissent le sujet de la discussion et affichent des airs préoccupés. Certains griffonnent sur leurs blocs-notes, pour se donner une contenance. D'autres échangent quelques remarques à voix basse, en attendant que Doug prenne la parole.

Aux murs sont exposées les photographies de quelques mines qui ont fait la fortune de la Compagnie : la mine Kimberley en 1870 – un fromage de gruyère aux tons sépia – Koffiefontein, et Wesselton, à mille cent mètres au-dessous de la surface terrestre... Puis les mines plus modernes : Jwaneng au Botswana – l'un des pipes de kimberlite les plus importants au monde – et la fabuleuse Oranjemund, une ville interdite, en pleine Namibie, construite et gouvernée par la D.I.C. Une mine qui, jour après jour, repousse l'Océan pour arracher les diamants-gemmes à la plaque continentale, sous l'Atlantique.

Doug soupire. Les réalisations du méga-trust auquel il appartient sont impressionnantes. Le pouvoir et la richesse accumulés depuis un siècle restent sans comparaison. Mais aucune société au monde ne vit, autant que la D.I.C., sur le fil du rasoir. Le danger est constant. La valeur des diamants est attaquée de partout : contrebandiers africains, mise en quarantaine de l'Afrique du Sud, progrès des diamants synthétiques, chantage des pays producteurs, qui ne pensent qu'à obtenir du cash à court terme... Et maintenant ces diamants roses, qui ont réussi à ébrécher le monopole le plus solide du monde.

Doug fait un geste, et la réunion commence. Jenkins, qui arrive de Paris, décrit en quelques mots le lancement des diamants Aurore. Puis, il place une cassette dans le magnétoscope.

– Voici la publicité internationale conçue et réalisée par le B.C.D.A. Le coup de force, évidemment, c'est d'avoir obtenu la participation de Johanna Kale. Une star qui, selon nos études de marché, symbolise le romantisme moderne auprès des jeunes.

Jenkins appuie sur une touche. La musique de Jean-Michel Jarre emplit la pièce pendant cinquante secondes. Le regard royal de Johanna exprime une infinie palette d'émotions, alors qu'elle reçoit la pierre. Le diamant Aurore scintille sous le ciel de tempête. Les vagues de la mer d'Irlande déferlent sur l'écran et couvrent petit à petit la symphonie contemporaine.

Doug tonne.

– Eh bien ? Qu'en pensez-vous ?

Les cadres de la D.I.C. soupirent et baissent la tête.

Quelques raclements de gorges, quelques doigts nerveux qui tapent sur la table ou froissent du papier.

– Pas mal. Pas mal du tout, reconnaît quelqu'un d'une voix morne.

– Et la distribution ?

– Soixante-dix pour cent des bijouteries les plus importantes en France.

– Même chose en Allemagne.

– Soixante pour cent en Italie. Il est trop tôt pour connaître les résultats de New York et Washington.

L'atmosphère de la salle s'alourdit encore, alors que les chiffres défilent, tous plus effarants les uns que les autres.

Quelques écrins passent de main en main. Les hommes jettent un bref regard au contenu et crispent les mâchoires. Le pire est arrivé : une partie des diamants Aurore est taillée en *Fire Bloom.* Tous sont montés en bagues d'un design jeune, contemporain, qui portent le sigle du B.C.D.A.

La World Selling Organisation – le bras commercial de la D.I.C. – est défaite sur son propre terrain.

La voix de Doug est sèche, précise.

– Je veux un suivi des ventes au jour le jour. Convoquez J. Walter Thompson, et renforcez la riposte publicitaire. Prévoyez une promotion internationale, récompensant les bijoutiers qui refusent de stocker les diamants Aurore. Je veux les responsables de Cartier, Winston, Van Cleef et les autres dans mon bureau la semaine prochaine. Jenkins, contactez Rothschild. Smith, voyez Solomons Brothers à New York. Ne perdez pas de temps, s'il vous plaît.

Les cadres prennent note des ordres qui leur sont donnés.

Mais aussi efficace que soit la riposte, il sera difficile de freiner la percée des diamants roses. Ils le savent tous.

Le jet privé survole le continent africain. Assis près du hublot, Jonathan Van Groot parcourt quelques dossiers. La quarantaine calme, réfléchie, Jonathan est un homme d'affaires qui n'a pas à s'inquiéter pour son avenir.

Président du bras commercial de la D.I.C., il sera un

jour à la tête du méga-trust fondé par son grand-père. Élevé par les diamants, pour les diamants, il est au courant du moindre rouage de cet ensemble extraordinairement complexe de compagnies, de filiales et de holdings.

La moustache brune, fournie, le regard aimable, c'est un homme qui n'en impose pas. Mais, comme chez son père, cette apparence bonhomme cache une autorité qu'il ne fait pas bon affronter.

Doug, familier du clan Van Groot depuis plus de quarante ans, le contemple avec amitié.

– Comment se sont passées ces vacances ?

– Très familiales. Les enfants étaient ravis.

Jonathan revient du ranch que la famille possède au Botswana. Le jet l'amène à la City de Londres, au siège même de la W.S.O. Dont il devra repartir très vite pour Anvers, puis Moscou.

Une hôtesse moulée dans un tailleur rouge s'approche des deux hommes.

– Une boisson ? Un cigare ?

– Un thé citron, je vous prie.

– Un cognac pour moi. Merci.

Il n'y a que cinq passagers dans la cabine luxueusement aménagée. Tous des Top managers de la D.I.C. ou de l'Anglo-American, qui retournent à Londres avant de s'envoler pour diverses capitales du monde.

Jonathan sourit, comme pour atténuer l'effet de sa question.

– Où en sommes-nous de l'affaire Aurore ? Je crois que nous avons échoué à mettre le Zaïre au pas ?

Doug soupire. Aucune question ne pouvait lui être plus désagréable.

– Le Zaïre n'en fait qu'à sa tête. Les troubles politiques internes rendent le gouvernement imprévisible.

– Le lancement Aurore est un succès, paraît-il ?

– Il est trop tôt pour savoir.

Jonathan hoche la tête. Brusquement, il est grave, préoccupé.

– Nous devons résoudre ce problème. C'est une épine dont je pourrais me passer.

– Notre riposte sera très agressive. Je suis convaincu que nous pouvons stopper net leur développement.

– Non, Douglas, non. Nous n'avons ni les liquidités ni le temps nécessaires pour faire la guerre au B.C.D.A. Pas quand nous devons consacrer toute notre énergie à une menace infiniment plus grave.

– Quoi donc ?

– La Russie.

– Mais... notre accord de 1990 ?

– Notre filiale helvétique, D.I.C. Centenary, a payé cinq milliards de dollars pour obtenir le monopole des diamants russes pendant cinq ans, et éviter que les gens de Moscou lâchent les millions de carats qu'ils ont en stock sur le marché. Mais cet accord ne suffira pas. Il ne fait que colmater la brèche, de manière provisoire.

– Je ne comprends pas.

– Nous avons envoyé des hommes pour étudier la situation sur place, à Moscou, Saint-Pétersbourg, et dans les différentes républiques. Leurs rapports sont atterrants. Je les ai classés ultra-confidentiels – mais vous en recevrez une copie bientôt. Le pays sombre plus vite que prévu. L'aide occidentale ne produit pas les effets escomptés et le pays glisse vers la cessation de paiement. Leurs besoins de cash sont énormes.

– Mais ils ne peuvent pas vendre leurs diamants à l'extérieur : ils sont liés par notre accord.

– Ce traité concerne les quatorze millions de carats annuels produits par les mines de Yakoutie. Mais une autre mine a été découverte en Ukraine.

– Nous en connaissons l'existence depuis des années.

– Oui. Probablement la plus grande mine de diamants du monde. Une kimberlite très riche, selon nos experts. Jusqu'à présent, nous avons réussi à faire pression sur l'ex-URSS, et la mine n'a jamais été mise en exploitation.

– Mais cette position devient difficile à tenir...

– Oui. Et l'Ukraine, désormais indépendante, veut utiliser ces ressources. D'une manière ou d'une autre, nous risquons de nous trouver submergés par un nouveau stock de diamants bruts.

– Nos réserves sont pleines. Nous ne pourrons pas absorber une nouvelle montagne de gemmes russes.

La voix de Jonathan se fait lasse.

– Rappelez-vous 1973 : l'URSS a déjà failli nous couler en lâchant sur le marché un flot toujours plus élevé de gemmes taillées en Union soviétique – les fameux Silver Bears.

– Est-ce que nous n'avons pas toujours soupçonné les Silver Bears d'être d'origine synthétique ?

– Là n'est pas la question. Ces petites gemmes taillées sont parfaites, et la production continue de croître de manière exponentielle, s'ajoutant aux diamants bruts exportés par la Russie. La réalité, Doug, c'est que les Russes tiennent l'avenir du diamant entre leurs mains. Et c'est un pays auquel il est de plus en plus difficile d'imposer une discipline.

Les deux hommes gardent le silence un instant. Les diamants ne sont pas éternels, ils le savent. S'ils n'arrivent pas à éviter la surproduction et l'effondrement des prix, la magie de la pierre sera détruite à jamais.

Jonathan pose la main sur l'épaule de son vieil ami.

– Nous nous en tirerons. La D.I.C. a déjà résolu des situations aussi menaçantes. Mais nous n'avons pas besoin de la compétition du B.C.D.A. Alors, n'essayez plus de les détruire. Les diamants Aurore sont lancés, on ne peut plus revenir en arrière. Il faut contrôler le B.C.D.A., obtenir des droits sur la mine.

– Les acheter ?

– En partie. Nous nous engageons à les laisser continuer leur projet, mais nous obtenons un droit de contrôle en acquérant un pourcentage des parts du B.C.D.A.

– Pas impossible. Maintenant que son projet a abouti, Desprelles n'opposera plus le même type de résistance. Ce genre de tête de mule cherche à faire ses preuves. Le succès l'ennuiera, j'en suis convaincu. Elle voudra toucher sa part pour aller voir ailleurs.

– Ce n'est pas tout. Le principal financier du B.C.D.A., Lee Wong, est au conseil d'administration d'une de nos banques suisses. Nous pouvons faire pression sur lui.

– Il ne le sait pas ?

– Nous-mêmes ne l'avons découvert que la semaine dernière. La Zurich International Finances appartient à la Sarecot L.T.D., qui est contrôlée par Carat Investments, qui appartient pour 50 % à l'Anglo American Prospecting Group.

– Diable ! Voilà qui est clair : le B.C.D.A. ne pourra pas refuser notre offre, surtout si elle est généreuse.

– Mettez-y le prix, Doug.

L'hôtesse pose les boissons sur la tablette d'acajou, s'inclinant de manière à révéler les rondeurs de son décolleté. Puis elle remonte crânement la toque rouge vers son chignon.

– Rien d'autre, messieurs ?

– Non. Merci.

Les deux hommes restent insensibles aux charmes de la jeune femme. Elle jette un regard doux vers Jonathan – l'un des hommes les plus riches du monde, dit-on –, mais celui-ci est perdu dans ses pensées.

Dépitée, Tania Robertson rejoint la cabine du pilotage.

– Un peu puritains, tous ces gros bonnets.

– Si tu souhaites te faire entretenir dans un hôtel particulier de Kensington, il ne fallait pas choisir cet avion-là, déclare le pilote en rigolant.

Anvers

La synagogue est pleine à craquer. Tout au fond, devant l'armoire à Thora, le rabbin parle aux futurs époux. Luc et Rachel sont debout, sous le dais nuptial. Selon la coutume, ils ne se sont pas vus depuis huit jours. Luc est rigide, il semble avoir avalé un parapluie. Il est coiffé de la kippah, le petit chapeau rond qu'il a obtenu après une conversion difficile. De Rachel, on n'aperçoit qu'un voile mousseux qui tremble légèrement.

Les hommes et les femmes sont séparés par un tapis rouge qui court le long de l'allée centrale. L'assistance est très hétérogène : à gauche, les juifs hassidiques, dont la barbe et les papillotes frémissent au rythme des prières. Et les diamantaires qui sont venus en masse, tous en costumes trois-pièces gris anthracite. Les amis de Luc sont au fond, épuisés par un tumultueux voyage en auto-stop depuis Paris.

A droite, quelques représentants du jet-set artistique

new-yorkais, dont Marilyne (chapeau jaune canari) et surtout Johanna Kale (toque de velours). A leurs côtés se pressent les épouses des diamantaires, accompagnées d'enfants en bas âge. Ces derniers, enrubannés, fleuris, engoncés dans la dentelle, supportent plus ou moins vaillamment la longue cérémonie. Ils assurent un bruit de fond constant, mélange de pleurs, reniflements et cris de frustration. Et tout ce monde, Français, Belges, Américains, Israéliens, tout ce monde est tourné vers Jérusalem.

Felix jette un clin d'œil complice à Johanna. Sur le tournage de la publicité, ils ont bu comme des trous et fait la tournée de tous les pubs de Dublin. Le publicitaire a noyé ses angoisses dans la Guinness, et cela lui a plutôt réussi. Et Felix a persuadé sa femme de donner une nouvelle chance à leur mariage. D'ailleurs, Caroline est là aujourd'hui, de l'autre côté du tapis rouge. Elle arbore un magnifique diamant rose, un cadeau de Paula, qui a aidé à sceller leur réconciliation.

Luc répète les syllabes d'hébreu prononcées par le rabbin. Mots saccadés, incompréhensibles, mais magiques puisqu'ils le lient à Rachel.

La femme d'Alex (capeline à fleurs) réprime un bâillement. Kitty Kentzel supporte très mal le décalage horaire. Surtout dans le sens Ouest-Est. Mais la curiosité la tient éveillée : trois chaises devant se tient la célébrissime Johanna Kale. Aussi belle que dans les magazines, mais plus jeune, plus vraie.

La star est émue et tamponne un Kleenex contre son nez rouge. Peut-être le jeune couple lui rappelle-t-il son propre mariage ? Le cœur maternel de Kitty se serre à cette pensée. Comme tout le monde, elle sait que Johanna a perdu son mari très jeune, dans un accident. Pauvre petite.

Marilyne arbore un sourire un peu figé. Elle ne comprend pas un mot à la cérémonie : l'hébreu lui est aussi familier que le chinois. Elle n'est pas la seule, ce qui la rassure. Pour s'occuper l'esprit, elle réfléchit au menu de la méga-fête qu'elle va donner pour Luc et Rachel. Un moyen de célébrer le mariage de cet artiste prometteur, mais aussi de lui faire rencontrer les personnalités qui comptent à New York. La réception n'aura lieu que dans un mois, dans les salons d'un restaurant français de Greenwich Village. Mais la liste des choses à préparer est encore longue...

Un rayon de soleil vient éclairer la grande salle, les tentures de velours, les massifs de fleurs blanches. Une tache de lumière joue sur le visage de Rachel, qui bat des cils un instant. Mais elle retrouve vite l'expression concentrée, déterminée, qu'elle arbore depuis ce matin. Elle attend cette journée depuis si longtemps...

Pinas Kentzel se demande pour la énième fois ce qui est arrivé à Paula. On a placé la jeune femme dans un fauteuil, pour qu'elle puisse étendre sa jambe immobilisée. Elle est enveloppée dans un kimono de soie qui dissimule ses bandages et ses plâtres.

On dirait qu'elle n'a plus un seul membre valide. Il ne pourra donc pas l'inviter à danser. Dommage, il aurait voulu célébrer la réussite de leur projet. La *Fire Bloom* est en passe de devenir un phénomène de société, et Pinas a dû encore agrandir ses ateliers de Tel-Aviv.

Simon Kentzel souffre. Ce mariage est une écharde dans son cœur. Et Rachel va lui manquer. Entre deux prières, il compte ceux de ses collègues qui n'ont pas voulu assister à la célébration. Car la conversion du Français n'a pas plu dans certains milieux. Trop rapide, beaucoup trop rapide.

Mais en fait, cette union semi-goy a rassemblé presque la totalité de la communauté diamantaire anversoise. Seuls quelques askhénazes de sa génération ont préféré rester chez eux.

Et la voix de Luc : « Te voilà maintenant ma femme, selon la loi de Moïse et d'Israël. »

Ils échangent leurs alliances très vite, comme si un dernier obstacle pouvait encore empêcher leur union.

Une seconde de silence, pour réaliser que rien ne pourra plus les séparer.

Rachel réprime une folle envie de rire, de taper dans ses mains. De l'extrémité du petit doigt, elle caresse le poignet de Luc.

Le visage de Paula est grave, pensif. En une année, tant de choses ont changé. Luc et elle étaient liés par un amour trop exclusif. Cette relation bizarre, héritée de leur solitude enfantine, s'est transformée en amitié.

La rage de vaincre qui la tenait s'est adoucie – un peu. Elle se sent plus vulnérable : elle a frôlé l'échec tant de fois...

Le fantôme de leur père flotte dans la synagogue. Sans lui, les diamants Aurore seraient toujours enfouis au cœur de l'Afrique. Pour la première fois, elle peut penser à lui sans évoquer l'horreur de l'accident, et de ses cauchemars.

Max est debout à son côté, une main sur son épaule, l'autre tenant ses béquilles. Sa chevelure blonde est plaquée sur ses tempes : il a eu beaucoup de mal à la discipliner pour cette occasion solennelle. Ce type de cérémonie tout à la fois l'ennuie et l'émeut. Il suit Luc du regard, avec sympathie. Le garçon a l'air complètement perdu.

Luc jette un verre sur le sol. Il se brise en mille morceaux. Symbole lointain de la destruction du temple.

– Mazeltov !

On crie, on se félicite.

Luc attire la mariée contre lui et se noie dans sa chevelure, pour oublier les deux cent soixante personnes qui ne perdent pas un de ses gestes.

La cérémonie est terminée. Le premier geste de Luc est d'embrasser sa sœur, ce qui n'est pas facile.

– Je n'ose pas te toucher, je ne sais pas où c'est cassé.

– Là, là et là. Et ici, je crois.

Il serre longuement sa main valide.

– Souhaite-nous bonne chance, petite sœur.

Il est happé par la foule, le brouhaha des amis qui se précipitent pour embrasser la mariée, puis pour sabler le champagne.

Depuis le perron parviennent les violons des musiciens, et les cris des enfants enfin libérés.

Johanna, après avoir redressé deux fleurs du bouquet de Rachel, se dirige vers Paula. Émue, elle tente de retrouver sa gouaille coutumière.

– Je t'ai vue pleurnicher comme une vraie fleur bleue !

– Tu peux parler. Ton mascara a dégouliné jusqu'au menton.

– Zut ! C'est vrai ?

Johanna se saisit de son miroir de poche, et entreprend de se repoudrer.

Paula empoigne ses béquilles avec énergie et se lance dans la traversée de la synagogue.

– Allez, dépêche-toi, il ne va plus rester une goutte de champagne !

Au moment où elle quitte l'édifice, une limousine pile devant le perron. Le chauffeur passe la tête par la vitre ouverte.

– Mademoiselle Desprelles ? Un appel urgent.

Il lui tend le téléphone portable.

La voix de John lui parvient, stressée :

– Dieu merci, j'arrive enfin à vous joindre ! Il faut que nous nous voyions.

– John, vous vous rendez compte, bien sûr, que je suis au mariage de mon frère ?

– C'est crucial. La D.I.C. nous fait une offre exceptionnelle. Les banques de Zurich exercent sur moi une pression considérable. Il faut réagir très vite.

Paula jette un coup d'œil autour d'elle. Les violonistes jouent un morceau endiablé. Rachel distribue des morceaux de son voile en virevoltant, entourée de mains qui claquent, de rires et de fleurs qu'on lui jette.

Accoudée contre la limousine, Johanna signe un autographe sur le carnet d'un petit garçon. Pinas et Luc tentent d'organiser le départ vers le lieu du cocktail.

– John, c'est vraiment impossible.

– Paula !

– Nous discuterons de cela demain.

Elle raccroche, déterminée.

Max ne l'a pas quittée des yeux. Son regard est froid, coupant. Si elle avait fait un geste pour quitter la fête, il l'aurait boxée.

N'empêche, elle se demande quelle est la nouvelle carte abattue par la D.I.C.

Paris

Perchée en équilibre instable sur un tabouret, Paula range ses livres dans la bibliothèque. Elle a abandonné son duplex, pour s'installer ici, sur la péniche.

– Mais que fais-tu là ? Je rêve !

Max la prend par la taille et la dépose dans un fauteuil.

– Grimper sur un tabouret avec la jambe dans le plâtre! Seigneur! Tu n'es pas une malade reposante.

– Ne t'en fais pas : tu ne m'auras pas beaucoup sur le dos ces jours-ci. JLW passe me prendre pour une réunion de travail qui risque de se prolonger tard dans la nuit.

– Laisse-moi te poser une question.

– Oui?

– Avant tout, ferme ce peignoir. Tu es très nue, en dessous.

– Ne prétends pas que ma pauvre nudité, alourdie de gros plâtres, peut gêner ta concentration.

– Les plâtres n'y font rien du tout, et tu le sais très bien.

– Bien. Suis-je convenable, maintenant?

– Envisages-tu sérieusement de vendre tes parts dans le B.C.D.A.?

– Pourquoi pas?

– Je te croyais plus attachée aux diamants Aurore.

– La D.I.C. s'engage à poursuivre le projet Aurore tel que je l'ai conçu.

– Vraiment?

– Oui. D'autre part, JLW ne me soutiendra pas : si je refusais l'offre de la D.I.C., il me faudrait trouver un nouvel appui financier.

– Tu sembles prendre cette situation avec philosophie.

– Je n'ai pas encore décidé de vendre. Pas du tout. Mais si cela se produisait, je disposerais d'assez d'argent pour fonder ma propre société.

– Quel type de société?

Max est tout à fait intrigué.

– J'ai des dizaines d'idées. Toutes plus excitantes les unes que les autres.

Il se tait. Les sourcils froncés sont de mauvais augure. Il s'assied sur un coin de table, croise les bras. Lorsque enfin il ouvre la bouche, sa voix est grave.

– Je crois que nous allons avoir un problème.

– Quoi donc?

– Ce soir, tu es en réunion. Demain, tu pars en voyage d'affaires jusqu'à la fin de la semaine. Lorsque tu rentreras, je serai à Saint-Pétersbourg pour une vente aux enchères. Le mois prochain, tu es à Londres...

– Pour rencontrer Douglas Lebstein, oui.

– Ensuite, je suis attendu au Canada, pour les repérages d'un policier télévisé.

– Ne t'inquiète pas, nous finirons bien par rentrer tous les deux à Paris.

– Justement, je m'inquiète. Car à Paris, nous ne nous verrons de toute façon pas. En effet, tu travailleras quatorze heures par jour au lancement d'une nouvelle société. Je me trompe ?

Elle ne répond pas. Le visage lisse, elle attend de voir où il veut en venir. Il passe une main dans sa crinière, tire sur son jean, puis reprend :

– Loin de moi l'idée de placer un fétu de paille sur le chemin de ta carrière.

– J'entends bien.

– Mais dans ces conditions, nous ne pouvons rêver d'avoir une vie de couple traditionnelle. A vrai dire, il sera difficile d'avoir une vie de couple tout court.

– Pourquoi pas ?

– Je ne te fais pas confiance. Jusqu'à présent, tu ne m'as accordé quelques journées que lorsque tu étais convalescente ou hospitalisée.

– Mais qu'as-tu derrière la tête ?

– Simple. Je te propose un arrangement. Retrouvons-nous systématiquement les quatre premiers jours de chaque mois. Loin de tout quartier d'affaires, loin de tout éditeur impatient. Dans une de mes maisons, par exemple. Mais attention...

Sa voix est dure.

– Pas de petits jeux de pouvoir. Pas de négociations. Les quatre premiers jours de chaque mois. Aucun projet, aucune grève d'avion ne me retiendra. Mais si tu n'es pas là, si tu joues avec la règle, tu ne me reverras pas.

– C'est une menace ?

– Non. Je te crois capable de rendre notre relation très difficile. Ce rendez-vous représentera les fondations de notre vie en commun. Et je tiens à ce qu'elles soient solides.

Il a dit tout ce qu'il avait à dire.

Elle baisse les paupières un instant. Pour réfléchir plus vite. Pour analyser les différentes voies possibles, les solutions à court, moyen et long terme.

Lorsqu'elle ouvre les yeux, ses prunelles étincellent. Il n'y a qu'une seule réponse possible.

– Bon. C'est d'accord.

La salle de réunion est enfumée, la table couverte de télex, de tasses vides, de dossiers épars.

Paula gémit :

– Il n'y a plus d'aspirine ?

– Nous touchons au but. Le Zaïre est d'accord sur la répartition de la somme. Il ne reste plus qu'à faire signer la D.I.C.

JLW est enthousiaste. L'investissement dans le B.C.D.A. se révèle finalement profitable, à plus court terme qu'il ne pensait. Cela fait bien des mois qu'il ne s'est pas autant amusé : jongler avec les capitaux internationaux est son activité favorite.

– Vous demandez un montant trop élevé. Ils n'accepteront jamais.

– Vous vous trompez. Après trois semaines de négociations intensives, je sens que nous approchons du but.

– Trois semaines pendant lesquelles je ne suis sortie de la salle de réunion que pour faire ôter mes plâtres! Et encore, vous m'avez appelée à l'hôpital.

Le Chinois secoue la tête. De quoi se plaint-elle ? Cet accord vaut bien la peine qu'on passe quelques dizaines d'heures enfermé dans un bureau. Elle a besoin d'action, de plein air. Mais lui est ici dans son élément : des négociations subtiles, tendues, des revirements diplomatiques, des volte-face effarouchées... Ah, Kinshasa leur en a fait voir de toutes les couleurs! Et Doug Lebstein est un des bonshommes les plus coriaces qu'il ait jamais rencontrés. Mais JLW est accroché au morceau.

La D.I.C. est trop liée à une certaine banque, qui est pour lui d'une grande importance. A Zurich, on lui a fait comprendre que ces négociations devaient aboutir. Mais ce n'est pas évident lorsqu'on travaille avec quelqu'un d'aussi têtu que Paula. La rencontre avec Doug fut mémorable : le choc des personnalités fut tel que personne n'osa interrompre leur dialogue houleux, qui dura quatre heures vingt-cinq.

– John, cessez de sourire béatement. A quoi pensez-vous ?

– A rien, ma chère, à rien.

– J'ai déposé sur votre bureau les derniers chiffres de vente des diamants Aurore. Faramineux. Nous avons dépassé les objectifs de dix-huit pour cent. Maintenant, je rentre chez moi. Il est tout de même minuit et quart.

– Eh bien, à demain.

– Non. Je vous avais prévenu : je m'absente quatre jours.

– Comment ça ?

– Max et moi ne nous sommes pas vus depuis un mois. Nous avons un rendez-vous que je ne peux manquer. Ne prenez pas cet air outragé ! J'ai droit à un minimum de vie privée...

– Vous avez bien changé.

– Seulement quatre petits jours. De toute façon, la D.I.C. aura besoin d'un certain temps pour digérer la somme que nous demandons.

– Puis-je avoir vos coordonnées ?

– Certainement pas. Je ne vous fais aucune confiance : vous êtes atteint de téléphonite aiguë. Bonsoir.

Six heures et quart. Paula emballe un sandwich au pain de seigle tartiné de roquefort, pour la route. Ses dessous de soie les plus diaphanes sont pliés au sommet du sac de voyage. Elle est prête. Si elle veut arriver à Brest pour midi, il ne faudra pas traîner en route. La Mustang sort d'une révision générale : elle n'a voulu prendre aucun risque.

De Brest, le bateau pour Ouessant devrait l'amener chez Max en début d'après-midi.

La sonnerie du téléphone retentit dans la pièce silencieuse. Elle soupire. JLW, à cent contre un.

– Paula ? Devinez quoi ?

Le Chinois semble tout à fait éveillé, malgré l'heure matinale.

– Je ne sais pas.

– La D.I.C. a tout accepté. Tout. Je crois qu'ils ont voulu conclure l'affaire, une fois pour toutes. Vous les avez épuisés !

– Nous aurions dû demander plus !

– Trop tard. Jonathan Van Groot se déplace lui-même pour signer le contrat. Il part à Johannesburg demain, et souhaite nous rencontrer aujourd'hui. Il arrive vers neuf heures et demie.

– Mais... Je vous ai dit que je n'étais pas disponible aujourd'hui !

– Soyez sérieuse. Vous êtes la fondatrice du B.C.D.A. Vous devez signer cet accord. Cela me semble plus prioritaire que vos petits week-ends champêtres.

– Et si je vous confiais une procuration ?

– Hors de question. Ce serait maladroit, voire dangereux.

– Mais pourquoi aujourd'hui ? Pourquoi ?

– Je vous l'ai dit : Van Groot quitte l'Europe demain. Nous l'avons saisi au vol. Une chance infernale. Donnons-nous rendez-vous à Roissy, pour l'accueillir. J'ai réservé une table à *La Tour d'Argent* pour le déjeuner.

Affolée, Paula ferme les yeux. C'est une catastrophe. Bien évidemment, Max n'a pas le téléphone à Ouessant. Impossible de le prévenir. Si jamais elle rate leur premier rendez-vous, quelles que soient ses justifications, il ne le lui pardonnera pas.

Les mains glacées, elle réalise qu'elle n'a jamais été aussi près de la rupture. Quelques heures seulement la séparent de Max, du sourire lent qui illumine son visage, de cette allure nonchalante, qui se promène dans la vie en dissimulant son sérieux...

Ce rendez-vous est un test. Max veut être sûr qu'elle ne le sacrifiera pas à sa carrière – comme tous les hommes qu'elle a connus jusqu'à présent.

– Paula ? Vous m'entendez ?

Elle a une seconde pour choisir sa vie.

Que dirait Luc ?

Que dirait Johanna ?

Ils diraient tous la même chose. Il est temps de penser à sa propre vie, il est temps d'écouter Max.

– Je suis désolée. Il m'est impossible de vous accompagner. Je vous laisse une procuration pour ma signature, chez la concierge.

Elle raccroche, débranche le téléphone.

Le cœur battant, elle retourne à son sac de voyage. Bottes de caoutchouc, pulls irlandais. Une édition originale de Dostoïevski, pour offrir à Max.

Elle enfile une parka douillette. Finit son café. Cherche ses clefs de voiture pendant cinq minutes.

C'est parti.

L'air est frais, vivifiant. Une belle matinée d'hiver. Elle ouvre le coffre de la Mustang, cale son sac près de la roue de secours. Puis elle se penche pour introduire la clef dans la serrure. Soudain, deux grandes mains l'attrapent aux épaules. La tirent violemment en arrière. Elle se débat, lance des coups de pied, tente de crier.

Trop tard : on la pousse déjà dans une BMW aux vitres teintées. Où l'attend JLW, hilare.

Le chauffeur, un athlète d'un mètre quatre-vingt-dix, s'installe au volant.

– C'est un kidnapping! hurle-t-elle, indignée.

Elle lance quelques coups de poing bien sentis sur les épaules du colosse, qui ne se retourne même pas.

– Ne vous fatiguez pas. C'est un karatéka très solide. Mi-chinois mi-cosaque.

JLW pouffe de rire. Il porte son meilleur costume, fait sur mesure par un tailleur de Savile Row, et ses joues imberbes sentent l'aftershave.

– Vous!

Elle est rouge de colère.

– Allons, calmez-vous. Vous ne m'avez pas laissé le choix. Il est hors de question que j'accueille Jonathan Van Groot et son armée d'avocats, avec une procuration rédigée à la va-vite sur un bout de papier. Paula, ne me frappez pas, je suis fragile. Nous signerons vers onze heures, et vous n'aurez qu'à partir avant le déjeuner. Je m'occuperai des relations publiques.

Elle se calme un peu. Un petit avion relie le continent à Ouessant, dans l'après-midi. Si elle part avant le déjeuner, tout n'est pas perdu. Son contrat avec Max stipule qu'elle doit arriver dans la journée... Ce qui, après tout, lui laisse jusqu'à minuit.

L'œil pétillant, le Chinois s'approche d'elle.

– Laissez-moi vous parler de cet accord exceptionnel. Nous recevrons une part en actions, ce qui vous permettra de garder une influence dans le développement des diamants Aurore. Plus une somme en cash, qui est de...

John susurre le montant à l'oreille de la jeune femme. Elle arrondit les yeux et déglutit lentement.

– Combien ?

Il répète.

Paula hoche la tête, impressionnée malgré elle.

Ouessant

Max s'étire, et le grand lit craque sous son poids. Il se lève d'un bond, enfile un jean, un pull, et place quelques bûches dans la cheminée.

Un vent glacé monte de la côte. S'il veut que la maison soit chaude pour l'arrivée de Paula, il doit allumer le feu dès maintenant.

La porte grince et s'entrouvre. Einstein, son mouton préféré, se frotte contre le chambranle pour réclamer sa part du petit déjeuner. Max lui ouvre, puis respire le vent marin.

La maison de granit aux volets bleus est entourée d'un muret de pierres sèches. Tout autour, la lande : une herbe rase qui s'enflamme d'orange ou de mauve, percée par des récifs tachés de lichen. Une lande habitée par les fameux moutons de pré-salé, qui errent en liberté sur les quinze kilomètres carrés de l'île.

A l'horizon, une ligne d'un gris acier, couronnée d'écume : l'océan est mauvais aujourd'hui.

Paula, en bonne citadine, devrait mal supporter la traversée. Prévoir un alcool tonique pour lui remettre l'estomac en place.

Il jette un croûton à Einstein et ne peut s'empêcher de sourire. Après quatre semaines de chasteté, la perspective de coincer Paula sous la couette du grand lit n'est pas désagréable.

Roissy

Paula jette à l'hôtesse un regard noir et contient ses envies de meurtre.

– Mademoiselle, je suis désolée. Nous n'y pouvons vraiment rien.

Le jet privé de la D.I.C. a été retenu à Londres par le smog. Impossible d'évaluer son retard.

JLW tente de calmer sa partenaire.

– Je suis sûr qu'ils vont arriver d'une minute à l'autre.

– L'hôtesse au sourire lobotomisé nous dit la même chose depuis une heure !

– Il n'est que onze heures. Pourquoi ne partez-vous pas plutôt avec Air Inter ? Paris-Brest sera bien plus rapide par air que par route. Allez donc vous renseigner au comptoir, cela vous occupera.

John soupire, excédé. Elle est particulièrement insupportable ce matin. Jamais vu tant de mauvaise volonté à devenir millionnaire !

Un Boeing de la Thai Airways se gare près des satellites, les petits avions du London City Airport se succèdent sur la piste la plus proche de l'aérogare.

– Départ du vol Air Inter à quinze heures. Nous n'aurons jamais le temps de discuter de ce foutu contrat s'ils n'arrivent pas maintenant.

Debout face à la baie vitrée, Paula soupire. Malgré elle, son cœur bat plus vite, à l'idée de négocier avec l'héritier de l'empire D.I.C. Elle est au sommet de sa carrière, prête à récolter les fruits du pari fou qui l'a lancée à la tête du projet Aurore. Elle est sur le point de rencontrer l'un des hommes les plus puissants et les plus riches du monde. Et cette journée, qui devrait être exaltante, est ruinée par la peur de perdre Max. Elle est tentée d'abandonner, de céder aux événements. Après tout, renoncer à cette rencontre avec Jonathan Van Groot, repousser la signature d'un tel contrat, ce serait folie pure et simple.

Mais Max ne verra pas les choses sous cet angle, c'est certain.

JLW surgit à son côté.

– Quelques informations fraîches : le jet de la D.I.C. tourne au-dessus de l'aéroport depuis une demi-heure. Encombrement du trafic aérien. Cela devrait se résoudre d'ici à une vingtaine de minutes...

Le voilà. Jonathan Van Groot est un homme mince, de petite taille, qui paraît plus jeune que ses quarante ans. C'est un homme de pouvoir, cela se voit au premier coup d'œil. Il se tient droit, calme, entouré par Doug, Jenkins, deux avocats, et son secrétaire particulier. Son costume souligne l'allure sportive du Sud-Africain. La voix est douce, précise, fortement teintée par l'accent d'Oxford.

– Chère mademoiselle Desprelles, je suis ravi de vous rencontrer enfin.

Il lui serre la main et l'observe une seconde de plus que ne le réclame cette première rencontre. Elle est charmée.

Doug esquisse un sourire mécanique et jette à Paula un regard glacé comme le blizzard. Il est convaincu que cet accord leur coûte beaucoup trop cher, et il n'aime pas être pris au piège par une femme plus jeune que sa propre fille.

Prévoyant, JLW a réservé deux limousines. Bientôt, les états-majors de la W.S.O. et du B.C.D.A. filent vers Paris.

Dans la première voiture, JLW a ouvert le minibar et propose une coupe de champagne. Paula lisse le chemisier qu'elle a acheté en toute hâte à l'aéroport, pour remplacer son pull et sa parka. Elle regrette de n'être ni maquillée, ni coiffée.

Jonathan Van Groot ne la quitte pas des yeux : il admire son chic très parisien et ses yeux qui brillent comme du vif-argent.

– Miss Desprelles, vous nous avez vraiment mis dans l'embarras cette année. On peut le dire, Doug, n'est-ce pas ?

Doug hoche la tête, jouant à la perfection son rôle d'éminence grise.

– Les diamants Aurore sont des pierres splendides. Pour la D.I.C. Centenary, ils représentent une pièce stratégique. Aussi, quand nos deux sociétés sont parvenues à un accord, j'ai voulu signer le contrat de ma main. J'ai dû reporter de vingt-quatre heures mon voyage à Johannesburg. Ma femme m'attend là-bas pour fêter notre anniversaire de mariage. Je vais sans doute avoir quelques explications délicates à donner!

Les hommes s'esclaffent.

Paula rit jaune.

L'avion pour Brest décolle dans deux heures trente. JLW intervient :

– Il est déjà midi et demi. Préférez-vous examiner les documents tout de suite, ou déjeuner d'abord?

Elle sursaute et fusille le Chinois du regard. Ce dont il se moque éperdument. Doug, dont l'estomac est réglé comme une montre suisse, n'hésite pas une minute :

– J'avoue que je suis affamé. Et vous, Jonathan?

– A Paris, la gastronomie et les jolies femmes l'emportent sur les affaires. Allons déjeuner, monsieur Wong. Cela nous donnera le temps de faire plus ample connaissance avec Mlle Desprelles. J'ai des dizaines de questions à vous poser, chère Paula.

JLW fixe sévèrement la jeune femme.

Elle ne peut pas refuser.

Elle ne refuse pas.

Ouessant

Le bateau accoste, entouré d'une nuée de mouettes. Les écoliers descendent en hurlant, les passagers adultes avec plus de pondération. Plusieurs d'entre eux affichent un teint verdâtre : la houle a secoué le bateau pendant toute la traversée.

Max discute avec Isabelle, une fille de pêcheur qui aimerait bien ne pas devenir femme de pêcheur et le couve d'un regard doux et timide. Mais il la voit à peine. Les mains enfoncées dans les poches de son blouson, il scrute les passagers qui débarquent sur la terre ferme. Il est plus tendu qu'il ne pensait l'être. Ce premier rendez-vous a beaucoup de signification pour lui.

Pour la première fois dans une vie mouvementée, il cherche à trouver un coin de stabilité. Il connaît l'exotisme et l'amertume des aventures féminines, et cela ne lui suffit plus.

Si Paula vient, ils ne se perdront pas. Même lorsque leurs métiers respectifs les tiendront séparés.

Si elle ne vient pas, il a prévu de partir dès le lendemain. Il doit adapter deux de ses policiers pour une série télévisée. Un travail fou. Il choisira Montréal ou Lamu, selon son humeur. Qui sera probablement exécrable. Il ne la reverra pas. Il a déjà placé trop d'énergie et de bonne volonté dans cette liaison. C'est à elle de faire ses preuves, maintenant.

Gaston, le jeune frère d'Isabelle, les rejoint, tout essoufflé.

– Max! J'ai acheté ton dernier livre : c'était super! Maman ne voulait pas, à cause du sexe, mais je l'ai lu en cachette.

– Gaston! s'exclame sa sœur en rougissant.

– On a un nouveau voilier. Un rapide, pour les régates. Papa et moi allons le faire courir cet après-midi. Il demande si tu veux nous accompagner.

Max contemple l'adolescent avec sympathie. Ce gamin est déjà un navigateur hors de pair, et son père est un excellent marin.

Mais il avait prévu d'occuper sa journée autrement.

Une bourrasque de vent balaie le quai, et le bateau oscille d'un flanc sur l'autre.

Là-bas, de l'autre côté du port, des panaches d'écume jaillissent par-dessus la digue. Les derniers passagers sont descendus maintenant. Et c'était la seule liaison avec le continent, pour la journée.

– O.K.! Je viendrai...

– Génial! On se retrouve au ponton.

Paris

Le sommelier se penche vers Paula, qui traduit en français les questions de Doug.

– La cuvée 1956 n'est pas mal, Mademoiselle.

– Très bien. Hâtons, je vous prie.

La table est située près de la baie vitrée, face au magnifique panorama parisien. Une foule de serveurs s'agite autour d'eux : préposé aux miettes, préposé aux cendriers, chef de salle, sans compter le maître d'hôtel, qui compare les mérites des foies gras d'oie et de canard avec David Jenkins.

Paula est placée à droite de Jonathan Van Groot. Ce dernier fait de son mieux pour intéresser la jeune femme, qui semble étrangement distraite, et lui parle avec chaleur de son pays. La langue anglaise reflète de manière aiguë toutes les nuances des strates sociales. L'anglais parlé par Jonathan est celui des lords, des clubs, des anciens d'Oxbridge : une voix aux inflexions légères, changeantes, toujours teintée d'humour.

Paula se laisse peu à peu gagner par le charme qui émane du millionnaire. La conversation s'anime et devient plus personnelle.

Petits fours salés.

Vin.

Foie gras.

– Je vous envie beaucoup, chère Paula. Vous avez eu la chance de pouvoir fonder vous-même votre société. Une aventure exaltante, j'en suis convaincu.

– Ne me faites pas regretter de vous la vendre.

– Dieu m'en préserve ! Mais diriger l'empire fondé par son grand-père est une tout autre histoire...

– Que voulez-vous dire ?

– Mon grand-père est entré comme apprenti chez un diamantaire, à l'âge de seize ans. Quelques décennies plus tard, il contrôlait l'ensemble de la D.I.C. Cela, c'est une aventure. Mon père et moi avons des vies différentes : le bateau est devenu plus gros, plus puissant, et nous passons notre temps à prévoir les prochains écueils.

– On dit que personne d'autre ne pourrait contrôler les centaines de sociétés qui composent votre trust.

– C'est très exagéré. Notre conseil d'administration est là pour prouver le contraire. Mais il est exact que mon père et moi avons été préparés à cela notre vie durant. Dès l'adolescence, nous savions distinguer les différentes qualités d'un diamant et avions visité la plupart des mines d'Afrique.

– Est-ce que vos enfants reçoivent la même éducation ?

– Non. Ils apprendront bien assez tôt. Pour l'instant, ils profitent de nos ranchs africains : des domaines magnifiques, peuplés de bêtes sauvages. Bientôt, il faudra les envoyer en pension, et cela sera bien assez dur.

– Vous-même, auriez-vous préféré une autre carrière ?

Le sourire de Jonathan est désarmant.

– J'aurais voulu être pilote d'avion. Mais la question ne s'est jamais vraiment posée. Et puis la Compagnie est un univers passionnant. Un tourbillon de corporations et de holdings financiers, protégeant, en son centre, le cartel du diamant.

Persillé de homard à la gelée de caviar.
Caneton Tour d'Argent.
Brie de Meaux.

Soudain, un cri brise le murmure des conversations.

– Mon Dieu !

Tous les regards se fixent sur Paula. Qui, la main sur la bouche, réalise qu'elle a raté son avion.

En roulant à toute vitesse, elle peut encore arriver à Brest avant la nuit. Là-bas, elle trouvera bien une barque quelconque pour l'emmener à Ouessant.

– Je suis désolée. Un rendez-vous urgent cet après-midi. Je ne peux pas rester plus longtemps.

JLW rougit, s'étouffe, semble sur le point d'avoir une attaque.

Mais Van Groot plie sa serviette et annonce d'une voix ferme :

– Paula a tout à fait raison. Ce repas était excellent, mais nous avons des affaires importantes à régler. Messieurs, je propose qu'exceptionnellement, nous nous passions de dessert.

Puis il se tourne vers la jeune femme :

– Il y a quelques points concernant le développement des diamants Aurore dont j'aurais aimé discuter avec vous. Vos conseils pour le futur nous seront essentiels.

Silence.

Le prince du diamant a besoin de l'expertise d'une femme de vingt-huit ans.

Crispé par l'angoisse de la voir s'échapper, JLW implore Paula du regard.

– Nous n'en avons que pour quelques heures. Votre présence est indispensable.

Elle hoche la tête, vaincue.

– Bien entendu. Je suis à votre disposition.

Ouessant

Sous les poutres enfumées, les rires et les exclamations fusent, stimulés par la sixième bouteille de Jack Daniel's que Max pose sur la table. Le feu rugit dans la cheminée et renforce la couperose des visages. Le pot d'adieu de Max a vidé le bar local : une dizaine de marins ont envahi sa cuisine, ains que quelques femmes – dont Isabelle, qui tente de ne pas se faire remarquer par son père.

Gaston, que l'on essaie de limiter au Coca-Cola car il n'a pas quatorze ans, décrit avec force détails leur sortie en mer.

– Une gîte pas possible, à plus de vingt-deux nœuds. Là-dessus, la trinquette qui s'emmêle. Je me précipite, je glisse, et...

Cris, rires, bouteilles qui s'entrechoquent.

Max emplit son verre avec enthousiasme. Il est très déterminé à rouler ivre mort sous la table.

A dix-neuf heures, il a attendu le petit avion en provenance de Brest, en plein courant d'air glacé.

L'appareil s'est posé, avec trois religieuses à son bord. Max a invité le pilote à le rejoindre pour un verre un peu plus tard.

Il est rentré chez lui, traversant la lande à grands pas. Peu à peu, il a réalisé son échec. Il a perdu une journée à l'attendre, et elle n'a pas daigné tenir son engagement. Elle ne l'a pas pris au sérieux, c'est clair.

Max a accéléré le pas. Les mâchoires serrées, il a laissé libre cours à une rage froide. Il quittera Ouessant dès que possible, et pour longtemps. Pas la peine de repasser par la péniche : il partira directement pour l'étranger.

Arrivé chez lui, il a jeté ses affaires dans son sac.